# DE L'ESPRIT DES LOIS

# MONTESQUIEU

# DE L'ESPRIT DES LOIS

## Anthologie

*Choix de textes, introduction, notices, notes,
chronologie et bibliographie
par*
Denis DE CASABIANCA

*avec la collaboration
de*
Catherine VOLPILHAC-AUGER

GF Flammarion

# ABRÉVIATIONS

*Œuvres de Montesquieu*

*DEL* : *Défense de l'Esprit des lois*, dans *De l'esprit des lois*, éd. V. Goldschmidt, GF-Flammarion, 1979, t. II.

*DEM* : *Dictionnaire électronique Montesquieu* (en ligne) : <http://dictionnaire-montesquieu.ens-lyon.fr>.

*EL* : *De l'esprit des lois*. Nous indiquons les livres en chiffres romains et les chapitres en chiffres arabes ; par exemple : *EL*, XI, 16. Lorsque la référence à *De l'esprit des lois* renvoie à un chapitre qui se trouve dans cette anthologie, nous notons simplement III, 7.

*Essai sur les causes* : *Essai sur les causes qui peuvent affecter les esprits et les caractères*.

*LP* : *Lettres persanes*. Nous donnons le numéro des lettres en chiffres arabes, selon la numérotation indiquée dans la nouvelle édition des *Œuvres complètes* (qui suit l'édition originale de 1721) publiée par la Voltaire Foundation, *OC*, 1998, t. I. Nous indiquons également entre parenthèses la numérotation des lettres telle qu'on la trouve dans l'édition de 1758 et la plupart des éditions postérieures.

Masson : *Œuvres complètes*, éd. A. Masson, Nagel, 1950-1955, 3 vol.

*OC* : *Œuvres complètes*, Oxford, Voltaire Foundation, 1998-2008, et Lyon, Paris, ENS Éditions/Classiques Garnier, 2009-, 22 vol. (13 parus à ce jour).

*Pensées* : *Mes pensées*. Nous suivons la numérotation de l'édition Desgraves (Robert Laffont, 1991), qui indique les numéros des pensées en chiffres arabes.

Pléiade : *Œuvres complètes*, éd. R. Caillois, Gallimard, 1949-1951, 2 vol.

*Romains* : *Considérations sur les causes de la grandeur des Romains et de leur décadence*, éd. J. Ehrard, GF-Flammarion, 1990 (chapitres indiqués en chiffres romains).

*Spic.* : *Spicilège*. Nous suivons la numérotation de l'édition Desgraves (Robert Laffont, 1991) et de celle des *Œuvres complètes* (Voltaire Foundation, *OC*, t. XIII), qui indiquent les numéros des textes en chiffres arabes.

## Autres ouvrages

*Académie* : *Dictionnaire de l'Académie* (1762).

*Catalogue* : Louis Desgraves et Catherine Volpilhac-Auger, *Catalogue de la bibliothèque de Montesquieu à La Brède*, Naples, Liguori Editore, 1999. Nous suivons la numérotation adoptée dans cette édition.

Furetière : Furetière, *Dictionnaire universel* (1690).

*Mémoire de la critique* : Catherine Volpilhac-Auger, *Montesquieu*, Presses de l'université de Paris-Sorbonne, « Mémoire de la critique », 2003.

# INTRODUCTION

## Le savoir des lois

1748. *L'Esprit des lois* paraît avec, pour exergue, cette citation d'Ovide, non traduite : « ... *Prolem sine matre creatam* [1]. » Si Montesquieu annonce ainsi une œuvre nouvelle, il prend également soin, dans la préface, de rendre hommage aux « grands hommes » qui ont écrit avant lui. Il ne s'agit donc pas, pour lui, de congédier les œuvres passées, et, de fait, cette épigraphe en appelle à un lecteur qui s'inscrit comme lui dans une tradition lettrée. En quoi consiste alors le « génie » propre de Montesquieu, revendiqué dans sa préface, et l'innovation de *L'Esprit des lois* ?

La définition des « lois-rapports » que l'on trouve au seuil de l'ouvrage, et qui a suscité les plus vives réactions, manifesterait l'originalité d'une démarche qui chercherait à appréhender la réalité des sociétés humaines à la lumière des catégories de la science moderne, laquelle met au jour les lois de la nature et les relations de causes à effets permettant de rendre compte des phénomènes. Les lois ne sont pas ici présentées comme des commandements, elles n'apparaissent pas d'abord comme ce qui règle la vie sociale, mais, « dans la signification la plus étendue, [elles] sont les rapports nécessaires qui dérivent de la nature des choses » (I, 1). Le projet de découvrir les « raisons » des maximes des différentes nations ouvre la perspective d'un savoir nouveau. Le sujet de l'ouvrage « est

---

1. « Enfant né sans mère », *Les Métamorphoses*, II, v. 553.

immense, puisqu'il embrasse toutes les institutions qui sont reçues parmi les hommes » (*DEL*, seconde partie). L'attention que Comte et Durkheim ont portée à Montesquieu pour en faire un précurseur de la sociologie[1] fait que leurs lectures de *L'Esprit des lois* insistent sur une séparation du savant et du politique. La connaissance de ce qui est, envisagé dans une perspective descriptive, doit pour s'accomplir être séparée d'une perspective qui établit ce qui doit être : dans la préface, Montesquieu envisage de donner les « raisons » des lois et des mœurs, et laisse à d'autres le soin de « proposer des changements ». Pourtant, il faut bien constater qu'une perspective normative continue d'informer ce que l'on veut considérer comme un examen scientifique des lois et des mœurs. Comment faire tenir ensemble l'étude des déterminations objectives des sociétés humaines et la nécessité de penser un fondement stable qui permette de bien juger ces institutions ? Comment allier l'étude des législations existantes et l'évaluation de la bonté des lois ? Montesquieu trouverait chez les penseurs du droit naturel qui l'ont précédé l'assise normative qui permet de penser la justice (voir livre I), que l'on interprète cet emprunt comme une survivance de la tradition jusnaturaliste[2], comme un refuge témoignant aussi d'un parti pris idéologique[3], ou

----

1. Voir Comte, *Leçons de sociologie* (éd. J. Grange, GF-Flammarion, 1995 ; cette édition rassemble les textes du *Cours de philosophie positive*, t. IV, contenant la philosophie sociale et les conclusions générales [1839], leçons 47 à 51), et Durkheim, *Montesquieu et Rousseau précurseurs de la sociologie* (1892), Librairie Marcel Rivière et Cie, 1966.

2. Novateur dans le projet d'étudier scientifiquement les institutions humaines, Montesquieu resterait tributaire des penseurs du droit naturel, comme Grotius ou Pufendorf, lorsqu'il s'agit de poser l'existence de normes de justice indépendantes des conventions humaines.

3. Louis Althusser, *Montesquieu, la politique et l'histoire* (1959), PUF, 1974. Pour Althusser la mise en place par Montesquieu d'une physique sociale ouvre la perspective d'une compréhension du devenir historique, cependant ses jugements et sa défense de la noblesse comme corps intermédiaire dans la monarchie révèlent son attachement à des intérêts nobiliaires.

que l'on cherche à comprendre les tensions créées par cette approche duale [1].

Cependant, il n'est pas sûr que la dichotomie des faits et des valeurs permette de restituer le dessein de Montesquieu. « Dans tout ceci, je ne justifie pas les usages, mais j'en rends les raisons » (XVI, 4) : loin de plier face aux faits, il semble que la connaissance de la réalité n'ait de sens que si elle permet d'éclairer le jugement. Montesquieu explique ainsi qu'il cherche l'origine des lois, « qu'il en découvre les causes physiques et morales ; qu'il examine celles qui ont un degré de bonté par elles-mêmes et celles qui n'en ont aucun ; que de deux pratiques pernicieuses, il cherche celle qui l'est plus et celle qui l'est moins ; qu'il y discute celles qui peuvent avoir de bons effets à un certain égard, et de mauvais dans un autre » (*DEL*, seconde partie). Juger si les lois positives – instituées en fait – sont bonnes ou non ne semble pas pouvoir se faire sans les examiner. Chercher les « raisons » ne consiste pas seulement à rechercher objectivement des « causes », c'est aussi mesurer les « effets », et ce n'est qu'en permettant d'évaluer la bonté des lois et des mœurs qu'une telle recherche sera vraiment « utile » (*ibid.*). Quelle est la nature de ce *savoir des lois* que Montesquieu entend constituer dans l'ouvrage, et qui comprend ensemble un savoir de la réalité sociale et un savoir des normes ?

Si la perspective n'est pas « scientifique », au sens où peuvent l'entendre les sociologues, s'il ne faut pas voir dans les « rapports » ou les « causes » dont parle Montesquieu une simple application des catégories de la science moderne, il reste que l'ouvrage prétend dévoiler une rationalité des histoires juridiques. L'originalité de

---

1. Raymond Aron, *Les Étapes de la pensée sociologique* (1967), Gallimard, 1976. Pour Aron, Montesquieu est le fondateur d'une sociologie qui cherche à tenir ensemble des causes jouant les unes avec les autres, mais il ne se prive pas de juger, au nom de principes universels, certaines institutions.

ses « principes » permet de comprendre « les histoires de toutes les nations » (préface). Montesquieu s'oppose tout autant au pyrrhonisme historique, à l'*historia magistra vitæ* telle qu'elle a pu être utilisée par Machiavel, qu'à l'histoire universelle théologique de Bossuet. Entre l'éparpillement sceptique des faits et le providentialisme, il y a la place pour un nouveau savoir de la réalité historique. C'est aussi cette découverte qui vaut à Montesquieu d'être comparé à Newton par le Genevois Bonnet [1]. Les histoires des différentes nations ne sont pas qu'un réservoir d'exemples pour les politiques, mais elles n'ont pas non plus un sens caché, elles ne sont pas la mise en œuvre d'un dessein que révélerait une vue d'ensemble. S'il y a des « raisons », c'est que la raison humaine œuvre par les lois pour régler, autant que faire se peut, l'ordre social. Mais cette intervention n'est pas uniforme, la raison « s'applique » (I, 3) en situation, et elle compose avec d'autres processus historiques, également impersonnels. Il s'agit justement de démêler ce jeu des lois et de la nature des choses, et de voir de quelle manière l'intervention législatrice participe aux processus historiques. Sans unifier l'intelligibilité de l'histoire dans une philosophie, Montesquieu s'efforce de donner *les* raisons *des* histoires pour éclairer une liberté humaine incertaine. Là encore, le projet d'une rationalisation des histoires semble inséparable d'un dessein pratique qui vise à rendre possible une meilleure législation. Le *savoir des lois*, qui porte également sur les changements historiques, oriente un savoir-faire des lois.

## L'art de la législation

Choisir d'abord les questions politiques à partir de l'examen des lois positives, c'est en effet attirer l'attention

1. « Newton a découvert les lois du monde matériel : vous avez découvert, Monsieur, les lois du monde intellectuel », Lettre du 14 novembre 1753, Masson, t. III, p. 1478.

sur *les* législateurs qui ont œuvré dans des situations historiques diverses. En se plaçant du point de vue de celui qui cherche à régler les sociétés par le biais des lois, on ne peut éviter la question de savoir s'il les fait bonnes ou mauvaises. Dans la mesure toutefois où Montesquieu ne réfléchit pas sur les fondements du droit en faisant abstraction du donné historique contingent mais sur les lois instituées par les législateurs, a-t-il encore les moyens de mener à bien son projet ? Partir des lois positives telles qu'elles existent, ou ont existé, n'est-ce pas forcément tomber dans un relativisme dont il serait impossible de sortir ? Il faut insister là-dessus, car les contemporains de Montesquieu ont bien perçu que son ouvrage supposait d'adopter le point de vue des législateurs. Ainsi d'Alembert, dans son *Éloge de M. le président de Montesquieu* (1755), indique qu'il mériterait le titre « de législateur des nations [1] ». De son côté, Voltaire commente, après avoir souligné l'absence de méthode qu'on trouve dans l'ouvrage : « C'est Michel Montaigne législateur [2]. » Peut-on éviter l'écueil sceptique ou relativiste, lorsque l'on déploie une pensée des rapports, lorsque l'on pense les lois relativement aux lieux et aux mœurs des peuples ?

Dans les notes qu'il a prises au cours de son voyage européen (1728-1731), Montesquieu fait justement la remarque suivante : « Il me semble que les mœurs et les coutumes des nations qui ne sont pas contraires à la morale ne peuvent être jugées les unes meilleures que les autres. Car par quelle règle jugerait-on ? Elles n'ont pas de commune mesure, excepté que chaque nation fait la règle de ses mœurs propres et, sur elle, juge toutes les autres [3]. » Le projet de *L'Esprit des lois* pourrait se comprendre comme une tentative pour trouver cette règle, pour bien juger ce qui semble échapper à toute commune

---

1. *Mémoire de la critique*, p. 268.
2. *L'A, B, C, ou Dialogues entre A, B, C* (1768) ; dans *Mémoire de la critique*, p. 464.
3. *Voyage de Gratz à La Haye*, Pléiade, t. I, p. 767.

mesure. Il faut prendre la mesure des lois sans pour
autant tomber dans l'universalisme moral, incapable
d'évaluer dans le détail la diversité humaine, et sans
verser non plus dans le particularisme, qui érige en règle
les préjugés.

Les différents rapports qui constituent l'esprit des lois,
énumérés en I, 3 – les lois doivent se rapporter à la nature
et au principe du gouvernement, au climat, au genre de
vie des peuples, à la religion et aux mœurs des habitants,
à leurs richesses et à leur commerce, etc. –, donnent les
principes d'une politique en situation qui préserve de ces
deux écueils. Montesquieu s'attache à mettre au jour les
conditions dans lesquelles émergent les ordres sociaux, à
montrer comment se déploient les processus dans lesquels se joue leur régulation ; ce faisant, il réfléchit aussi
les préjugés des peuples et des magistrats. C'est ainsi qu'il
peut examiner les lois « qui conviennent le plus à la
société, et à chaque société » (*DEL*, seconde partie,
« Idée générale »). Ce ne sont pas deux aspects séparés,
comme cela pouvait être le cas dans *Le Droit de la nature
et des gens* (1672) de Pufendorf, qui envisage d'abord le
problème du fondement légitime de l'ordre social (ce qui
convient à *la* société), et ensuite la question de l'actualisation historique des principes dégagés (ce qui convient
à *chaque* société) [1]. Ce que Montesquieu appelle dans sa
préface les « principes » permet, dans un même mouvement, l'enquête historique et l'évaluation normative. Étudier les lois positives en considérant ensemble tous les
rapports (au gouvernement, aux mœurs, au climat, à la
religion, au commerce, etc.) permet d'instruire les législateurs des changements qu'ils doivent proposer en situation. En ce sens, le savoir des lois que constitue

---

1. Pufendorf dégage les principes du droit naturel, puis les fondements de l'autorité politique à partir d'un contrat et s'efforce de penser
l'État dans une perspective historique pour évaluer ses métamorphoses.
Mais les différents types d'États examinés supposent l'indivisibilité de
la souveraineté établie dans un premier temps.

Montesquieu dans son ouvrage est bien universel, puisqu'il donne les moyens d'intervenir partout avec bon
sens. Ceux qui ont une vue systématique sur l'ensemble
des rapports « ont un génie assez étendu pour pouvoir
donner des lois *à leur nation ou à une autre* » (*EL*,
XXIX, 16 – nous soulignons). Le savoir des lois permet
d'évaluer les effets de l'intervention législatrice dans
chaque configuration historique, et c'est pourquoi il est
en même temps un savoir sur « les histoires de toutes
les nations ».

Cela signifie que Montesquieu ne s'en tient pas à une
approche purement interne du droit, qui chercherait à
établir son ordre naturel ou rationnel. Il n'élabore pas
non plus, pour penser la légitimité des normes juridiques,
une théorie de l'origine de la société, sous la forme du
contractualisme de Hobbes ou sous une des formes que
l'on peut trouver chez les jusnaturalistes qu'il admire,
Grotius ou Pufendorf. La question des fondements ne
saurait être abordée en dehors des situations historiques.
C'est dans l'examen des formes historiques que doit être
pensé l'établissement des lois les meilleures [1]. Montesquieu rappelle la maxime de Solon, le célèbre législateur
athénien, qui doit être donnée en exemple à tous les législateurs : « On demanda à Solon si les lois qu'il avait données aux Athéniens étaient les meilleures : "Je leur ai
donné, répondit-il, les meilleures de celles qu'ils pouvaient souffrir." Belle parole, qui devrait être entendue
de tous les législateurs » (XIX, 21). L'impératif de *convenance*, qui indique ce qui est au mieux en situation (voir
I, 3), l'adéquation des lois aux circonstances historiques
s'opposent à l'exigence d'une conformité abstraite des
lois à une norme de justice naturelle, divine, ou instituée
par une autorité souveraine.

―――――――

1. Ainsi les « principes » sur lesquels la constitution fonde la liberté
politique ne peuvent apparaître qu'à travers l'étude d'une situation historique particulière, comme la « constitution d'Angleterre » qui joue le
rôle de « miroir » (XI, 5).

Pourtant, Montesquieu ne tombe pas davantage dans une approche purement externe du droit, que l'on pourrait dire « sociologique » et qui chercherait simplement à rendre compte des faits, à expliquer la production causale des lois à partir des mœurs et de tout ce qui composerait, presque organiquement, le peuple. Il s'engage dans une voie étroite, qui cherche à comprendre l'émergence des normes et des motifs qui poussent les individus à y rester attachés, dans une histoire des institutions élaborée à partir de la matrice des passions et des croyances, des manières de penser et d'agir d'un peuple. C'est en s'inscrivant dans des traditions multiples que Montesquieu entend *reconfigurer* le champ du questionnement politique, car la *nouveauté* réside dans la manière qu'il a d'interroger la réalité sociale, à partir des lois positives, et ce, pour saisir l'esprit des lois. Dans la préface, il met en scène ce « génie » qui est lié à la « découverte » des principes, ceux qu'il va éprouver dans *L'Esprit des lois*. Ces principes sont aussi présentés comme ceux qui ont permis à l'auteur de composer son livre [1]. C'est donc à partir d'eux que l'on doit interroger l'ordre de *L'Esprit des lois* pour essayer d'en saisir le dessein.

*L'enjeu de cette anthologie :
une introduction par les textes*

Du coup, peut-on se soustraire à la requête que Montesquieu formule dans la préface, et qui engage le lecteur à lire le « livre entier » ? La présente édition, qui ne rassemble qu'une partie de *L'Esprit des lois* (quatorze livres sur les trente et un que compte l'ouvrage), n'entend pas proposer un « essentiel », un « abrégé » ou les

---

1. « J'ai bien des fois commencé, et bien des fois abandonné cet ouvrage ; [...] je suivais mon objet sans former de dessein ; je ne connaissais ni les règles ni les exceptions ; je ne trouvais la vérité que pour la perdre. Mais, quand j'ai découvert mes principes, tout ce que je cherchais est venu à moi ; et dans le cours de vingt années, j'ai vu mon ouvrage commencer, croître, s'avancer et finir » (préface).

« meilleures pages » de *L'Esprit des lois* ; l'œuvre d'une vie ne se laisse pas ainsi réduire à quelques vues partielles ou à quelques extraits. Il reste que l'ouvrage est immense et que, pour engager le lecteur à poursuivre son effort conformément aux vœux de l'auteur, on peut essayer de l'encourager et de le guider : tel est l'objet de cette introduction par les textes.

Nous avons pris le parti de retenir certains livres de *L'Esprit des lois*, ceux qui peuvent se rapporter aux attentes du lecteur – attentes modelées par la tradition interprétative. On trouve dans *L'Esprit des lois* une *réflexion politique* (sur les différents gouvernements) et une *enquête sur les sociétés humaines* (sur la diversité des peuples et des institutions) qui ont pour enjeu la *liberté* et la *justice* : ce sont les quatre temps qui structurent notre anthologie. Si ce choix n'épuise pas la richesse de l'ouvrage et ne saurait rendre compte des questions qui sont abordées lorsque Montesquieu traite de l'économie politique, de la religion ou de l'histoire [1], il reste que l'on peut par ce biais se faire une idée de la manière dont il interroge les phénomènes humains et dont il prend en charge les problèmes en « écrivain politique » (*DEL*, seconde partie, « Idée générale »). En rendant encore le lecteur sensible à cette écriture qui tient ensemble les distinctions conceptuelles et les illustrations historiques, on aimerait lui donner les moyens de poursuivre son étude de l'œuvre et son dialogue avec l'auteur. C'est pour cette raison que nous avons choisi de maintenir l'unité des livres (quitte à en modifier parfois l'ordre) [2], en essayant,

---

1. C'est-à-dire essentiellement dans les trois dernières parties de l'ouvrage. Les livres XX à XXIII traitent du commerce, de la monnaie et de la population, les livres XXIV à XXVI traitent de la religion, les derniers livres portent sur des exemples historiques.
2. Par exemple dans notre volume le livre XIV est présenté avant le livre XI. Il ne s'agit pas de reconfigurer *L'Esprit des lois* ou de révéler un ordre que l'auteur aurait été incapable d'éclairer suffisamment, mais, en regroupant certains livres, de produire des moyens d'entrer dans l'œuvre qui soient à la fois respectueux de l'esprit de l'auteur et qui permettent de l'articuler aux notions au programme des classes termi-

autant que faire se peut, de ne pas mutiler le mouvement d'ensemble de chacun. Le souci de proposer un volume anthologique a naturellement impliqué de renoncer à certains chapitres, mais nous avons fait en sorte que les suppressions déstructurent le moins possible une pensée qui se donne souvent dans la dynamique et les écarts qui apparaissent à la lecture. Si le lecteur s'estime avoir été bien *préparé* à la lecture du « livre entier », cette anthologie aura rempli son office.

On trouvera avant chaque livre une présentation proposant un angle d'attaque pour une première lecture. Dans la mesure où, par son principe même, notre édition masque quelque peu l'unité de l'œuvre, nous avons tenu à offrir une vue d'ensemble de *L'Esprit des lois* qui permette de situer chacun des livres dans l'ordre du discours, et qui donne aussi une idée de ce qui ne se trouve pas dans notre volume. Car Montesquieu nous avertit dans sa préface : « Si l'on veut chercher le dessein de l'auteur, on ne peut le découvrir que dans le dessein de l'ouvrage. » Mais ce dessein ne se laisse pas facilement découvrir, au point que le terme de « labyrinthe » revient sous la plume de lecteurs aussi différents que Claude Dupin [1] et Voltaire [2]. Leur accusation porte à la fois sur le plan de l'ouvrage et sur la « méthode » : le désordre de l'ouvrage ne serait que le résultat d'une démarche mal assurée. Pourtant, dans un fragment qui se présente comme une réponse à l'abbé de La Porte [3], Montesquieu nous éclaire sur la façon d'appréhender la structure de l'œuvre et utilise l'image de la machine pour engager le

─────────────

nales de philosophie dans la perspective d'une utilisation avec les élèves (lycéens ou étudiants).

1. *Observations sur L'Esprit des lois* (1757-1758 ?), dans *Mémoire de la critique*, p. 302.

2. « Je suis fâché que ce livre soit un labyrinthe sans fil, et qu'il n'y ait aucune méthode », *L'A, B, C, ou Dialogues entre A, B, C*, dans *Mémoire de la critique*, p. 464.

3. On trouve également chez l'abbé des reproches sur l'ordre de l'ouvrage, par exemple dans les *Observations sur L'Esprit des lois* (1751).

lecteur à avoir un regard mobile, qui s'efforce de tenir ensemble les différents passages de *L'Esprit des lois* : « Quand un ouvrage est systématique, il faut encore être sûr que l'on tient bien tout le système. Voyez une grande machine faite pour produire un effet. Vous voyez des roues qui tournent en sens opposé ; vous croiriez, au premier coup d'œil, que la machine va se détruire elle-même, que tout le rouage va s'empêcher, que la machine va s'arrêter. Elle va toujours : ces pièces, qui paraissent, d'abord, se détruire, s'unissent pour l'objet proposé [1]. » La distinction que propose d'Alembert, dans sa présentation de *L'Esprit des lois*, entre un « désordre réel » et un autre « qui n'est qu'apparent », insiste également sur le mouvement qui doit animer l'esprit du lecteur : « Le désordre est réel, quand l'analogie et la suite des idées n'est point observée ; quand les conclusions sont érigées en principes, ou les précèdent ; quand le lecteur, après des détours sans nombre, se retrouve au point d'où il est parti. Le désordre n'est qu'apparent, quand l'auteur mettant à leur véritable place les idées dont il fait usage, laisse à suppléer aux lecteurs les idées intermédiaires [2]. » Si Montesquieu s'emploie à « faire penser » son lecteur (XI, 20), ce qui suppose que celui-ci s'engage activement dans sa lecture, il reste que l'on peut se demander quels sont les repères qu'il fournit pour l'orienter quelque peu, et en quel sens *L'Esprit des lois* peut être qualifié d'ouvrage systématique.

### Le « dessein de l'ouvrage » ou « le livre entier »

Le livre I, qui porte sur les « lois en général », permet à Montesquieu de poser l'angle d'attaque à partir duquel

---

1. *Pensées*, n° 2092.
2. *Éloge de M. le président de Montesquieu, op. cit.*, dans *Mémoire de la critique*, p. 269. Au terme de cet éloge, d'Alembert propose une « Analyse générale de *L'Esprit des lois* » pour « bien faire saisir la méthode de l'auteur ».

il entend interroger les lois positives. Il déplace les termes
des discours traditionnels, les détourne des fonctions
qu'on pouvait leur assigner (d'où la forme un peu dérou-
tante de ce premier livre), pour produire une nouvelle
façon d'appréhender la réalité sociale. C'est dans un
même mouvement que Montesquieu explicite sa problématique politique, qu'il définit ce qu'est « l'esprit des
lois » et qu'il présente ce qu'il entreprend « de faire dans
cet ouvrage » (I, 3). Pour résoudre le problème du gouvernement le plus conforme à la nature, il faut examiner
« tous ces rapports » qui « forment tous ensemble ce que
l'on appelle l'esprit des lois », et c'est cet objet d'étude
qui ordonne la structure de l'œuvre. Pour bien juger des
lois, il faut voir comment les dispositifs juridiques vont
avec un certain ordre de la constitution d'une nation. Et
si la « disposition particulière » d'un gouvernement se
rapporte aussi à « la disposition du peuple pour lequel il
est établi » (*ibid.*), il faut mettre en rapport ces systèmes
juridiques et politiques avec différents facteurs, dont
Montesquieu dresse la liste, et qui sont partiellement
repris dans l'addition au titre de l'ouvrage [1]. En saisissant
comment ces « rapports » jouent ensemble dans chaque
situation, on peut rendre compte des lois sans « manquer
les différences » (préface), et proposer une juste évaluation des lois en les comparant [2].

Cette approche relationnelle, qui vise à dévoiler des
« dispositions [3] », impose d'examiner *tous* les rapports,

---

1. Dans les éditions de 1748, 1749 et 1750 : *De l'esprit des lois, ou
du rapport que les lois doivent avoir avec la constitution de chaque gouvernement, les mœurs, le climat, la religion, le commerce, etc. À quoi l'auteur
a ajouté des recherches nouvelles sur les lois romaines touchant les successions, sur les lois françaises et sur les lois féodales.* Montesquieu ne s'est
pas opposé à cette addition au titre insérée par l'éditeur Jacob Vernet.
On ne la retrouve pas dans les éditions ultérieures.

2. « Pour juger lesquelles de ces lois sont les plus conformes à la
raison, il ne faut pas comparer chacune de ces lois à chacune ; il faut
les prendre toutes ensemble, et les comparer toutes ensemble » (*EL,*
XXIX, 11).

3. Des gouvernements, des peuples, mais aussi des lois (voir XII, 1).

car ils ne font sens que s'ils sont *compris*, c'est-à-dire *pris ensemble*. Dans la réalité sociale, « tout est extrêmement lié » (XIX, 15) : la question politique du « gouvernement » ne saurait trouver de réponse sans l'examen de ce qui « gouverne » les hommes en société. Cette attention aux processus et aux interactions complexes qui ordonnent insensiblement la vie sociale étend considérablement le champ d'étude traditionnel des lois. L'approche juridique est débordée de toutes parts, et pourtant cela ne conduit pas à une multiplication des objets d'étude ni à un éclatement du discours : Montesquieu n'a « point traité des lois, mais de l'esprit des lois [1] ». L'esprit permet de passer de la diversité des rapports à l'unité non intentionnelle qui en résulte. Dans chaque situation historique, les rapports jouent différemment entre eux, dessinant chaque fois une configuration singulière. Cependant, dans toutes les situations ces rapports jouent ensemble, de sorte qu'il est indispensable de les saisir tous, aussi bien pour voir ce qui constitue l'unité (comment « tout est extrêmement lié ») que pour pouvoir comparer judicieusement les situations. Si le législateur est celui qui est capable de « pénétrer d'un coup de génie toute la constitution d'un État » (préface), alors il ne désigne pas seulement l'instance politique qui légifère, c'est-à-dire celui qui est institutionnellement habilité à faire des lois : le coup d'œil du législateur manifeste la façon dont il faut se placer pour bien juger les lois. C'est ce regard perspicace qui aperçoit le jeu des rapports, c'est-à-dire les « raisons » des choses, mais aussi l'espace qui permet de penser une intervention efficace. Dans cette pratique du regard, la normativité est immanente à la description.

En énumérant les rapports qui constituent l'esprit des lois, Montesquieu donne ensemble l'objet de son étude et la forme de son ouvrage. Les différents rapports sont abordés au fil des livres successifs de *L'Esprit des lois*, de

---

1. *Pensées*, n° 1794.

sorte que la forme de l'ouvrage est analogue au système de rapports qu'il faut appréhender. Cette façon de composer l'ouvrage s'accorde donc avec son objet, et elle exerce en même temps le lecteur à former son esprit. Si le génie est dans cette capacité à saisir ensemble les rapports, le lecteur qui s'efforce de relier et de tenir ensemble les livres de *L'Esprit des lois* s'entraîne à bien voir, il s'instruit à l'esprit des lois. L'ouvrage a donc une *forme formatrice*, et en ce sens son « dessein » (son plan ou sa composition, et sa visée) a une dimension pratique. Il s'agit de former pratiquement le lecteur à l'esprit des lois en l'élevant au regard du législateur. Ainsi, tout est également extrêmement lié dans l'ouvrage, comme l'indique l'image de la machine ou celle de la « chaîne ». Ce principe de totalité vaut donc comme principe de lecture – il faut lire le livre entier –, et le principe qui préside à la composition de l'ouvrage découle de l'objet même à examiner. Il faut considérer les lois « dans toutes ces vues », et pour cela Montesquieu a « dû moins suivre l'ordre naturel des lois, que celui de ces rapports et de ces choses » (I, 3). Si chaque livre porte une attention particulière sur une de ces « vues », il reste *ouvert* sur les autres par les renvois que l'on peut trouver dans les notes, par les concepts mobilisés qui jouent à plusieurs endroits, par les situations historiques qui tissent une toile entre les livres et par l'utilisation d'images qui se font écho. La fameuse « table analytique et alphabétique des matières [1] » de l'ouvrage, véritable système à entrées multiples, engage également à ce travail de mise en rapport et suppose une mobilité du regard pour lier ensemble les divers passages : l'œuvre, par cette *forme*

---

1. L'édition de 1748 ne contenait qu'une table des livres et des chapitres. À partir de 1749, on trouve la table analytique et alphabétique des matières que souhaitait Montesquieu à l'origine, mais qu'il n'a pas conçue ni même surveillée (elle est due à François Vincent Toussaint, journaliste et écrivain qui collabora à l'*Encyclopédie*) ; elle sera modifiée et amplifiée jusqu'à la fin du XVIIIe siècle. On la trouve dans le tome II de l'édition GF de *L'Esprit des lois* (éd. V. Goldschmidt, 1979).

*relationnelle*, actualise la pensée des rapports et exerce à l'esprit des lois.

La liste des rapports énoncée en I, 3 expose en un sens le dessein de l'ouvrage, puisque Montesquieu donne à voir ensemble « toutes ces vues » qui constituent l'esprit des lois. On a bien affaire à un « plan », à une vue sur le tout, à un « premier coup d'œil » nécessaire avant de s'engager dans l'œuvre (*DEL*, seconde partie). Mais l'auteur donne également une indication sur l'ordre suivi dans l'ouvrage, lorsqu'il affirme qu'il doit commencer par « les rapports que les lois ont avec la nature et le principe de chaque gouvernement », pour étudier ensuite ceux « qui semblent être plus particuliers » (I, 3) [1]. Effectivement, le livre XIV donne l'impression de rompre le mouvement initié par l'étude des gouvernements, et de relancer l'enquête à partir de considérations climatiques. Cette indication, la division de l'ouvrage en livres et en parties [2], doit nous servir de guide pour repérer comment se déploie l'entreprise présentée au seuil de *L'Esprit des lois*.

*L'approche typologique :*
*les dispositions des gouvernements*

La première partie (livres I à VIII) est habituellement considérée comme « l'étude des gouvernements ». Les livres II et III définissent la « nature » et le « principe » respectifs des « trois espèces de gouvernement » que sont la république, la monarchie et le despotisme (II, 1). C'est donc un cadre typologique qui est mis en place pour interroger l'ordre politique. En mettant en évidence le

---

1. Dans la liste des rapports, Montesquieu distingue aussi ces deux moments par un alinéa.
2. *L'Esprit des lois* est subdivisé en parties (au nombre de six), livres (au nombre de trente et un) et chapitres. Montesquieu tenait à la division en six parties qui a pourtant été omise par l'imprimeur en 1748. Elle a été rétablie dans l'édition de 1750, puis à nouveau omise dans l'édition posthume de 1757.

principe [1] qui s'accorde avec la structure de chaque gouvernement, c'est-à-dire la passion qui l'anime, son « ressort », Montesquieu porte son attention sur la façon dont se forment des ordres dynamiques. L'ordre républicain nécessite de la vertu chez les citoyens et les dirigeants, l'ordre monarchique suppose que l'honneur anime ceux qui visent des distinctions sociales, l'ordre despotique repose sur la crainte inspirée chez les sujets du despote. Ce ne sont pas simplement les dispositifs institutionnels qui constituent le gouvernement, mais aussi le jeu des forces sociales qui investissent ces dispositifs, et les dispositions passionnelles qui animent les acteurs politiques. La typologie livre une grille de lecture pour examiner les situations historiques ; celles-ci, en retour, tout en nourrissant les analyses des variations qu'elles donnent à voir, et qui permettent de dégager des invariants, manifestent la diversité des situations historiques et les passages possibles d'un gouvernement à un autre. Dans le *continuum* des gouvernements existants, la typologie fournit un schéma permettant d'appréhender des dynamiques historiques (les crises, les transformations insensibles, les corrections, les corruptions) en repérant des points d'intervention possibles. Il s'agit donc moins de classer les gouvernements que de se donner les moyens d'interroger leur devenir historique pour chaque nation.

C'est dans cette perspective pratique que l'opposition de la monarchie, et des gouvernements modérés en général, au despotisme devient centrale (VIII, 8). Avec cette opposition, la typologie acquiert une dimension normative. Montesquieu ne pose pas une forme originelle de

---

1. Il faut distinguer deux usages de ce terme dans *L'Esprit des lois* : au sens large, les « principes », évoqués dans la préface, renvoient à ce qui rend possible l'étude des lois positives (à savoir l'exposé des rapports énumérés en I, 3) ; au sens restreint, les « principes des gouvernements » (III, 1) sont l'invention conceptuelle revendiquée qui permet l'intelligibilité des ordres politiques. La crainte est ainsi le principe du gouvernement despotique.

gouvernement droit, ou un idéal de constitution : il dégage, au sein même de la diversité des gouvernements, les rapports qui permettent d'interroger la « bonté » de chacun. Le despotisme peut incarner le pôle négatif de ce questionnement politique, car les maux qu'il cause à la nature humaine révèlent, par contre-exemple, les exigences qu'un gouvernement devrait remplir. Vivre politiquement, c'est ne pas vivre despotiquement [1]. En ce sens, on peut effectivement dire que le despotisme n'est pas un régime « politique », mais qu'il est d'une altérité radicale par rapport à tous les régimes, car la dépolitisation qu'il manifeste est en même temps une déshumanisation – l'homme est réduit au statut de bête ou de corps (*EL*, III, 10). L'étude du despotisme est cependant essentielle pour dégager les modalités d'un ordre politique. Ce régime dit en même temps l'absence de liberté et l'impuissance, à l'inverse d'une logique constitutionnelle qui promeut la complexité des rapports et des médiations. Il suggère la vérité des jeux de pouvoir qui menacent tout régime, et engage ainsi à porter un autre regard sur la politique. La puissance véritable ne réside pas dans un pouvoir sans contrainte, mais elle suppose les médiations qui lui permettent de s'exercer. La liberté, bien le plus précieux et donc aussi le plus rare, n'est pas donnée, mais doit se former dans le jeu des dispositions du peuple et du gouvernement. Les violences que le despotisme fait subir aux hommes imposent de sentir l'exigence de rapports politiques qui conviennent à la nature sociale de l'homme – rapports qui se font donc sentir avant qu'aucune loi positive ne les ait institués –, mais on ne saurait à partir de là déterminer quelle forme politique particulière doivent prendre ces rapports. Autrement dit, si négativement on peut en tout lieu et de tout

---

1. L'homme est d'abord un animal craintif (I, 2). La crainte despotique institue ce sentiment primitif qui ne suppose aucun rapport à la loi et aucune éducation (*EL*, IV, 3). Ce régime ne s'accorde pas avec le « désir de vivre en société », qui est une loi naturelle pour l'homme.

temps invalider une forme d'organisation lorsqu'elle s'approche du despotisme ou s'y apparente, cela ne suffit pas positivement pour décider quelle disposition doit prendre le régime. La façon dont un gouvernement peut s'écarter du risque despotique est ouverte à une pluralité de solutions, qui restent fonction des situations et du devenir de chaque nation. En ce sens, il n'y a pas de régime idéal, mais le pluralisme politique de Montesquieu engage à tenir compte de particularités locales auxquelles un universalisme abstrait resterait aveugle.

En insistant sur les modalités passionnelles qui font que les citoyens sont attachés au mode de gouvernement, Montesquieu déplace aussi l'angle de questionnement sur la légitimité du pouvoir : celui-ci est inséparable d'un examen des formes d'obéissance. Les livres IV à VII portent sur les rapports que les lois entretiennent avec les « principes des gouvernements », selon qu'elles les renforcent ou qu'elles les entravent, en examinant les effets retours qui se jouent entre les dispositions juridiques et la manière d'être des sujets. Montesquieu traite ainsi des institutions relatives à l'éducation (livre IV), des lois qui entretiennent la vertu, l'honneur ou la crainte (livre V), du statut reconnu au citoyen au travers des lois criminelles (livre VI), et de la façon dont jouent les lois somptuaires, le luxe et la condition des femmes (livre VII). La façon d'être républicaine, par exemple, s'accordera avec une disposition des institutions qui façonnent le citoyen par des médiations complexes (par son éducation, par le rôle que le gouvernement peut lui attribuer, par la correction judiciaire, par les mœurs induites du rapport qu'il entretient avec les richesses). Le livre VIII, consacré à la corruption des principes, boucle cette première partie et manifeste la perspective historique : les jeux de tensions et de relâchements des ressorts-principes rendent intelligible le devenir des gouvernements. Les considérations territoriales que l'on trouve dans ce livre VIII (le rapport examiné entre la grandeur du territoire et les régimes en place) ouvrent sur la question de la guerre, abordée dans les livres IX et X. C'est bien la force du principe qui entraîne la grandeur ou la décadence d'un État, et Montesquieu montre comment cette force est tributaire de conditions institutionnelles et matérielles, en même temps qu'il cible précisément le risque qui existe de tomber dans le despotisme lorsque certaines conditions ne sont pas réunies.

## Les conditions de la modération

La deuxième partie (livres IX à XIII) pose la question des fondements de l'ordre politique dans la perspective mise en place par l'approche typologique du devenir des gouvernements. Montesquieu abandonne les problématiques liées à l'idée de souveraineté (qu'est-ce qui définit une instance souveraine et sur quoi repose l'exercice d'un pouvoir suprême légitime qui se distingue de la simple domination ?), il déplace la question des « fondements » : ceux-ci ne sont pas à découvrir dans un engendrement rationnel du droit, ou dans la mise en évidence des principes de l'ordre politique par le biais d'une interrogation sur le passage d'un état de nature à un état civil. S'il abandonne le schéma contractualiste [1], c'est que les fondements sont inséparables de leur actualisation historique : c'est dans les exemples passés et présents que l'on peut voir à l'œuvre la raison humaine législatrice, et c'est donc à partir de certaines constitutions remarquables, et de leur comparaison, que l'on peut comprendre ce qu'il faudra actualiser différemment en un autre temps et en un autre lieu. Si la constitution d'Angleterre (XI, 6) et la République romaine (*EL*, XI, 12-19) peuvent jouer ce rôle au cœur de l'ouvrage, c'est parce que l'angle d'attaque et le questionnement sur les gouvernements

---

1. Idée selon laquelle un contrat permet de rendre raison de l'ordre social légitime ; cette idée peut donner lieu à des options très diverses, selon la présentation de l'état initial (de nature) et les modalités du contrat.

ont été déplacés dans la première partie, et que l'idée de modération a été mise au centre des préoccupations – il faut examiner le jeu entre les différents pouvoirs, les modalités de l'exercice de ces derniers par des forces politiques animées de passions et d'intérêts. Seul cet examen permet de déterminer vraiment ce sur quoi repose la liberté politique. Infléchissant le discours de ses prédécesseurs, Montesquieu s'intéresse dans cette deuxième partie aux conditions de la modération *à partir d'un examen des attributs de la souveraineté* : faire la guerre (livres IX-X), faire les lois (livre XI), rendre la justice (livre XII), lever les impôts (livre XIII). Si le livre XI est assurément un des centres de *L'Esprit des lois*, il faut comprendre que la bonne distribution des pouvoirs qui y est présentée, et qui est propre aux régimes modérés, suppose certains rapports qui conditionnent et qui expriment cette modération. Par exemple, la proportion des délits et des peines permet, en s'appuyant sur les mœurs, d'entretenir le principe du gouvernement ; elle manifeste que le pouvoir judiciaire est bien placé et que la sûreté des citoyens est préservée. Montesquieu présente donc ce qu'est la modération de la force défensive et offensive, ce qu'est la modération pénale et fiscale, en étant attentif aux différentes modalités qui conviennent à chaque type de gouvernement. Il rend sensible aux disproportions qui indiquent un déséquilibre, pour prévenir la corruption des gouvernements, par exemple ce qu'induit une politique internationale expansionniste. Ainsi, le principe du droit des gens (énoncé en I, 3) n'est pas déployé abstraitement, mais rapporté aux conditions de défense des États et des conquêtes. C'est par un examen de la « nature des choses » que Montesquieu entend rabattre les prétentions d'une « monarchie universelle » en Europe, autrement dit les prétentions d'une puissance à dominer les autres, à l'instar de Rome dans l'Antiquité. Chacun de ces livres pointe les dérives absolutistes et la complexité des médiations nécessaires pour les prévenir.

## L'approche climatique : les dispositions des peuples

L'approche structurelle qui caractérise ces deux premières parties est justifiée par l'importance accordée aux « principes des gouvernements ». On se trouve bien là au cœur de l'ordre social, et dans ce qui définit le champ d'action propre aux législateurs. Mais il ne faut pas croire que la problématique posée en I, 3 s'accomplisse dans ces deux premières parties. Car l'attention portée aux principes des gouvernements conduit à poursuivre l'enquête en s'attachant aux situations particulières et à l'histoire. Le principe est, en effet, une passion sociale qui touche à l'ensemble des conditions d'existence définissant la « disposition » du peuple pour lequel on légifère ; il est le « ressort », la passion qui anime le corps social et qui engage le devenir de la société. À partir du livre XIV, Montesquieu examine donc ces rapports qui « semblent être plus particuliers » (I, 3) : la question des climats introduit à une approche des situations. C'est en effet *à partir* de l'examen de l'influence du climat qu'il faut voir comment se combinent les autres « causes » qui forment ensemble « l'esprit général » d'une nation. Si le livre XIV, par sa position et la nouvelle dynamique qu'il initie, est au centre de *L'Esprit des lois*, le livre XIX, qui clôt la troisième partie, est au cœur des rapports : par sa matière « d'une grande étendue » (XIX, 1), il rayonne sur l'ensemble de l'ouvrage.

Dans l'esprit général, les « causes » relevées (XIX, 4) jouent ensemble, et c'est ce *système* de déterminations, propre à chaque nation, qu'il faut être capable de saisir pour bien légiférer. Si les hommes sont divers, ils ne sont « pas uniquement conduits par leurs fantaisies » (préface) : le livre XIV pose les bases physiologiques d'une anthropologie des différences qui permet de mesurer l'efficacité propre des lois. « Comme on distingue les climats par les degrés de latitude, on pourrait les distinguer pour ainsi dire par les degrés de sensibilité » (XIV, 2). Le livre XIV souligne le *continuum* des sensibilités ; il ne met pas en place une classification figée des climats, mais des repères à partir desquels vont être pensées la complication et l'intrication des causes physiques et morales. Le climat est « le premier de tous les empires » (XIX, 14), celui à partir duquel jouent les autres causes. Les déterminations physiologiques (jeu des fibres lié à la température de l'air, mis en évidence par la fameuse observation d'une langue de mouton, XIV, 2) constituent le point de départ d'une qualification morale (en termes de courage, de confiance, de franchise) et d'une qualification politique (en termes de liberté) – plus courageux, les hommes résistent mieux aux conquêtes ou aux abus de pouvoir, etc. De même que la typologie politique permettait d'interroger le *continuum* des constitutions, le schéma tripartite (climats froids, chauds, tempérés), la polarité (climat excessif et climat modéré) et l'étalonnage des sensibilités autorisent un examen circonstancié des institutions et des mœurs. Les hommes ne réglant pas leurs comportements uniquement sur des prescriptions juridiques, il faut comprendre comment s'articulent l'ordre de l'État et celui de la société pour « sentir le rapport que peuvent avoir, avec la constitution fondamentale [d'un État], des choses qui paraissent les plus indifférentes » (XIX, 19).

La problématique politique du « gouvernement le plus conforme à la nature » (I, 3) suppose un renouvellement de l'anthropologie politique. Poser une nature de l'homme universelle à partir de l'idée d'état de nature, comme le font les jusnaturalistes, ne permet pas d'interroger correctement le social-historique. Hobbes, par exemple, prend les passions comme une donnée naturelle irréductible, et il tire d'une science de l'homme l'ordre politique qui s'accorde avec cette nature. Pour constituer l'engendrement rationnel du Léviathan, du corps politique, Hobbes doit mettre en évidence la logique de l'intérêt qui y préside. L'exposé de la nature désirante de l'homme, des lois de nature issues de la raison et de l'hypothèse de l'état de nature jettent les bases anthropologiques d'une science politique qui connaît véritablement son objet parce qu'elle est capable de penser sa production artificielle, comme c'est le cas en géométrie. Voilà une façon de penser abstraitement la nature de l'homme : en le réduisant à un individu calculateur et égoïste (afin de pouvoir appréhender la formation du corps politique), Hobbes fait abstraction non seulement des comportements altruistes ou maladroits, mais de tous les attachements particuliers, des fidélités qui se nouent, en situation, dans des rapports complexes. Montesquieu ne se contente pas de saper les bases de l'anthropologie hobbienne dans le premier livre (I, 2) ; en passant la vieille physique des lieux (Hippocrate, Aristote) au crible de la physiologie moderne (John Arbuthnot), il propose le cadre d'une anthropologie des différences, c'est-à-dire d'une anthropologie qui permet de mesurer les différences entre les passions des hommes pour savoir comment jouer avec elles – comment les canaliser, les réorienter. Le bon législateur sait bien user de la causalité passionnelle : « Plus les causes physiques portent les hommes au repos, plus les causes morales les en doivent éloigner » (XIV, 5). Si la raison législatrice œuvre toujours en situation, il faut l'éclairer, c'est-à-dire la mettre en mesure de penser localement les effets de son action. Le livre XIV initie donc cette enquête sur les *lieux* de la législation, ce qui implique également un examen des modalités d'intervention du législateur (par où il peut infléchir, par quel biais il peut régler). La modération peut aussi s'entendre comme le sens de la *mesure* à l'œuvre dans l'intervention législatrice.

La perspective climatique s'inscrit cependant dans les cadres de l'approche structurelle des parties précédentes, avec la liberté comme enjeu : si les livres XV, XVI et XVII mettent au jour les rapports entre l'esclavage (civil, domestique, politique) et la nature du climat, ils donnent à penser les conditions locales de la liberté et de la modération. Il ressort de cela que l'Europe présente un contexte favorable à la liberté, et qu'il ne tient qu'à une bonne application de la raison de tirer parti de cette

situation. Le livre XVIII donne des arguments qui vont
dans le même sens à partir de l'examen des terrains.
Montesquieu y esquisse une genèse de la société civile
qui manifeste que la perspective des penseurs du droit
naturel et du contrat n'est pas la sienne : il faut étudier
les sociétés à partir des conditions de vie effectives plutôt
que de raisonner sur un hypothétique état de nature.
L'ordre des mœurs, dont il s'agit de penser la formation
à partir du climat, est aussi envisagé au livre XIX en vue
d'insister sur la perception subjective que les sujets ont
de leur condition et de l'intervention législatrice. L'enjeu,
comme le montre l'exemple anglais longuement déve-
loppé (XIX, 27), est alors de mettre en évidence les raisons pour lesquelles les mœurs d'un peuple libre sont une
part de sa liberté.

## Les fondements de la puissance : l'économie politique

La nation anglaise se caractérise également par la
liberté du commerce et la liberté religieuse. Ce sont justement ces deux aspects qu'abordent les quatrième et cinquième parties. Avec la troisième partie, qui met en place
le concept d'esprit général à partir des considérations climatiques, ces livres ont en commun d'éclairer *les conditions non politiques du politique*. Les rapports considérés,
sur lesquels le législateur n'a pas de prise directe,
montrent ce avec quoi il doit composer, ce qui définit
aussi les limites de son action. Les *résistances* que
peuvent rencontrer les instances politiques ne sont pas
nécessairement négatives : la religion peut freiner les
effets dévastateurs du despotisme dans certaines circonstances ; les phénomènes économiques induisent des processus qui échappent à l'emprise du prince et peuvent
également prévenir les grands coups d'autorité. Les
considérations économiques de la quatrième partie (sur
le commerce, livre XX ; la monnaie, livre XXII ; la population, livre XXIII) cherchent à mesurer les effets des

échanges marchands sur l'ordre interne de l'État – les effets du commerce sur l'ordre des mœurs, par exemple, sont complexes et contrastés – et sur les relations entre États.

Montesquieu mène de front une réflexion sur le développement des conduites intéressées (et sur ses effets involontaires au point de vue de l'ordre social) et une réflexion sur ce qui permet de mesurer la puissance des nations. Dans cette perspective, les analyses de cette partie viennent donner tout leur sens aux conclusions qu'il tirait à propos de la guerre dans la deuxième partie : la forme moderne de la grandeur est liée au commerce et non à la conquête. Les rapports entre les nations ne relèvent pas seulement du droit des gens, ils s'inscrivent dans la trame des relations économiques et des échanges : le discours qui actualise les principes du droit des gens ne peut être entendu par les princes que s'il est doublé d'un discours sur ce qui constitue réellement la puissance d'un État. L'extension du commerce et la forme nouvelle qu'il prend engendrent une configuration inédite qui bouleverse toutes les maximes de la politique. Comme les histoires des nations n'offrent rien de comparable à ce processus qui engage l'Europe et son rapport aux nations extra-européennes, il faut retracer l'histoire du commerce pour saisir les modalités d'apparition de cet événement sans précédent (livre XXI).

En même temps que se dessine une géopolitique qui impose aux princes d'adopter des stratégies nouvelles, il apparaît que l'ordre des échanges et la mobilité des richesses offrent une résistance aux débordements de la puissance des monarques : l'exercice despotique du pouvoir n'est pas seulement dévastateur pour les sujets, il est contraire aux intérêts bien entendus des princes. Une nouvelle rationalité est investie dans l'économie politique, qui modifie le sens même de l'art de gouverner en appelant l'élaboration d'une science de l'État, d'un « savoir-administrer ». On aurait tort de croire qu'il est possible d'opposer des considérations morales à ceux qui

cherchent à penser la réalité politique. Montesquieu
choisit d'investir ce champ nouveau pour retourner les
discours dont l'argumentation se fonde sur l'*utilité*
publique : la « raison d'État » des calculateurs (qui
entendent conseiller le prince) et la « raison de l'État »
des réformateurs (qui cherchent les moyens objectifs de
conserver l'État ou d'augmenter sa puissance) doivent
également être dépassées par une raison législatrice qui
montre *comment s'articulent les conditions de la liberté et
les fondements de la puissance*. Face à la complexité de
situations où tout se tient (non seulement dans chaque
société, mais entre les nations), il ne faut pas s'arrêter à
l'élection, arbitraire et illusoire, d'un critère qui fixerait
les règles de la bonne politique ; il faut garder la mobilité
d'un regard qui examine tous les rapports afin de ne pas
manquer les différences. En examinant vraiment la
« nature des choses », on peut prévenir les abus des politiques « réalistes », susceptibles d'allier cynisme et scepti-
cisme ; la compréhension de l'ordre des rapports doit
inciter à la modération. Si Montesquieu considère ses
« recherches *utiles* » (*DEL*, seconde partie), c'est qu'il
s'est résolument placé sur le terrain de ses adversaires
pour renouveler le sens qu'il convient de donner à la
« prudence ».

## Traiter de la religion en écrivain politique

C'est cette utilité que l'auteur avance pour justifier la
« nécessité de traiter de la religion » (*DEL*, seconde
partie). La cinquième partie de *L'Esprit des lois*, consa-
crée à la religion, a suscité les réactions des théologiens
et a contribué à ce que l'ouvrage soit mis à l'Index. Montesquieu se défend d'avoir relativisé la religion chrétienne.
Il n'entend pas se poser en juge, mais souhaite examiner
les religions en « écrivain politique » (*EL*, XXIV, 1), même
celles qui sont « fausses », parce qu'il « a dû les examiner
comme toutes les autres institutions humaines » (*DEL*,
seconde partie). C'est d'abord la fonction sociale de la

religion qui est interrogée. Depuis la *Dissertation sur la politique des Romains dans la religion* (1716), Montesquieu n'a de cesse de préciser comment la religion participe de l'ordre social et comment son influence sur les mœurs contribue à déterminer l'obéissance aux lois. Par-delà la diversité des motifs d'attachement à la religion, qui crée bien des différences selon les situations, Montesquieu relève que les hommes « aiment la morale », et ainsi, « pour qu'une religion attache, il faut qu'elle ait une morale pure » (*EL*, XXV, 2). C'est le sens de la polémique qu'il engage avec Bayle (*EL*, XXIV, 2), qui vante, dans les *Pensées sur la comète* (1682), les vertus d'une société composée d'athées. Mais, dans le même temps, Montesquieu affirme que la multiplicité des religions n'entraîne pas nécessairement le conflit. L'esprit d'intolérance naît chez les chrétiens eux-mêmes qui refusent de reconnaître les autres hommes comme des égaux, ce que révèle le miroir que leur tend un juif respectueux, dans la « très humble remontrance aux inquisiteurs d'Espagne et de Portugal » (*EL*, XXV, 13). Montesquieu souligne encore que les religions ne doivent pas détourner les hommes des « actions de la société » en leur donnant « une vie trop contemplative » (*EL*, XXIV, 11). À l'inverse, il loue le stoïcisme qui « savait faire les citoyens » (*EL*, XXIV, 10), comme il avait relevé la liberté religieuse régnant en Angleterre (XIX, 27, et *EL*, XX, 7).

La diversité des religions est abordée selon un principe de convenance qui combine la typologie politique et l'approche climatique (*EL*, XXIV, 3-5) : il examine comment elles s'accordent au jeu des institutions politiques et des mœurs liées au climat. Cela permet de comprendre la tolérance comme un principe d'adaptation qui doit assurer à la fois la tranquillité de l'État, celle des religions et celle des citoyens (*EL*, XXV, 9-10). Les effets que produisent les religions à l'intérieur d'une nation sont donc généralement considérés comme positifs, et l'approche climatique, en présentant la religion comme une instance distincte du pouvoir politique, jouant dans la sphère sociale, rend compte des limites qu'elle peut opposer à l'exercice aveugle du pouvoir (elle maintient le despotisme dans une certaine impureté, elle peut servir de rempart aux dérives absolutistes).

Cette approche amène ensuite à examiner les changements qui peuvent s'opérer en matière de religion, et la « propagation » des religions selon les lieux. Montesquieu met en garde contre de tels changements (*EL*, XXV, 11). En exposant les inconvénients du « transport d'une religion d'un pays à un autre » (*EL*, XXIV, 25-26), c'est bien l'expansionnisme de la religion catholique, dans sa prétention universaliste, qu'il critique.

L'examen des pratiques religieuses met enfin en évidence des difficultés propres au législateur : celui-ci doit prendre conscience de ce que les lois doivent régler, ce que Montesquieu appelle « l'ordre des choses sur lesquelles elles statuent » (livre XXVI, qui clôt cette partie). Dans ces distinctions d'ordre se joue aussi la modération de la législation, qui apparaît comme un système où les différents droits (lois religieuses, droit naturel, droit civil, droit politique, droit des gens) doivent voir leurs compétences respectives accordées. Ce n'est pas au départ, selon un principe d'engendrement rationnel du droit, qu'il faut penser le rapport du droit naturel aux lois positives : c'est *in fine* que l'on peut dégager les sphères d'application des divers droits afin qu'elles soient le plus favorables à la sécurité – et donc à la liberté de l'individu.

## L'approche historienne : histoire naturelle et poétique des lois

Le livre XXVI, dont il vient d'être question, s'articule en ce sens au livre XXIX, consacré à « la manière de composer les lois », ce qui souligne la visée pratique d'un ouvrage qui entend constituer le savoir nécessaire à l'élaboration des lois dans la perspective de régler le meilleur gouvernement. Mais cette formation, dans l'esprit de Montesquieu, est étroitement liée à une pratique qui ne peut s'exercer que dans l'étude des lois et du contexte qui les a vues naître. Élever le législateur à la prudence suppose d'étudier la jurisprudence. C'est dans les pages où la figure du législateur est la plus présente que Montesquieu dévoile les processus proprement impersonnels qui participent de la formation des lois : le législateur n'a pas ici la posture mythique du fondateur ; son action s'insère dans le tissu d'un droit constitué dans l'histoire, qui porte la marque des évolutions d'un ordre social qu'il s'efforce de régler. Former le législateur, c'est le rendre attentif aux processus insensibles pour interroger les possibles et les modalités d'une intervention législatrice.

La sixième et dernière partie de *L'Esprit des lois* entend restituer l'épaisseur et la continuité des processus historiques à travers des exemples, pour exercer le regard de celui qui doit penser la manière d'infléchir le devenir d'une situation présente singulière : « Pour bien connaître les temps modernes, il faut bien connaître les temps anciens ; il faut suivre chaque loi dans l'esprit de tous les temps [1]. » Il revient au législateur de savoir *comment* inscrire son action dans « ce qui est venu avec lenteur [2] ». La jurisprudence pourrait être définie comme le savoir des histoires et des temps où il convient de corriger les lois. Malgré la discontinuité apparente qu'introduit cette dernière partie [3], il faut souligner comment elle s'articule précisément au dessein d'ensemble. Il ne s'agit pas d'un « appendice » ou d'une excroissance liée à l'érudition de Montesquieu. L'*exemple* des lois romaines (livre XXVII) doit tenir lieu d'exercice pour la formation

---

1. *Pensées*, n° 1795.

2. « C'est une grande chose de savoir corriger les abus. La moindre difficulté, c'est de les connaître. On ne les connaît ordinairement que trop, et on les sent si bien que, ce qui est venu avec lenteur, on veut le détruire avec violence. On sent, dans cette entreprise, qu'on a pour soi la raison ; on n'examine point si l'on a pour soi la prudence » (« Dossier de *L'Esprit des lois* », Pléiade, t. II, p. 1017).

3. Et qui est renforcée par le sous-titre même de l'ouvrage, voir p. 20, note 1.

en matière de lois, ce qui apparaît dans un des brouillons concernant cette dernière partie de l'ouvrage qui a été plusieurs fois remaniée : « On a vu, dans tout cet ouvrage, que les lois ont des rapports sans nombre à des choses sans nombre. Étudier la jurisprudence, c'est chercher ces rapports. Les lois suivent ces rapports, et, comme ils varient sans cesse, elles se modifient continuellement. Je crois ne pouvoir mieux finir cet ouvrage qu'en donnant un exemple. – J'ai choisi les lois romaines, et j'ai cherché celles qu'ils firent sur les successions. On verra par combien de volontés et de hasards elles sont passées. Ce que j'en dirai sera une espèce de méthode pour ceux qui voudront étudier la jurisprudence [1]. » Être attentif aux processus historiques qui permettent de saisir « une espèce de génération de lois [2] » revient à s'opposer non seulement à ceux qui, comme Hobbes, déploient une méthode génétique pour faire apparaître la vraie nature de la souveraineté, mais aussi à l'idée que le droit romain constituerait un modèle intemporel pour toute entreprise législatrice.

En ajoutant au dernier moment l'exemple des lois civiles françaises (livre XXVIII) et l'examen des lois féodales (livres XXX et XXXI), Montesquieu accentue l'importance qu'il accorde à cette approche historique qui consiste à voir « naître et se former » les lois (*EL*, XXVIII, 20). Par la même occasion, il prend parti dans les débats concernant l'origine de la monarchie française : « C'est bien dans les anciennes lois françaises que l'on trouve l'esprit de la monarchie » (*EL*, VI, 10). Dans l'*Histoire de l'ancien gouvernement de la France* (1727), le comte de Boulainvilliers, pour critiquer l'absolutisme royal, essaie de montrer comment dans l'histoire le roi a usurpé le pouvoir politique, ce qui justifierait l'aspiration de la noblesse à restaurer ses prérogatives fondées sur la conquête supposée de la Gaule par les

---

1. « Dossier de *L'Esprit des lois* », Pléiade, t. II, p. 1029.
2. *Pensées*, n° 1794.

Germains (thèse dite « germaniste »). L'abbé Dubos, dans l'*Histoire critique de l'établissement de la monarchie française dans les Gaules* (1734), s'y oppose en montrant que le pouvoir des rois de France vient d'une cession directe des fonctions consulaires à Clovis qui a donc hérité du pouvoir impérial (thèse dite « romaniste »). On pourrait penser que la défense des positions nobiliaires rapprocherait Montesquieu de Boulainvilliers, pourtant il entend se tenir « entre les deux » (*EL*, XXX, 10). Les deux auteurs partagent une même approche de l'histoire en cherchant une origine d'instauration, qui serait au fondement de la légitimité des positions politiques que chacun défend. Pour Montesquieu, ce n'est pas ainsi qu'il faut penser les « fondements ».

Les derniers livres de *L'Esprit des lois* actualisent donc, dans les contingences du temps historique, la problématique politique des premiers livres qui présente l'idée d'un équilibre dynamique propre à la monarchie. C'est l'entreprise généalogique qui change de sens : il ne s'agit plus de dégager une *origine*, un *établissement*, puis de mesurer l'écart des institutions avec cette forme originelle pour les juger. Ainsi, la *corruption* ne renvoie pas à une perte de l'origine légitime (une *usurpation*), mais se rapporte à une espèce de changement relatif au jeu des principes présenté au livre VIII. L'attention accordée aux circonstances dans lesquelles les lois apparaissent et se transforment témoigne des processus irréversibles qui ne laissent espérer aucune restauration en tant que retour du même. Mais cet examen permet de penser les conditions historiques de la modération politique. S'il est nécessaire, c'est aussi que la naissance de la féodalité est un « événement » absolument inédit, avec lequel l'histoire ancienne n'offre pas de comparaison (*EL*, XXX, 1). Comment penser le devenir des monarchies en Europe, c'est-à-dire la modernité politique, sans éclairer la féodalité et l'essor du commerce européen ?

L'étude de la « disposition » particulière du gouvernement doit être menée avec celle de la « disposition du peuple » (I, 3), ce qui justifie que l'approche structurelle du premier ensemble de l'ouvrage se combine avec l'attention portée par l'auteur aux situations mise en œuvre dans un second temps (à partir du livre XIV) : on voit encore que cet examen serait incomplet si l'on n'étudiait la *configuration* historique inédite dans laquelle doivent être pensées ces dispositions. Le dessein de Montesquieu, tel qu'il apparaît dans la préface, est bien accompli ici, et on ne peut séparer l'étude des lois de l'étude des « histoires de toutes les nations » : « Il faut éclairer l'histoire par les lois, et les lois par l'histoire » (*EL*, XXXI, 2). Penser les conditions d'exercice de la raison législatrice à travers l'examen de ses essais d'application en situation, confrontée à la « nature des choses », permet de la former. La connaissance des lois, qui suppose le regard historien (lequel pose la question : quelle est l'origine des lois ?), éclaire et exerce le savoir-faire des lois, qui suppose une conscience historique (pour répondre à la question : comment établir des lois ?).

Le livre XXIX, au centre de ces considérations juridiques et historiennes, manifeste cette perspective pratique de *L'Esprit des lois*. Dans ce livre, Montesquieu insiste sur l'esprit de modération qui doit guider le législateur et montre par l'exemple comment la *comparaison*, déjà mise en œuvre dans l'ensemble de l'ouvrage, est l'activité essentielle de celui qui s'exerce à la prudence en matière de législation. Cela ne signifie pas que l'ouvrage ne s'adresse qu'à ceux qui doivent « proposer des changements » (préface). Si Montesquieu, dans sa préface, révèle les « préjugés de la nation », il attire ici l'attention sur ceux « des législateurs » (*EL*, XXIX, 19) qui ont porté leur regard sur les lois [1]. Former le regard du législateur par l'étude de la jurisprudence, c'est également

---

1. D'Aristote à Harrington, pour ne citer que ceux qui sont évoqués dans ce dernier chapitre du livre XXIX, qui aurait pu être le dernier de l'ouvrage si les livres sur les lois féodales n'avaient été adjoints *in extremis* à l'ensemble de l'ouvrage avant la première publication.

former le lecteur de *L'Esprit des lois* en le mettant en position de regarder les lois comme devrait le faire le législateur. C'est parce qu'il permet à chacun de bien juger des lois que l'ouvrage « est fait pour tous les hommes [1] ».

## *L'esprit du législateur*

Le tour de force de Montesquieu dans *L'Esprit des lois* est de prendre en charge, à partir de l'étude des lois positives, l'ensemble des difficultés auxquelles est confrontée la raison législatrice. Il ne faut donc pas opposer une visée descriptive ou scientifique (qui rendrait raison des institutions) à une visée normative (qui interrogerait leur légitimité) : l'enquête sur les lois telles qu'elles existent historiquement porte en elle la règle qui permet d'évaluer la bonté des lois. Cette perspective est réaliste, si l'on veut, en tant qu'elle s'attache à la « nature des choses » (*EL*, préface) ; elle traduit la volonté de pouvoir s'opposer efficacement aux tenants d'une politique, conseillers du prince ou réformateurs [2]. Montesquieu n'abandonne pas la question des fondements, il ne cède pas non plus devant les faits. Mais l'étude des lois positives met en œuvre les exigences de la raison pratique, dans sa visée normative et dans son attention aux circonstances : voilà pourquoi le devenir historique peut s'appréhender dans la lecture patiente des lois. En retour, il faut comprendre que les fondements du droit civil et politique sont dans les histoires ; ils sont inséparables des institutions qui les manifestent, ils sont à actualiser sans cesse dans une forme nouvelle.

---

1. *Pensées*, n° 1865.
2. « Quand on voit des causes de prospérité dans un État qui ne prospère point, la disette régner, où la nature avait mis l'abondance, un lâche orgueil, là où le climat avait promis du courage, des maux, au lieu des biens que l'on attendait de la religion du pays ; il est aisé de sentir que l'on s'est écarté du but du législateur. La difficulté est de savoir quand, comment et par où il faut y revenir » (*Pensées*, n° 1873).

C'est pour ne pas se réduire à de vagues exhortations [1] que Montesquieu pose fermement la question de la bonté des lois dans la réalité des histoires. Cela ne va pas sans difficultés ni hésitations, ce que montrent les tensions du texte. Toutefois l'essentiel est atteint : il faut partir des lois positives, et, au regard des principes dont la préface met en scène la difficile découverte, essayer de saisir l'esprit des lois. L'approche de Montesquieu est relationnelle et suppose d'exercer une mobilité du regard (pour l'examen des multiples rapports) et de saisir le tout (d'un coup d'œil). Son génie est d'avoir trouvé une forme qui s'accorde avec cette pensée des lois, c'est-à-dire aussi bien avec son objet (l'esprit des lois comme ensemble des rapports) qu'avec sa visée formatrice (faire penser). Il n'y a pas un *système* du droit que l'on pourrait exposer selon un ordre des raisons ; il n'y a pas d'engendrement logique ou historique d'une forme qui définisse la souveraineté légitime ; mais il y a une *vue systématique*, une façon de penser les lois selon l'ordre des rapports qui permet de bien les évaluer en situation et de proposer les changements adéquats. Le véritable savoir des lois, s'il suppose de tenir les principes qui sont à l'œuvre dans *L'Esprit des lois*, ne peut être mis en pratique sans un sens des nuances [2]. On s'aperçoit alors qu'il est de la nature même de l'ouvrage qu'il soit ouvert à un dialogue incessant avec ceux qui ont pu s'interroger sur les lois – et si Montesquieu intègre ponctuellement des motifs de traditions diverses (empruntés au droit naturel, au républicanisme, au contractualisme, à une généalogie historique, etc.),

---

1. « Cet ouvrage ne serait pas inutile à l'éducation des jeunes princes et leur vaudrait peut-être mieux que des exhortations vagues à bien gouverner, à être de grands princes, à rendre leurs sujets heureux ; ce qui est la même chose que si on exhortait à résoudre de beaux problèmes de géométrie un homme qui ne connaîtrait pas les premières propositions d'Euclide » (*Pensées*, nº 1864).

2. « Il a cru ses recherches utiles, parce que le bon sens consiste beaucoup à connaître les nuances des choses » (*DEL*, seconde partie, « Idée générale »).

c'est toujours pour disposer ces bribes de discours avec d'autres « vues » qu'il faut tenir également.

Les attaques comme les louanges seront enfin à géométrie variable, selon l'aspect de l'œuvre que l'on retient. Pour prévenir les mauvaises lectures, Montesquieu oppose justement la vue partielle des critiques et l'effort de celui qui essaie de suivre l'« écrivain politique », c'est-à-dire celui qui s'efforce de regarder les institutions humaines d'un point de vue humain. En suivant Montesquieu, on porte attention aux *structures*, aux *situations*, aux *histoires*. Ce sont les trois dimensions du nouveau savoir des lois qu'il entend constituer, trois dimensions inséparables, mais actualisées de façon à rythmer les temps de la lecture de l'ouvrage : l'étude des gouvernements, l'étude des situations et des conditions non politiques du politique, l'étude des lois dans l'histoire. Cette façon totale d'étudier les lois porte en elle toutes les exigences de la raison législatrice, et révèle l'enjeu politique de cette démarche nouvelle : Montesquieu cherche toujours à penser les systèmes juridiques, les dispositifs institutionnels, les dispositions sociales dans une perspective suffisamment pratique pour qu'elle permette de découvrir en même temps les conditions de la liberté et les fondements de la puissance.

Les formes que peut prendre la liberté apparaissent dans l'étude des essais de la raison législatrice ; ses limites apparaissent dans l'analyse des modalités de l'exercice du pouvoir. Comprendre ces deux points revient à voir comment la liberté est bien un effet d'agencements qui préviennent judicieusement les abus du pouvoir. Limites bien placées, limites bien comprises, limites partagées, qui sont avantageuses pour tous. Si les limites ne sont pas seulement juridiques, il reste que par le biais des lois on peut espérer infléchir le cours des choses, et proposer les changements opportuns qui engendrent ensemble la puissance du prince, celle de son royaume et la liberté des sujets. Cette enquête est animée par une passion de la liberté telle qu'il est impossible de ne pas penser ses

conditions effectives. Il apparaît que son sort est lié à
l'ordre de la constitution et à une dialectique des lois et
des mœurs. De ce point de vue, l'idée de *modération* est
bien au cœur de *L'Esprit des lois*. Elle rythme l'ordre de
l'ouvrage tout au long de ce parcours qui vise à penser
les conditions et les limites de la liberté en situation :
modération constitutionnelle (livre XI), modération des
lois dans le rapport à l'ordre des mœurs (livre XIX),
esprit de modération du législateur (livre XXIX). Du jeu
des principes des gouvernements à l'esprit général, de la
composition des puissances à l'ordre des mœurs, il s'agit
toujours de voir comment sont liées liberté et modération, afin de déterminer en situation les « degrés de
liberté » (XI, 20) qui sont possibles. Pour être capable de
calculer, de mesurer ce qui est meilleur en situation, il est
nécessaire d'avoir l'esprit du bon législateur : « Je le dis,
et il me semble que je n'ai fait cet ouvrage que pour le
prouver : l'esprit de modération doit être celui du législateur ; le bien politique, comme le bien moral, se trouve
toujours entre deux limites » (*EL*, XXIX, 1).

Denis DE CASABIANCA

# NOTE SUR L'ÉDITION

Nous reproduisons le texte de l'édition de 1757, qui a été réimprimé sans changements dans l'édition des *Œuvres complètes* de 1758 et dans celle de 1767.

Le titre *De l'esprit des lois* a été conservé pour la titraille, et abrégé en *L'Esprit des lois*, comme le veut l'usage moderne, partout ailleurs.

Les titres des parties et des chapitres sont de Montesquieu ; mais les titres des différentes parties de cette anthologie sont les nôtres, ainsi que les notices introductives.

Les notes de Montesquieu, en bas de page, sont annoncées par des lettres (qui suivent l'ordre de l'alphabet latin, sauf la lettre *j*, qui n'existe pas en latin) ; les notes visant à éclairer les termes susceptibles de rendre difficile l'abord du texte – définitions lexicales, présentation des personnages historiques auxquels il est fait allusion – sont annoncées par des chiffres romains et également situées en bas de page (pour ne pas alourdir l'appareil critique, ces notes ne portent que sur la première occurrence des termes concernés au sein de chaque partie de l'anthologie) ; les notes de commentaire sont annoncées par des chiffres arabes et se trouvent en fin de volume. Dans les notes de Montesquieu, les références ont été modernisées et précisées au besoin : nos interventions apparaissent alors entre crochets. Par ailleurs, certains passages en latin ne sont pas traduits dans nos notes, lorsqu'ils se trouvent en fait explicités par Montesquieu lui-même dans le texte.

L'orthographe a été modernisée (par exemple nous avons supprimé l'emploi de *o* pour *a* dans certaines formes verbales ou dans certains substantifs – comme « monnaie » au lieu de *monnoie* ou *monnoye*), mais les graphies particulières de Montesquieu pour certains noms propres ont été respectées : le lecteur trouvera en note les graphies modernes.

La ponctuation varie d'une édition à l'autre au XVIIIe siècle. Nous avons le plus souvent conservé l'usage des deux points, qui n'est pas toujours conforme à l'usage actuel, mais nous avons parfois supprimé des virgules (par exemple avant les propositions relatives) pour le confort du lecteur d'aujourd'hui. Dans les citations données en note, l'orthographe a également été modernisée.

# DE L'ESPRIT DES LOIS

# I

# Le projet de *L'Esprit des lois*

# Préface

Dans la préface de *L'Esprit des lois*, Montesquieu donne à voir ses intentions et s'efforce de prévenir les mauvaises lectures de l'ouvrage. Il précise l'objet de sa recherche, ce qui l'a animée et comment il pense l'avoir menée à bien. L'auteur entend engager une enquête sur les lois, et non pas élaborer un traité juridique : « On ne doit pas regarder ceci comme un traité de jurisprudence ; c'est plutôt une espèce de méthode pour étudier la jurisprudence : ce n'est point le corps des lois que je cherche, mais leur âme » (« Dossier de *L'Esprit des lois* », Pléiade, t. II, p. 1025). L'enquête déborde en effet la simple sphère juridique. L'examen attentif de « l'infinie diversité des lois et des mœurs » conduit à affirmer que l'on peut donner « les raisons » qui rendent compte de la façon dont la vie sociale s'organise dans chaque nation. Si les lois font « système » entre elles, elles sont aussi liées à la situation historique dans laquelle elles s'inscrivent et qu'elles prétendent régler : c'est pour cette raison que l'approche ne saurait être strictement juridique. Parallèlement, c'est en interrogeant les textes de droit que l'on peut mettre au jour leur sens historique : il faut « éclairer les lois par l'histoire et l'histoire par les lois » (*EL*, XXXI, 2). Il y a une rationalité des lois et des « histoires de toutes les nations ».

Si Montesquieu n'entend pas censurer ceux qui dirigent les nations, le savoir qu'il constitue intéresse directement les législateurs : savoir examiner les essais de la raison législatrice permet de s'exercer à discerner ce qu'il convient de faire en situation pour « proposer des changements ». L'ouvrage est donc également un moyen de réfléchir les préjugés de chaque nation, de ceux qui la gouvernent comme du peuple. Il permet à tous de s'instruire en matière de législation en donnant la possibilité de bien juger des lois.

Montesquieu pose ainsi les « principes » qui permettent d'appréhender ce sujet « immense, puisqu'il embrasse toutes les

institutions qui sont reçues parmi les hommes » (*DEL*, seconde
partie, « Idée générale », p. 435) ; ces principes permettent non
seulement de rendre raison des lois existantes, mais aussi de discerner les cas et d'évaluer les situations. S'il ne les explicite pas
dans la préface, il indique cependant que leur découverte a rendu
possible la réalisation de son projet et l'écriture de *L'Esprit des
lois*. Ces principes sont aussi des principes de composition garan-
tissant à l'œuvre son unité, et il reste au lecteur à s'engager dans
la lecture du « livre entier » pour découvrir le « dessein » de
l'auteur.

Si, dans le nombre infini de choses qui sont dans ce
livre, il y en avait quelqu'une qui, contre mon attente,
pût offenser, il n'y en a pas du moins qui y ait été mise
avec mauvaise intention. Je n'ai point naturellement
l'esprit désapprobateur. Platon remerciait le ciel de ce
qu'il était né du temps de Socrate[1] ; et moi, je lui rends
grâces de ce qu'il m'a fait naître dans le gouvernement
où je vis, et de ce qu'il a voulu que j'obéisse à ceux qu'il
m'a fait aimer[2].

Je demande une grâce que je crains qu'on ne
m'accorde pas : c'est de ne pas juger, par la lecture d'un
moment, d'un travail de vingt années ; d'approuver ou
de condamner le livre entier[3], et non pas quelques
phrases. Si l'on veut chercher le dessein[I] de l'auteur, on
ne le peut bien découvrir que dans le dessein de
l'ouvrage.

J'ai d'abord examiné les hommes, et j'ai cru que, dans
cette infinie diversité de lois et de mœurs[4], ils n'étaient
pas uniquement conduits par leurs fantaisies[II].

---

**I.** Montesquieu joue sur les deux sens du mot, que l'orthographe ne
permet pas alors de distinguer : *dessin* et *dessein*, ou « pensée qu'on a
dans l'imagination de l'ordre, de la distribution et de la construction
d'un tableau, d'un poème, d'un livre, d'un bâtiment » (Furetière).

**II.** Selon leurs envies, leurs opinions. « Se prend aussi, pour caprice,
boutade, bizarrerie » (*Académie*). Dans l'ouvrage, ce terme joue dans
deux registres. Soit il renvoie aux caprices du prince et à la figure d'une
volonté despotique (voir II, 2 ; III, 9 ; V, 14 ; VI, 2 ; VIII, 6), soit il
renvoie aux jeux des passions sociales (honneur, IV, 2 ; mœurs anglaises,
XIX, 27 ; luxe, *EL*, VII, 1 ; commerce, *EL*, XX, 4).

J'ai posé les principes[5], et j'ai vu les cas particuliers s'y plier comme d'eux-mêmes, les histoires de toutes les nations[I] n'en être que les suites, et chaque loi particulière liée avec une autre loi, ou dépendre d'une autre plus générale[6].

Quand j'ai été rappelé à l'Antiquité, j'ai cherché à en prendre l'esprit, pour ne pas regarder comme semblables des cas réellement différents, et ne pas manquer les différences de ceux qui paraissent semblables[7].

Je n'ai point tiré mes principes de mes préjugés, mais de la nature des choses.

Ici, bien des vérités ne se feront sentir qu'après qu'on aura vu la chaîne[8] qui les lie à d'autres. Plus on réfléchira sur les détails, plus on sentira la certitude des principes. Ces détails même, je ne les ai pas tous donnés ; car, qui pourrait dire tout sans un mortel ennui ?

On ne trouvera point ici ces traits saillants qui semblent caractériser les ouvrages d'aujourd'hui. Pour peu qu'on voie les choses avec une certaine étendue, les saillies[II] s'évanouissent ; elles ne naissent d'ordinaire que parce que l'esprit se jette tout d'un côté, et abandonne tous les autres.

Je n'écris point pour censurer ce qui est établi dans quelque pays que ce soit[9]. Chaque nation trouvera ici les raisons de ses maximes[III][10] ; et on en tirera naturellement cette conséquence, qu'il n'appartient de proposer des changements qu'à ceux qui sont assez heureusement nés pour pénétrer, d'un coup de génie, toute la constitution[IV] d'un État.

---

I. « Tous les habitants d'un même État, d'un même pays, qui vivent sous les mêmes lois, parlent le même langage » (*Académie*).

II. Comme plus haut sur *dessein*, Montesquieu joue sur le double sens de *saillie*, « traits d'esprit brillants et surprenants », et « en termes d'architecture, l'avance d'une pièce hors du corps du bâtiment » (*Académie*).

III. Maxime : précepte, principe de conduite.

IV. Le chapitre sur la « constitution d'Angleterre » (XI, 6) porte sur les dispositions politiques, mais aussi sur les compositions sociales et les dispositifs passionnels qui forment ensemble cet État.

Il n'est pas indifférent que le peuple soit éclairé. Les préjugés des magistrats[1] ont commencé par être les préjugés de la nation. Dans un temps d'ignorance, on n'a aucun doute, même lorsqu'on fait les plus grands maux ; dans un temps de lumière, on tremble encore lorsqu'on fait les plus grands biens[11]. On sent les abus anciens, on en voit la correction ; mais on voit encore les abus de la correction même. On laisse le mal, si l'on craint le pire[12] ; on laisse le bien, si on est en doute du mieux[13]. On ne regarde les parties que pour juger du tout ensemble[14] ; on examine toutes les causes pour voir tous les résultats.

Si je pouvais faire en sorte que tout le monde eût de nouvelles raisons pour aimer ses devoirs, son prince, sa patrie, ses lois[15] ; qu'on pût mieux sentir son bonheur dans chaque pays, dans chaque gouvernement, dans chaque poste où l'on se trouve[16] ; je me croirais le plus heureux des mortels.

Si je pouvais faire en sorte que ceux qui commandent augmentassent leurs connaissances sur ce qu'ils doivent prescrire[17], et que ceux qui obéissent trouvassent un nouveau plaisir à obéir, je me croirais le plus heureux des mortels.

Je me croirais le plus heureux des mortels, si je pouvais faire que les hommes pussent se guérir de leurs préjugés. J'appelle ici préjugés, non pas ce qui fait qu'on ignore de certaines choses, mais ce qui fait qu'on s'ignore soi-même.

C'est en cherchant à instruire les hommes, que l'on peut pratiquer cette vertu générale qui comprend l'amour de tous. L'homme, cet être flexible, se pliant dans la société aux pensées et aux impressions des autres, est également capable de connaître sa propre nature lorsqu'on la lui montre, et d'en perdre jusqu'au sentiment, lorsqu'on la lui dérobe.

---

[1]. « Magistrat : officier de [justice] et de police, qui a juridiction et autorité sur le peuple. [...] Se dit aussi collectivement de ceux qui ont soin de la police ou du gouvernement de la ville, ou de la république » (Thomas Corneille, *Dictionnaire des arts et des sciences*, 1694).

J'ai bien des fois commencé, et bien des fois abandonné cet ouvrage ; j'ai mille fois envoyé aux vents les feuilles que j'avais écrites[a] ; je sentais tous les jours les mains paternelles tomber[b] ; je suivais mon objet sans former de dessein ; je ne connaissais ni les règles ni les exceptions ; je ne trouvais la vérité que pour la perdre. Mais, quand j'ai découvert mes principes, tout ce que je cherchais est venu à moi ; et, dans le cours de vingt années, j'ai vu mon ouvrage commencer, croître, s'avancer et finir.

Si cet ouvrage a du succès, je le devrai beaucoup à la majesté de mon sujet ; cependant je ne crois pas avoir totalement manqué de génie[1]. Quand j'ai vu ce que tant de grands hommes, en France, en Angleterre et en Allemagne, ont écrit avant moi[18], j'ai été dans l'admiration ; mais je n'ai point perdu le courage : *Et moi aussi, je suis peintre*[c], ai-je dit avec le Corrège.

a. *Ludibria ventis*[19].
b. *Bis patriæ cecidere manus*[20]...
c. *Ed io anche son pittore*[21].

1. Du latin *ingenium*, qui désigne d'abord les « qualités naturelles » ; mais le mot renvoie aussi à une capacité de saisie et de composition.

# LIVRE PREMIER

## Des lois en général

Le livre premier, qui traite « des lois en général », a de quoi déconcerter. En trois courts chapitres d'une grande densité, Montesquieu met en place une problématique propre, en dérobant le sol sur lequel reposaient les démarches des grands hommes qui l'ont précédé. Il emprunte des formes de discours à des traditions diverses et, par inflexions successives, il les détourne de leur sens pour présenter ce qu'il entreprend de faire dans *L'Esprit des lois*. Il faut donc être sensible au mouvement d'ensemble de ce livre particulier, qui part d'une définition des lois « dans la signification la plus étendue » (I, 1) pour arriver aux définitions des lois positives et de l'esprit des lois (I, 3).

Le contexte cosmologique du premier chapitre permet de mettre à l'épreuve la définition des lois comme « rapports nécessaires qui dérivent de la nature des choses ». Pour autant, Montesquieu ne confond pas les impératifs moraux et les corrélations constantes, et il n'érige pas en modèle les lois de la nature que met au jour la science moderne. Il est bien question des rapports constants qui règlent les mouvements des corps matériels, mais aussi des rapports de justice possibles que doivent suivre les êtres intelligents. Si Montesquieu ne privilégie pas un modèle physicien, la définition de la loi comme rapport lui permet de renoncer à l'idée que la loi est un commandement : il abandonne donc une conception volontariste de la loi, et le questionnement politique qu'elle entraîne (quelle est l'origine de la loi ? quelle volonté, divine ou humaine, peut l'instituer légitimement ? quelle instance est chargée de la faire appliquer ? quel type d'obéissance suppose-t-elle ?). Ce chapitre, passant en revue les différents êtres, permet de préciser les caractéristiques de l'ordre et des désordres humains. L'homme apparaît comme un être inconstant, capable de connaissances mais livré aux passions, qui s'écarte des « lois que Dieu a établies » et qui « change celles qu'il établit lui-même » (I, 1). À lui seul, ce chapitre ne permet pas de poser le problème que Montesquieu entend résoudre, mais il engage une approche relationnelle de la réalité. L'idée de rapports de justice préexistant à tout ordre social institué s'oppose au positivisme juridique de Hobbes, pour qui la justice dépend entièrement de la loi du souverain. Ce n'est pas le souverain mais le législateur qui se voit ici attribuer le rôle de rappeler l'homme à ses devoirs envers les autres. Encore faut-il éclairer cette action législatrice en examinant les conditions de son exercice, c'est-à-dire les situations historiques dans lesquelles œuvre la raison humaine, ce qui est l'objet du dernier chapitre de ce livre premier.

Le deuxième chapitre propose un détour par l'état de nature. Le tableau de l'homme considéré « avant l'établissement des sociétés » qu'offre Montesquieu s'oppose à la description que propose Hobbes. L'état de nature n'est pas un état de guerre généralisée : au contraire, le sentiment de leur faiblesse et de leurs besoins, l'attrait des sexes engagent les hommes à s'unir. La paix et le « désir de vivre en société » sont des lois naturelles. Mais la nature sociable de l'homme renvoie au sentiment qu'il peut avoir de sa condition et n'est pas liée à sa nature raisonnable : du même coup, Montesquieu ne s'engage pas dans la voie ouverte par les jusnaturalistes, comme Pufendorf, pour constituer systématiquement un droit naturel à partir duquel il faudrait penser les relations humaines. Il esquive également une approche contractualiste qui permet de penser la souveraineté politique : avec le troisième chapitre, on passe aux sociétés historiques et à l'état de guerre, sans que soient interrogées les modalités du passage de l'état de nature à l'état social.

Les différents droits positifs permettent de régler les rapports conflictuels entre les peuples (droit des gens), entre gouvernants et gouvernés (droit politique), entre citoyens (droit civil). Ce sont donc ces « lois positives », instituées diversement au cours des histoires de toutes les nations, qui sont étudiées pour elles-mêmes. Montesquieu peut alors poser le problème qu'il entend résoudre à partir d'une formulation traditionnelle : le « gouvernement le plus conforme à la nature » n'est pas celui qui est bien fondé parce qu'il découle de la nature raisonnable de l'homme, c'est « celui dont la disposition particulière se rapporte mieux à la disposition du peuple pour lequel il est établi » (I, 3). Il ne s'agit donc plus de penser une forme unique, mais à chaque fois un nouvel accord entre le gouvernement, les lois positives et une situation particulière. La « nature » renvoie ici à la « disposition du peuple » et à la « nature des choses », qu'il ne faut pas confondre avec un ordre naturel préétabli. L'ordre propre des lois humaines ne renvoie pas à un *cosmos*, il ne dépend pas ici d'une raison divine ou primitive ; on est bien loin du premier chapitre. La nouvelle définition que Montesquieu donne de la loi « en général » renvoie à la raison humaine qui « gouverne tous les peuples de la terre », mais qui doit toujours s'appliquer en situation. La raison humaine, qui est la loi, ne repose pas dans son action sur une raison supérieure. Elle doit s'éclairer elle-même en considérant ses œuvres passées. Car elle peut s'égarer, ne pas s'appliquer. Être utile et éclairer la raison, c'est penser les conditions de l'action législatrice.

La notion de « convenance » prend sens dans cette nouvelle problématique politique et elle l'articule à la définition de l'esprit des lois, donnée dans la longue énumération de ce à quoi les lois positives doivent se rapporter. C'est parce que le gouvernement le plus conforme à la nature est « celui dont la disposition particulière se rapporte mieux à la disposition du peuple pour lequel il est établi » que les lois positives « doivent être tellement propres au peuple pour lequel elles sont faites, que c'est un très grand hasard si celles d'une nation peuvent convenir à une autre » (I, 3). Il ne s'agit donc plus de penser un accord avec les principes du droit naturel, mais de viser une adaptation aux mœurs et aux circonstances. Il faut pourtant noter qu'une telle approche relativiste des lois positives existe dans la tradition jusnaturaliste (chez Gravina ou Pufendorf), mais il s'agit d'une étude historique qui présuppose la théorie de la souveraineté (ce sur quoi repose l'autorité politique), alors que l'attention aux situations porte en elle toute l'exigence normative chez Montesquieu.

La question du meilleur gouvernement s'inscrit dans une problématique relationnelle qui engage un examen des situations particulières. L'attention à la « disposition » qui constitue tel gouvernement suppose l'étude de tout ce qui participe à la « disposition » du peuple. Pour évaluer la façon dont le gouvernement convient à son peuple, pour rendre compte et bien juger des lois, il faut examiner l'ensemble des « rapports » qui constituent l'esprit des lois et voir comment ils jouent ensemble dans chaque situation. La notion de convenance permet d'indiquer ce jeu des déterminations en relevant les accords ou les désaccords qui peuvent exister entre les diverses lois, le climat, les mœurs, etc. C'est ainsi que l'on peut espérer saisir comment « tout est extrêmement lié » (XIX, 15) dans chaque nation. La forme étrange de ce livre premier se comprend dans les efforts de Montesquieu pour dégager une vue nouvelle sur les lois en infléchissant les discours de ses illustres prédécesseurs.

## CHAPITRE PREMIER
### Des lois, dans le rapport
### qu'elles ont avec les divers êtres

Les lois, dans la signification la plus étendue, sont les rapports nécessaires qui dérivent de la nature des choses[1] ; et, dans ce sens, tous les êtres ont leurs lois ; la divinité[a] a ses lois, le monde matériel a ses lois, les intelligences supérieures à l'homme ont leurs lois, les bêtes ont leurs lois, l'homme a ses lois.

Ceux qui ont dit qu'*une fatalité aveugle a produit tous les effets que nous voyons dans le monde*[2], ont dit une grande absurdité : car quelle plus grande absurdité qu'une fatalité aveugle qui aurait produit des êtres intelligents[3] ?

Il y a donc une raison primitive[4] ; et les lois sont les rapports qui se trouvent entre elle et les différents êtres, et les rapports de ces divers êtres entre eux.

Dieu a du rapport avec l'univers, comme créateur et comme conservateur : les lois selon lesquelles il a créé sont celles selon lesquelles il conserve[5]. Il agit selon ces règles, parce qu'il les connaît ; il les connaît, parce qu'il les a faites ; il les a faites, parce qu'elles ont du rapport avec sa sagesse et sa puissance[6].

Comme nous voyons que le monde, formé par le mouvement de la matière[7], et privé d'intelligence, subsiste toujours, il faut que ses mouvements aient des lois invariables[8] ; et, si l'on pouvait imaginer un autre monde que celui-ci, il aurait des règles constantes, ou il serait détruit.

---

a. *La loi*, dit Plutarque, *est la reine de tous mortels et immortels*. Au traité *Qu'il est requis qu'un prince soit savant*[9].

Ainsi la création, qui paraît être un acte arbitraire, suppose des règles aussi invariables que la fatalité des athées [10]. Il serait absurde de dire que le créateur, sans ces règles, pourrait gouverner le monde, puisque le monde ne subsisterait pas sans elles.

Ces règles sont un rapport constamment établi. Entre un corps mû et un autre corps mû, c'est suivant les rapports de la masse et de la vitesse que tous les mouvements sont reçus, augmentés, diminués, perdus ; chaque diversité est *uniformité*, chaque changement est *constance* [11].

Les êtres particuliers intelligents peuvent avoir des lois qu'ils ont faites ; mais ils en ont aussi qu'ils n'ont pas faites. Avant qu'il y eût des êtres intelligents, ils étaient possibles ; ils avaient donc des rapports possibles, et par conséquent des lois possibles. Avant qu'il y eût des lois faites, il y avait des rapports de justice possibles. Dire qu'il n'y a rien de juste ni d'injuste que ce qu'ordonnent ou défendent les lois positives [I] [12], c'est dire qu'avant qu'on eût tracé de cercle, tous les rayons n'étaient pas égaux.

Il faut donc avouer des rapports d'équité antérieurs à la loi positive qui les établit [13] : comme, par exemple [14], que, supposé qu'il y eût des sociétés d'hommes, il serait juste de se conformer à leurs lois ; que, s'il y avait des êtres intelligents qui eussent reçu quelque bienfait d'un autre être, ils devraient en avoir de la reconnaissance ; que, si un être intelligent avait créé un être intelligent, le créé devrait rester dans la dépendance qu'il a eue dès son origine ; qu'un être intelligent qui a fait du mal à un être intelligent mérite de recevoir le même mal [15], et ainsi du reste.

Mais il s'en faut bien que le monde intelligent soit aussi bien gouverné que le monde physique. Car, quoique celui-là ait aussi des lois qui, par leur nature, sont invariables, il ne les suit pas constamment comme le monde

---

I. Les lois qui sont instituées par les hommes.

physique suit les siennes. La raison en est que les êtres particuliers intelligents sont bornés par leur nature, et par conséquent sujets à l'erreur ; et, d'un autre côté, il est de leur nature qu'ils agissent par eux-mêmes. Ils ne suivent donc pas constamment leurs lois primitives ; et celles même qu'ils se donnent, ils ne les suivent pas toujours.

On ne sait si les bêtes sont gouvernées par les lois générales du mouvement, ou par une motion[I] particulière. Quoi qu'il en soit, elles n'ont point avec Dieu de rapport plus intime que le reste du monde matériel ; et le sentiment ne leur sert que dans le rapport qu'elles ont entre elles, ou avec d'autres êtres particuliers, ou avec elles-mêmes.

Par l'attrait du plaisir, elles conservent leur être particulier ; et, par le même attrait, elles conservent leur espèce. Elles ont des lois naturelles, parce qu'elles sont unies par le sentiment[16] ; elles n'ont point de lois positives, parce qu'elles ne sont point unies par la connaissance. Elles ne suivent pourtant pas invariablement leurs lois naturelles : les plantes, en qui nous ne remarquons ni connaissance ni sentiment, les suivent mieux.

Les bêtes n'ont point les suprêmes avantages que nous avons ; elles en ont que nous n'avons pas. Elles n'ont point nos espérances, mais elles n'ont pas nos craintes ; elles subissent comme nous la mort, mais c'est sans la connaître ; la plupart même se conservent mieux que nous, et ne font pas un aussi mauvais usage de leurs passions.

L'homme, comme être physique, est, ainsi que les autres corps, gouverné par des lois invariables. Comme être intelligent, il viole sans cesse les lois que Dieu a établies, et change celles qu'il établit lui-même. Il faut qu'il se conduise : et cependant il est un être borné ; il est sujet

---

I. « Action d'un corps qui se meut, qui s'agite. [...] Descartes explique fort subtilement comment se fait la *motion* des animaux, la cause de leur mouvement » (Furetière).

à l'ignorance et à l'erreur, comme toutes les intelligences finies ; les faibles connaissances qu'il a, il les perd encore [17]. Comme créature sensible, il devient sujet à mille passions [18]. Un tel être pouvait, à tous les instants, oublier son créateur [19] ; Dieu l'a rappelé à lui par les lois de la religion [20]. Un tel être pouvait, à tous les instants, s'oublier lui-même ; les philosophes l'ont averti par les lois de la morale. Fait pour vivre dans la société, il y pouvait oublier les autres ; les législateurs l'ont rendu à ses devoirs par les lois politiques et civiles.

## CHAPITRE 2
### Des lois de la nature

Avant toutes ces lois, sont celles de la nature, ainsi nommées, parce qu'elles dérivent uniquement de la constitution de notre être [21]. Pour les connaître bien, il faut considérer un homme avant l'établissement des sociétés. Les lois de la nature seront celles qu'il recevrait dans un état pareil.

Cette loi qui, en imprimant dans nous-mêmes l'idée d'un créateur, nous porte vers lui [22], est la première des *lois naturelles* par son importance [23], et non pas dans l'ordre de ces lois. L'homme, dans l'état de nature, aurait plutôt la faculté de connaître, qu'il n'aurait des connaissances. Il est clair que ses premières idées ne seraient point des idées spéculatives [24] : il songerait à la conservation de son être [25], avant de chercher l'origine de son être. Un homme pareil ne sentirait d'abord que sa faiblesse ; sa timidité serait extrême [26] : et, si l'on avait là-dessus besoin de l'expérience, l'on a trouvé dans les forêts des hommes sauvages [a] ; tout les fait trembler, tout les fait fuir [27].

a. Témoin le sauvage qui fut trouvé dans les forêts de Hanover, et que l'on vit en Angleterre sous le règne de George Ier [28].

Dans cet état, chacun se sent inférieur ; à peine chacun se sent-il égal. On ne chercherait donc point à s'attaquer, et la paix serait la première loi naturelle.

Le désir que Hobbes donne d'abord aux hommes de se subjuguer [1] les uns les autres, n'est pas raisonnable [29]. L'idée de l'empire et de la domination est si composée, et dépend de tant d'autres idées, que ce ne serait pas celle qu'il aurait d'abord.

Hobbes demande *pourquoi, si les hommes ne sont pas naturellement en état de guerre, ils vont toujours armés ? et pourquoi ils ont des clefs pour fermer leurs maisons* [30] ? Mais on ne sent pas que l'on attribue aux hommes avant l'établissement des sociétés, ce qui ne peut leur arriver qu'après cet établissement [31], qui leur fait trouver des motifs pour s'attaquer et pour se défendre.

Au sentiment de sa faiblesse, l'homme joindrait le sentiment de ses besoins. Ainsi une autre loi naturelle serait celle qui lui inspirerait de chercher à se nourrir.

J'ai dit que la crainte porterait les hommes à se fuir : mais les marques d'une crainte réciproque les engageraient bientôt à s'approcher. D'ailleurs ils y seraient portés par le plaisir qu'un animal sent à l'approche d'un animal de son espèce. De plus, ce charme que les deux sexes s'inspirent par leur différence, augmenterait ce plaisir ; et la prière naturelle qu'ils se font toujours l'un à l'autre serait une troisième loi.

Outre le sentiment que les hommes ont d'abord, ils parviennent encore à avoir des connaissances ; ainsi ils ont un second lien que les autres animaux n'ont pas. Ils ont donc un nouveau motif de s'unir ; et le désir de vivre en société [32] est une quatrième loi naturelle.

---

1. Faire subir le joug, dominer.

## CHAPITRE 3
### Des lois positives

Sitôt que les hommes sont en société, ils perdent le sentiment de leur faiblesse ; l'égalité, qui était entre eux, cesse [33], et l'état de guerre commence [34].

Chaque société particulière vient à sentir sa force ; ce qui produit un état de guerre de nation à nation. Les particuliers, dans chaque société, commencent à sentir leur force ; ils cherchent à tourner en leur faveur les principaux avantages de cette société ; ce qui fait entre eux un état de guerre.

Ces deux sortes d'état de guerre font établir les lois parmi les hommes. Considérés comme habitants d'une si grande planète, qu'il est nécessaire qu'il y ait différents peuples, ils ont des lois dans le rapport que ces peuples ont entre eux ; et c'est le DROIT DES GENS [I]. Considérés comme vivants dans une société qui doit être maintenue, ils ont des lois dans le rapport qu'ont ceux qui gouvernent avec ceux qui sont gouvernés ; et c'est le DROIT POLITIQUE. Ils en ont encore dans le rapport que tous les citoyens ont entre eux ; et c'est le DROIT CIVIL [35].

Le *droit des gens* est naturellement fondé [36] sur ce principe, que les diverses nations doivent se faire dans la paix le plus de bien, et dans la guerre le moins de mal qu'il est possible, sans nuire à leurs véritables intérêts [37].

L'objet de la guerre, c'est la victoire ; celui de la victoire, la conquête ; celui de la conquête, la conservation [38]. De ce principe et du précédent doivent dériver toutes les lois qui forment le *droit des gens*.

---

I. « Gens » a ici le sens du latin *gentes*, « nations ». Le droit des gens (traduction littérale de *ius gentium*, droit des nations) est donc le droit qui réglemente les relations internationales. Le projet de Grotius vise essentiellement à constituer rationnellement un tel droit : *Droit de la guerre et de la paix* (1625).

Toutes les nations ont un droit des gens ; et les Iroquois même, qui mangent leurs prisonniers, en ont un [39]. Ils envoient et reçoivent des ambassades [40] ; ils connaissent des droits de la guerre et de la paix : le mal est que ce droit des gens n'est pas fondé sur les vrais principes [41].

Outre le droit des gens, qui regarde toutes les sociétés, il y a un *droit politique* pour chacune. Une société ne saurait subsister sans un gouvernement. *La réunion de toutes les forces particulières*, dit très bien Gravina [42], *forme ce qu'on appelle l'*ÉTAT POLITIQUE.

La force générale peut être placée entre les mains d'*un seul*, ou entre les mains de *plusieurs*. Quelques-uns [43] ont pensé que, la nature ayant établi le pouvoir paternel, le gouvernement d'un seul était le plus conforme à la nature. Mais l'exemple du pouvoir paternel ne prouve rien [44]. Car, si le pouvoir du père a du rapport au gouvernement d'un seul, après la mort du père, le pouvoir des frères ou, après la mort des frères, celui des cousins germains ont du rapport au gouvernement de plusieurs. La puissance politique comprend nécessairement l'union de plusieurs familles.

Il vaut mieux dire que le gouvernement le plus conforme à la nature [45] est celui dont la disposition particulière se rapporte mieux à la disposition du peuple pour lequel il est établi.

Les forces particulières ne peuvent se réunir sans que toutes les volontés se réunissent. *La réunion de ces volontés*, dit encore très bien Gravina, *est ce qu'on appelle l'*ÉTAT CIVIL.

La loi, en général, est la raison humaine, en tant qu'elle gouverne tous les peuples de la terre ; et les lois politiques et civiles de chaque nation ne doivent être que les cas particuliers où s'applique cette raison humaine.

Elles doivent être tellement propres au peuple pour lequel elles sont faites, que c'est un très grand hasard si celles d'une nation peuvent convenir à une autre [46].

Il faut qu'elles se rapportent à la nature et au principe du gouvernement [47] qui est établi, ou qu'on veut établir ; soit qu'elles le forment, comme font les lois politiques ; soit qu'elles le maintiennent, comme font les lois civiles.

Elles doivent être relatives au *physique* du pays ; au climat glacé, brûlant ou tempéré ; à la qualité du terrain, à sa situation, à sa grandeur ; au genre de vie des peuples, laboureurs, chasseurs ou pasteurs ; elles doivent se rapporter au degré de liberté que la constitution peut souffrir [1] ; à la religion des habitants, à leurs inclinations, à leurs richesses, à leur nombre, à leur commerce, à leurs mœurs, à leurs manières. Enfin elles ont des rapports entre elles ; elles en ont avec leur origine, avec l'objet du législateur, avec l'ordre des choses sur lesquelles elles sont établies. C'est dans toutes ces vues qu'il faut les considérer [48].

C'est ce que j'entreprends de faire dans cet ouvrage. J'examinerai tous ces rapports : ils forment tous ensemble ce que l'on appelle l'ESPRIT DES LOIS [49].

Je n'ai point séparé les lois politiques des civiles [50] : car, comme je ne traite point des lois, mais de l'esprit des lois [51], et que cet esprit consiste dans les divers rapports que les lois peuvent avoir avec diverses choses, j'ai dû moins suivre l'ordre naturel des lois [52], que celui de ces rapports et de ces choses.

J'examinerai d'abord les rapports que les lois ont avec la nature et avec le principe de chaque gouvernement : et, comme ce principe a sur les lois une suprême influence, je m'attacherai à le bien connaître ; et, si je puis une fois l'établir, on en verra couler les lois comme de leur source. Je passerai ensuite aux autres rapports, qui semblent être plus particuliers [53].

---

I. Supporter, tolérer.

# II
# Une réflexion politique

# LIVRE II

## Des lois qui dérivent directement de la nature du gouvernement

Au moment où Montesquieu écrit, c'est l'idée de souveraineté qui est interrogée par la réflexion politique, et une attention toute particulière est accordée à ce qui fonde les rapports de pouvoir et d'obéissance dans le domaine politique. La question du type de gouvernement apparaît dès lors de moindre importance. Mais si elle semble moins pertinente pour interroger la réalité, c'est peut-être qu'elle est mal posée : « Plusieurs gens ont examiné qui vaut mieux de la monarchie, de l'aristocratie ou de l'État populaire. Mais, comme il y a une infinité de sortes de monarchies, d'aristocraties, d'États populaires, la question ainsi exposée est si vague qu'il faut bien peu de logique pour la traiter » (*Pensées*, n° 942). L'approche typologique est bien essentielle pour savoir quel est le « gouvernement le plus conforme à la nature » (I, 3), et Montesquieu entend renouveler ainsi une tradition ancienne.

Sa typologie use de distinctions et de critères de différenciation classiques (le nombre des gouvernants et la légalité). Pourtant, cette tripartition ne reprend pas exactement celle dont on trouve des traces dans l'article des *Pensées* qui lui est consacré, puisqu'elle s'enrichit du despotisme, présenté comme une forme de gouvernement à part entière. Ces distinctions organisent donc toute la première partie de *L'Esprit des lois* et engagent l'enquête que Montesquieu entend mener. En distinguant « trois espèces » de gouvernements, il ne cherche pas à classer les régimes, mais à donner les repères qui seront nécessaires pour appréhender cette « infinité de sortes » de monarchies, d'aristocraties, etc. S'il retient trois « faits » pour distinguer la nature de chaque espèce, il nourrit ses analyses de nombreux exemples historiques qui introduisent des variations dans chacune des espèces, et qui conduisent à prêter attention à la façon dont s'organisent les différents pouvoirs. Le questionnement politique doit donc se doubler d'une approche historique, car c'est à partir de la diversité des gouvernements que l'on peut réfléchir aux conditions effectives de la liberté politique.

## Chapitre premier
## De la nature des trois divers gouvernements

Il y a trois espèces de gouvernements : le RÉPUBLICAIN, le MONARCHIQUE, et le DESPOTIQUE [1]. Pour en découvrir la nature, il suffit de l'idée qu'en ont les hommes les moins instruits. Je suppose trois définitions, ou plutôt trois faits : l'un que *le gouvernement républicain est celui où le peuple en corps, ou seulement une partie du peuple, a la souveraine puissance* [1] ; *le monarchique, celui où un seul gouverne, mais par des lois fixes et établies ; au lieu que, dans le despotique, un seul, sans loi et sans règle, entraîne tout par sa volonté et par ses caprices* [2].

Voilà ce que j'appelle la nature de chaque gouvernement. Il faut voir quelles sont les lois qui suivent directement de cette nature, et qui par conséquent sont les premières lois fondamentales [II].

---

I. Instance dépositaire de l'autorité politique ; personne individuelle ou collective à laquelle appartient le pouvoir suprême d'où dérivent les autres.

II. Une loi est fondamentale en tant qu'elle est essentielle au fonctionnement du gouvernement. Cette notion peut avoir un sens particulier dans le contexte monarchique : voir p. 81, note I.

## CHAPITRE 2
### Du gouvernement républicain et des lois relatives à la démocratie

Lorsque, dans la république[1], le peuple en corps a la souveraine puissance, c'est une *démocratie*. Lorsque la souveraine puissance est entre les mains d'une partie du peuple, cela s'appelle une *aristocratie*[3].

Le peuple, dans la démocratie, est, à certains égards, le monarque[II] ; à certains autres, il est le sujet[III].

Il ne peut être monarque que par ses suffrages qui sont ses volontés. La volonté du souverain est le souverain lui-même. Les lois qui établissent le droit de suffrage[IV] sont donc fondamentales dans ce gouvernement. En effet, il est aussi important d'y régler comment, par qui, à qui, sur quoi, les suffrages doivent être donnés, qu'il l'est dans une monarchie de savoir quel est le monarque, et de quelle manière il doit gouverner.

Libanius[a][V] dit qu'à *Athènes un étranger qui se mêlait dans l'assemblée du peuple était puni de mort*. C'est qu'un tel homme usurpait[VI] le droit de souveraineté[4].

Il est essentiel de fixer le nombre des citoyens qui doivent former les assemblées ; sans cela, on pourrait ignorer si le peuple a parlé, ou seulement une partie du peuple. À Lacédémone[VII], il fallait dix mille citoyens. À

a. *Déclamations* 17 et 18.

---

I. Le terme peut avoir le sens classique d'« État » ; il a ici le sens d'« État gouverné par plusieurs ».

II. Monarque (ou prince) : chef de l'État détenant seul l'autorité ; « souverain » a le même sens, mais peut désigner une puissance collective (voir paragraphe suivant).

III. Qui est soumis à l'autorité politique.

IV. Le droit de s'exprimer dans une délibération ou une élection.

V. Libanius (314-393 apr. J.-C.) : rhéteur grec.

VI. S'appropriait illégitimement.

VII. Ancien nom de Sparte.

Rome, née dans la petitesse pour aller à la grandeur ; à Rome, faite pour éprouver toutes les vicissitudes de la fortune[I] ; à Rome, qui avait tantôt presque tous ses citoyens hors de ses murailles, tantôt toute l'Italie et une partie de la terre dans ses murailles, on n'avait point fixé ce nombre[b] ; et ce fut une des grandes causes de sa ruine.

Le peuple qui a la souveraine puissance doit faire par lui-même tout ce qu'il peut bien faire ; et ce qu'il ne peut pas bien faire, il faut qu'il le fasse par ses ministres[II].

Ses ministres ne sont point à lui s'il ne les nomme : c'est donc une maxime[III] fondamentale de ce gouvernement, que le peuple nomme ses ministres, c'est-à-dire ses magistrats[IV].

Il a besoin, comme les monarques, et même plus qu'eux, d'être conduit par un conseil ou sénat[V]. Mais, pour qu'il y ait confiance[VI], il faut qu'il en élise les membres ; soit qu'il les choisisse lui-même, comme à Athènes ; ou par quelque magistrat qu'il a établi pour les élire, comme cela se pratiquait à Rome dans quelques occasions.

Le peuple est admirable pour choisir ceux à qui il doit confier quelque partie de son autorité. Il n'a à se déterminer que par des choses qu'il ne peut ignorer, et des faits

---

b. Voyez les *Considérations sur les causes de la grandeur des Romains et de leur décadence*, chap. IX[5].

---

I. Les aléas du sort, du hasard.

II. « Celui dont on se sert pour l'exécution de quelque chose » (*Académie*).

III. « Proposition générale qui sert de principe, de fondement, de règle en quelques arts ou sciences » (*Académie*).

IV. Au sens large de « ses représentants » (« Il faut que le peuple fasse par ses représentants tout ce qu'il ne peut faire par lui-même », XI, 6).

V. Les deux mots sont presque synonymes. À Rome, le sénat est une assemblée constituée d'anciens magistrats et dotée de grands pouvoirs. Par extension, le terme désigne toute assemblée qui rappelle cette institution.

VI. Pour qu'il ait confiance en ce conseil.

qui tombent sous les sens. Il sait très bien qu'un homme a été souvent à la guerre, qu'il y a eu tels ou tels succès : il est donc très capable d'élire un général. Il sait qu'un juge est assidu, que beaucoup de gens se retirent de son tribunal contents de lui, qu'on ne l'a pas convaincu de corruption ; en voilà assez pour qu'il élise un préteur. Il a été frappé de la magnificence ou des richesses d'un citoyen ; cela suffit pour qu'il puisse choisir un édile[I]. Toutes ces choses sont des faits, dont il s'instruit mieux dans la place publique[II], qu'un monarque dans son palais. Mais, saura-t-il conduire une affaire, connaître les lieux, les occasions, les moments, en profiter ? Non : il ne le saura pas.

Si l'on pouvait douter de la capacité naturelle qu'a le peuple pour discerner le mérite, il n'y aurait qu'à jeter les yeux sur cette suite continuelle de choix étonnants que firent les Athéniens et les Romains[6] ; ce qu'on n'attribuera pas sans doute au hasard.

On sait qu'à Rome, quoique le peuple se fût donné le droit d'élever aux charges les plébéiens[III], il ne pouvait se résoudre à les élire ; et quoiqu'à Athènes on pût, par la loi d'Aristide, tirer les magistrats de toutes les classes, il n'arriva jamais, dit Xénophon[c], que le bas peuple demandât celles qui pouvaient intéresser son salut ou sa gloire.

Comme la plupart des citoyens, qui ont assez de suffisance[IV] pour élire, n'en ont pas assez pour être élus ; de

---

c. [*République des Athéniens*, I, 3,] pages 691 et 692, édition de Wechelius, de l'an 1596.

---

**I.** Magistrats romains chargés respectivement de rendre la justice (préteur) et de s'occuper des édifices publics, de l'approvisionnement de la ville et des jeux (édile).

**II.** Traduction du latin *forum*, où se traitaient les affaires publiques.

**III.** Rome était divisée à l'origine entre « plébéiens » et « patriciens » (nobles pourvus de certains privilèges). Voir *Romains*, VIII, p. 75-76 ; *OC*, t. II, p. 148.

**IV.** Au sens classique de capacité, aptitude. « Dans le gouvernement même populaire, la puissance ne doit point tomber entre les mains du bas peuple » (*EL*, XV, 18).

même le peuple, qui a assez de capacité pour se faire rendre compte de la gestion des autres, n'est pas propre à gérer par lui-même [7].

Il faut que les affaires aillent, et qu'elles aillent un certain mouvement [I] qui ne soit ni trop lent ni trop vite. Mais le peuple a toujours trop d'action, ou trop peu. Quelquefois avec cent mille bras il renverse tout ; quelquefois avec cent mille pieds il ne va que comme les insectes.

Dans l'État populaire, on divise le peuple en de certaines classes [II] [8]. C'est dans la manière de faire cette division que les grands législateurs se sont signalés ; et c'est de là qu'ont toujours dépendu la durée de la démocratie et sa prospérité.

Servius Tullius [III] suivit, dans la composition de ses classes, l'esprit de l'aristocratie. Nous voyons, dans Tite-Live [d] et dans Denys d'Halicarnasse [e], comment il mit le droit de suffrage entre les mains des principaux citoyens. Il avait divisé le peuple de Rome en cent quatre-vingt-treize centuries [IV], qui formaient six classes. Et mettant les riches, mais en plus petit nombre dans les premières centuries ; les moins riches, mais en plus grand nombre, dans les suivantes, il jeta toute la foule des indigents dans la dernière : et chaque centurie n'ayant qu'une voix [f], c'étaient les moyens et les richesses qui donnaient le suffrage, plutôt que les personnes.

---

d. [*Histoire romaine*,] liv. I [43, 10].

e. [*Antiquités romaines*,] liv. IV, art. 15 et suiv.

f. Voyez dans les *Considérations sur les causes de la grandeur des Romains et de leur décadence*, chap. IX, comment cet esprit de Servius Tullius se conserva dans la République [9].

---

I. Construction hardie mais classique ; le manuscrit, plus clair, portait « aient leur propre mouvement ».

II. Distinctions fondées sur le cens (l'estimation des biens).

III. Sixième roi de Rome (575-535 av. J.-C.).

IV. Unité administrative formée de cent citoyens.

Solon[1] divisa le peuple d'Athènes en quatre classes[10]. Conduit par l'esprit de la démocratie, il ne les fit pas pour fixer ceux qui devaient élire, mais ceux qui pouvaient être élus : et, laissant à chaque citoyen le droit d'élection, il voulut[g] que, dans chacune de ces quatre classes, on pût élire des juges ; mais que ce ne fût que dans les trois premières, où étaient les citoyens aisés, qu'on pût prendre les magistrats[11].

Comme la division de ceux qui ont droit de suffrage est, dans la république, une loi fondamentale, la manière de le donner est une autre loi fondamentale.

Le suffrage par le sort est de la nature de la démocratie ; le suffrage par choix est de celle de l'aristocratie[12].

Le sort est une façon d'élire qui n'afflige personne ; il laisse à chaque citoyen une espérance raisonnable de servir sa patrie.

Mais, comme il est défectueux par lui-même, c'est à le régler et à le corriger que les grands législateurs se sont surpassés.

Solon établit à Athènes que l'on nommerait par choix à tous les emplois militaires, et que les sénateurs et les juges seraient élus par le sort[II].

Il voulut que l'on donnât par choix les magistratures[III] civiles[13] qui exigeaient une grande dépense, et que les autres fussent données par le sort.

Mais, pour corriger le sort, il régla qu'on ne pourrait élire que dans le nombre de ceux qui se présenteraient :

---

g. DENYS D'HALICARNASSE, *Éloge d'Isocrate*, t. II, p. 97, édition de Wechelius. [Julius] Pollux, [*Onomasticon*] liv. VIII, chap. 10, art. 130.

---

I. Homme d'État et législateur athénien du VIe siècle av. J.-C.

II. Les stratèges, qui remplissent ces « emplois militaires », ne sont pas tirés au sort. Les sénateurs sont les membres des Cinq-Cents ; les juges sont les héliastes. Tous les ans, on tire au sort six mille citoyens dont la réunion forme l'Héliée ; cinq mille sont répartis en dix sections, et le matin de chaque procès, on tire au sort une de ces sections.

III. Fonction de magistrat, ou ensemble des magistrats.

que celui qui aurait été élu serait examiné par des juges [h], et que chacun pourrait l'accuser d'en être indigne [i] : cela tenait en même temps du sort et du choix. Quand on avait fini le temps de sa magistrature, il fallait essuyer un autre jugement sur la manière dont on s'était comporté. Les gens sans capacité devaient avoir bien de la répugnance à donner leur nom pour être tirés au sort.

La loi qui fixe la manière de donner les billets de suffrage [I], est encore une loi fondamentale dans la démocratie. C'est une grande question, si les suffrages doivent être publics ou secrets. Cicéron [k] écrit que les lois [l] qui les rendirent secrets dans les derniers temps de la république romaine, furent une des grandes causes de sa chute. Comme ceci se pratique diversement dans différentes républiques, voici, je crois, ce qu'il en faut penser.

Sans doute que, lorsque le peuple donne ses suffrages, ils doivent être publics [m] ; et ceci doit être regardé comme une loi fondamentale de la démocratie. Il faut que le petit peuple soit éclairé par les principaux [II], et contenu par la gravité de certains personnages. Ainsi, dans la république romaine, en rendant les suffrages secrets, on détruisit tout [14] ; il ne fut plus possible d'éclairer une populace qui se perdait. Mais lorsque, dans une aristocratie, le corps des nobles donne les suffrages [n], ou dans une démocratie

h. Voyez l'oraison de Démosthène, *De falsa legat.* [*De falsa legatione*, 19, 1-8] et l'oraison [d'Eschine] *Contre Timarque* [32].

i. On tirait même pour chaque place deux billets : l'un qui donnait la place, l'autre qui nommait celui qui devait succéder, en cas que le premier fût rejeté.

k. Liv. I et III [XVI, 35-36.] des *Lois*.

l. Elles s'appelaient *lois tabulaires*. On donnait à chaque citoyen deux tables : la première marquée d'un A, pour dire *antiquo* [« je rejette »] ; l'autre d'un U et d'un R, *uti rogas* [« comme tu proposes »].

m. À Athènes, on levait les mains.

n. Comme à Venise.

I. Bulletins de vote. Plus loin, Montesquieu les appelle « tables » ou « tablettes ».

II. Les notables, les personnes les plus importantes par leur rang ou leur influence.

le sénat [o] ; comme il n'est là question que de prévenir les brigues [I], les suffrages ne sauraient être trop secrets.

La brigue est dangereuse dans un sénat ; elle est dangereuse dans un corps de nobles : elle ne l'est pas dans le peuple, dont la nature est d'agir par passion. Dans les États où il n'a point de part au gouvernement, il s'échauffera pour un acteur, comme il aurait fait pour les affaires [15]. Le malheur d'une république, c'est lorsqu'il n'y a plus de brigues ; et cela arrive lorsqu'on a corrompu le peuple à prix d'argent : il devient de sang-froid, il s'affectionne à l'argent, mais il ne s'affectionne plus aux affaires : sans souci du gouvernement et de ce qu'on y propose, il attend tranquillement son salaire [16].

C'est encore une loi fondamentale de la démocratie, que le peuple seul fasse des lois [17]. Il y a pourtant mille occasions où il est nécessaire que le sénat puisse statuer ; il est même souvent à propos d'essayer une loi avant de l'établir. La constitution [II] de Rome et celle d'Athènes étaient très sages. Les arrêts du sénat [p] avaient force de loi pendant un an ; ils ne devenaient perpétuels que par la volonté du peuple.

o. Les trente tyrans d'Athènes voulurent que les suffrages des *Aréopagites* fussent publics, pour les diriger à leur fantaisie : Lysias, *Orat. contra Agorat.* [*Contre Agoratos*], chap. 8 [37].

p. Voyez Denys d'Halicarnasse, [*Antiquités romaines,*] liv. IV [41] et IX [37].

I. « Brigue : désir ambitieux qu'on a d'obtenir quelque charge ou dignité, où l'on tâche de parvenir plus par adresse que par mérite. [...] Se dit aussi de la cabale qui est intéressée à soutenir plutôt un parti que l'autre dans une élection » (Furetière).

II. Le mot n'a pas chez Montesquieu son sens moderne, exclusivement politique (texte fondateur d'un État) ; il renvoie au corps que forme l'État, à son ordre ou à l'arrangement de ses parties.

CHAPITRE 3

Des lois relatives à la nature
de l'aristocratie

Dans l'aristocratie [18], la souveraine puissance est entre les mains d'un certain nombre de personnes. Ce sont elles qui font les lois et qui les font exécuter ; et le reste du peuple n'est tout au plus à leur égard que, comme dans une monarchie, les sujets sont à l'égard du monarque.

On n'y doit point donner le suffrage par sort ; on n'en aurait que les inconvénients. En effet, dans un gouvernement qui a déjà établi les distinctions les plus affligeantes, quand on serait choisi par le sort, on n'en serait pas moins odieux : c'est le noble qu'on envie, et non pas le magistrat [19].

Lorsque les nobles sont en grand nombre, il faut un sénat [20] qui règle les affaires que le corps des nobles ne saurait décider, et qui prépare celles dont il décide. Dans ce cas, on peut dire que l'aristocratie est en quelque sorte dans le sénat [21], la démocratie dans le corps des nobles, et que le peuple n'est rien.

Ce sera une chose très heureuse dans l'aristocratie si, par quelque voie indirecte, on fait sortir le peuple de son anéantissement [22] : ainsi à Gênes la banque de Saint-Georges, qui est administrée en grande partie par les principaux du peuple[a], donne à celui-ci une certaine influence dans le gouvernement, qui en fait toute la prospérité [23].

Les sénateurs ne doivent point avoir le droit de remplacer ceux qui manquent dans le sénat ; rien ne serait plus capable de perpétuer les abus. À Rome, qui fut dans les premiers temps une espèce d'aristocratie [24], le sénat ne se

a. Voyez M. Addisson, *Voyages d'Italie*, p. 16 [25].

suppléait pas lui-même[1] ; les sénateurs nouveaux étaient nommés[b] par les censeurs[II].

Une autorité exorbitante, donnée tout à coup à un citoyen dans une république, forme une monarchie, ou plus qu'une monarchie. Dans celle-ci les lois ont pourvu à la constitution, ou s'y sont accommodées ; le principe du gouvernement arrête le monarque[26] ; mais, dans une république où un citoyen se fait donner[c] un pouvoir exorbitant, l'abus de ce pouvoir est plus grand, parce que les lois, qui ne l'ont point prévu, n'ont rien fait pour l'arrêter.

L'exception à cette règle est lorsque la constitution de l'État est telle qu'il a besoin d'une magistrature qui ait un pouvoir exorbitant. Tel était Rome avec ses dictateurs, telle est Venise avec ses inquisiteurs d'État[27] ; ce sont des magistratures terribles, qui ramènent violemment l'État à la liberté[28]. Mais, d'où vient que ces magistratures se trouvent si différentes dans ces deux républiques ? C'est que Rome défendait les restes de son aristocratie contre le peuple[29] ; au lieu que Venise se sert de ses inquisiteurs d'État pour maintenir son aristocratie contre les nobles. De là il suivait qu'à Rome la dictature[III] ne devait durer que peu de temps, parce que le peuple agit par sa fougue, et non pas par ses desseins. Il fallait que cette magistrature s'exerçât avec éclat, parce qu'il s'agissait d'intimider le peuple, et non pas de le punir ; que le dictateur ne fût créé que pour une seule affaire, et n'eût une autorité sans bornes qu'à raison de cette affaire, parce qu'il était toujours créé pour un cas imprévu. À Venise, au contraire, il faut une magistrature permanente : c'est là que les des-

----

b. Ils le furent d'abord par les consuls.

c. C'est ce qui renversa la république romaine. Voyez les *Considérations sur les causes de la grandeur des Romains et de leur décadence*[30].

----

I. Ne remplaçait pas lui-même les sénateurs manquants.

II. Ceux qui ont soin de la correction des mœurs.

III. Magistrature romaine conférant pour un temps limité un pouvoir illimité, sans forcément de nuance péjorative.

seins peuvent être commencés, suivis, suspendus, repris ; que l'ambition d'un seul devient celle d'une famille, et l'ambition d'une famille celle de plusieurs. On a besoin d'une magistrature cachée, parce que les crimes qu'elle punit, toujours profonds, se forment dans le secret et dans le silence. Cette magistrature doit avoir une inquisition générale[I], parce qu'elle n'a pas à arrêter les maux que l'on connaît, mais à prévenir même ceux qu'on ne connaît pas. Enfin, cette dernière est établie pour venger les crimes qu'elle soupçonne ; et la première employait plus les menaces que les punitions pour les crimes, même avoués par leurs auteurs.

Dans toute magistrature, il faut compenser la grandeur de la puissance par la brièveté de sa durée[31]. Un an est le temps que la plupart des législateurs ont fixé ; un temps plus long serait dangereux, un plus court serait contre la nature de la chose. Qui est-ce qui voudrait gouverner ainsi ses affaires domestiques[II] ? À Raguse[d], le chef de la république change tous les mois ; les autres officiers, toutes les semaines ; le gouverneur du château, tous les jours. Ceci ne peut avoir lieu que dans une petite république[e] environnée de puissances formidables[III], qui corrompraient aisément de petits magistrats.

La meilleure aristocratie est celle où la partie du peuple qui n'a point de part à la puissance, est si petite et si pauvre, que la partie dominante n'a aucun intérêt à l'opprimer. Ainsi, quand Antipater[f] établit à Athènes[IV] que ceux qui n'auraient pas deux mille drachmes seraient

---

d. *Voyages* de Tournefort[32].

e. À Lucques, les magistrats ne sont établis que pour deux mois[33].

f. Diodore, [*Bibliotheca historica*,] liv. XVIII [18], p. 601, édition de Rhodoman[34].

---

**I.** Un pouvoir d'enquêter et de juger.

**II.** Familiales.

**III.** Qui font peur, qui sont à redouter.

**IV.** Suite à la victoire de Crannon (322 av. J.-C.), Antipater, ancien général d'Alexandre, impose à Athènes la paix et abolit la démocratie.

exclus du droit de suffrage, il forma la meilleure aristocratie qui fût possible ; parce que ce cens était si petit
qu'il n'excluait que peu de gens, et personne qui eût
quelque considération dans la cité.

Les familles aristocratiques doivent donc être peuple
autant qu'il est possible. Plus une aristocratie approchera
de la démocratie, plus elle sera parfaite ; et elle le deviendra moins, à mesure qu'elle approchera de la
monarchie[35].

La plus imparfaite de toutes est celle où la partie du
peuple qui obéit est dans l'esclavage civil[36] de celle qui
commande, comme l'aristocratie de Pologne[37], où les
paysans sont esclaves de la noblesse.

## CHAPITRE 4
### Des lois dans leur rapport avec la nature du gouvernement monarchique

Les pouvoirs intermédiaires, subordonnés et dépendants[38], constituent la nature du gouvernement monarchique, c'est-à-dire, de celui où un seul gouverne par des
lois fondamentales[1]. J'ai dit les pouvoirs intermédiaires,
subordonnés et dépendants : en effet, dans la monarchie,
le prince est la source de tout pouvoir politique et civil.
Ces lois fondamentales supposent nécessairement des
canaux moyens par où coule la puissance : car, s'il n'y a
dans l'État que la volonté momentanée et capricieuse

---

I. Cette appellation regroupe, depuis le XVIe siècle, les principes
directeurs de la monarchie d'Ancien Régime. Si le roi souverain a le
droit de changer les lois ordinaires, il ne peut supprimer ou abroger
celles qui sont fixes et immuables, et qui assurent sa légitimité. Ces lois,
non strictement énumérées ou officiellement transcrites, reposent sur
l'acquis d'une tradition pluriséculaire. Il s'agit essentiellement de régler
la succession à la couronne (loi salique) et des usages qui assurent
l'inaliénabilité du domaine royal.

d'un seul [39], rien ne peut être fixe, et par conséquent aucune loi fondamentale.

Le pouvoir intermédiaire subordonné le plus naturel est celui de la noblesse. Elle entre en quelque façon dans l'essence de la monarchie, dont la maxime fondamentale est : *point de monarque, point de noblesse ; point de noblesse, point de monarque* ; mais on a un despote.

Il y a des gens qui avaient imaginé, dans quelques États en Europe, d'abolir toutes les justices des seigneurs [40]. Ils ne voyaient pas qu'ils voulaient faire ce que le parlement d'Angleterre a fait. Abolissez dans une monarchie les prérogatives [I] des seigneurs, du clergé, de la noblesse et des villes ; vous aurez bientôt un État populaire, ou bien un État despotique [41].

Les tribunaux d'un grand État en Europe frappent sans cesse, depuis plusieurs siècles, sur la juridiction patrimoniale des seigneurs, et sur l'ecclésiastique [42]. Nous ne voulons pas censurer des magistrats si sages ; mais nous laissons à décider jusqu'à quel point la constitution en peut être changée.

Je ne suis point entêté des privilèges [II] des ecclésiastiques [43] : mais je voudrais qu'on fixât bien une fois leur juridiction [III]. Il n'est point question de savoir si on a eu raison de l'établir : mais si elle est établie ; si elle fait une partie des lois du pays, et si elle y est partout relative ; si, entre deux pouvoirs que l'on reconnaît indépendants, les conditions ne doivent pas être réciproques ; et s'il n'est pas égal à un bon sujet de défendre la justice du prince, ou les limites qu'elle s'est de tout temps prescrites.

Autant que le pouvoir du clergé [44] est dangereux dans une république, autant est-il convenable dans une monarchie, surtout dans celles qui vont au despotisme. Où en seraient l'Espagne et le Portugal depuis la perte de leurs lois,

---

I. Avantages, privilèges.

II. Droits ou avantages dont bénéficient la noblesse et le clergé sous l'Ancien Régime.

III. L'étendue de leur pouvoir et ce qui est de son ressort.

sans ce pouvoir qui arrête seul la puissance arbitraire ? Barrière toujours bonne, lorsqu'il n'y en a point d'autre : car, comme le despotisme cause à la nature humaine des maux effroyables, le mal même qui le limite est un bien.

Comme la mer, qui semble vouloir couvrir toute la terre, est arrêtée par les herbes et les moindres graviers qui se trouvent sur le rivage [45] ; ainsi les monarques, dont le pouvoir paraît sans bornes, s'arrêtent par les plus petits obstacles, et soumettent leur fierté naturelle à la plainte et à la prière.

Les Anglais, pour favoriser la liberté, ont ôté toutes les puissances intermédiaires qui formaient leur monarchie [46]. Ils ont bien raison de conserver cette liberté ; s'ils venaient à la perdre, ils seraient un des peuples les plus esclaves de la terre.

M. Law, par une ignorance égale de la constitution républicaine et de la monarchique, fut un des plus grands promoteurs du despotisme que l'on eût encore vus en Europe. Outre les changements qu'il fit, si brusques, si inusités, si inouïs [47], il voulait ôter les rangs intermédiaires, et anéantir les corps politiques : il dissolvait [a] la monarchie par ses chimériques remboursements [48], et semblait vouloir racheter la constitution même.

Il ne suffit pas qu'il y ait, dans une monarchie, des rangs intermédiaires ; il faut encore un dépôt de lois [49]. Ce dépôt ne peut être que dans les corps politiques, qui annoncent les lois lorsqu'elles sont faites, et les rappellent lorsqu'on les oublie [50]. L'ignorance naturelle à la noblesse, son inattention, son mépris pour le gouvernement civil, exigent qu'il y ait un corps qui fasse sans cesse sortir les lois de la poussière où elles seraient ensevelies. Le Conseil du prince [I] n'est pas un dépôt convenable. Il

a. Ferdinand, roi d'Aragon, se fit grand-maître des ordres, et cela seul altéra la constitution.

I. Terme générique pour désigner les différents conseils (des Dépêches, des Finances, d'État, etc.) qui assistent le roi sur les grandes affaires du royaume. Le Conseil du roi, qui pouvait casser les arrêts des parlements et bloquer leurs entreprises, fut la cible durable des critiques des cours.

est, par sa nature, le dépôt de la volonté momentanée du prince qui exécute, et non pas le dépôt des lois fondamentales. De plus, le Conseil du monarque change sans cesse ; il n'est point permanent ; il ne saurait être nombreux ; il n'a point à un assez haut degré la confiance du peuple [51] : il n'est donc pas en état de l'éclairer dans les temps difficiles, ni de le ramener à l'obéissance.

Dans les États despotiques, où il n'y a point de lois fondamentales, il n'y a pas non plus de dépôt de lois. De là vient que, dans ces pays, la religion a ordinairement tant de force ; c'est qu'elle forme une espèce de dépôt et de permanence [52] : et, si ce n'est pas la religion, ce sont les coutumes qu'on y vénère, au lieu des lois.

## CHAPITRE 5
## Des lois relatives à la nature de l'État despotique

Il résulte de la nature du pouvoir despotique, que l'homme seul qui l'exerce le fasse de même exercer par un seul [53]. Un homme à qui ses cinq sens disent sans cesse qu'il est tout, et que les autres ne sont rien, est naturellement paresseux, ignorant, voluptueux [1]. Il abandonne donc les affaires. Mais, s'il les confiait à plusieurs, il y aurait des disputes entre eux ; on ferait des brigues pour être le premier esclave ; le prince serait obligé de rentrer dans l'administration. Il est donc plus simple qu'il l'abandonne à un vizir [a] qui aura d'abord la même puissance que lui [54]. L'établissement d'un vizir est, dans cet État, une loi fondamentale [55].

On dit qu'un pape [56], à son élection, pénétré de son incapacité, fit d'abord des difficultés infinies. Il accepta

a. Les rois d'Orient ont toujours des vizirs, dit M. Chardin [57].

1. Qui recherche les plaisirs des sens.

enfin et livra à son neveu toutes les affaires. Il était dans
l'admiration, et disait : « Je n'aurais jamais cru que cela
eût été si aisé. » Il en est de même des princes d'Orient [58].
Lorsque de cette prison, où des eunuques leur ont affaibli
le cœur et l'esprit, et souvent leur ont laissé ignorer leur
état même, on les tire pour les placer sur le trône, ils sont
d'abord étonnés : mais, quand ils ont fait un vizir, et que
dans leur sérail ils se sont livrés aux passions les plus
brutales ; lorsqu'au milieu d'une cour abattue ils ont
suivi leurs caprices les plus stupides, ils n'auraient jamais
cru que cela eût été si aisé.

Plus l'empire est étendu, plus le sérail s'agrandit, et
plus, par conséquent, le prince est enivré de plaisirs.
Ainsi, dans ces États, plus le prince a de peuples à gouverner, moins il pense au gouvernement ; plus les affaires
y sont grandes, et moins on y délibère sur les affaires.

# LIVRE III

# Des principes des trois gouvernements

L'approche typologique ne peut se déployer pleinement qu'avec la présentation des « principes » qui rendent possible l'ordre propre de chaque forme de gouvernement. Le principe est une passion qui s'accorde avec chaque type de gouvernement, et qui l'anime (III, 1). Pour chaque forme dégagée, on peut interroger la manière dont l'unité se constitue : il y a une façon républicaine, monarchique et despotique de former un tout social. Montesquieu articule une étude structurelle et comparative des gouvernements (agencements institutionnels, répartition et organisation des pouvoirs et des magistratures) avec une réflexion sur les motivations passionnelles de l'obéissance.

L'ordre d'exposition permet d'insister sur la *convenance* entre la structure et le principe : Montesquieu commence par présenter la *vertu* républicaine et la tension qui existe entre ses formes démocratique et aristocratique, jeu entre le désir de distinction et de domination des grands et l'envie du peuple. À partir de ce premier exposé, il procède d'abord négativement en montrant comment le principe examiné n'est pas approprié à d'autres régimes. Montesquieu explique ainsi en quoi la vertu n'est pas le principe de la monarchie (III, 5). C'est l'*honneur* qui remplit la fonction de « ressort » (III, 6) et qui doit animer un système monarchique bien réglé (III, 7) ; mais l'honneur n'est pas le principe du despotisme (III, 8). La présentation de la *crainte* (III, 9) conduit à examiner la « manière d'obéir » dans le despotisme et la monarchie (III, 10). L'impératif de convenance est rappelé dans le chapitre conclusif (III, 11) : seule l'existence effective de la « passion-principe » permet à chaque gouvernement de s'accomplir parfaitement.

Chaque régime est donc présenté dans sa *cohérence propre*, mais l'opposition des régimes modérés avec le despotisme reposant sur la crainte, passion inhibitrice, est porteuse d'une dimension normative qui conduit à des réflexions circonstanciées sur la liberté à partir de la question suivante : quelles sont les modalités d'une participation active des sujets au fonctionnement des institutions ? Le jeu des principes révèle aussi des processus non intentionnels qui sont pourtant constitutifs de l'ordre social. Du coup, l'examen des principes a une dimension prescriptive pour celui doit faire des lois : le principe est conservateur de l'ordre, mais l'horizon de la corruption est toujours présent (le livre VIII lui est consacré). De ce point de vue, la mise au jour de « la nature des choses » politique va avec l'étude des « histoires de toutes les nations », puisque Montesquieu donne les cadres qui doivent permettre de penser en situation des équilibres complexes. L'image du « ressort », qui renvoie au paradigme de la machine, insiste sur cet aspect dynamique.

Enfin, l'étude de ces dispositifs passionnels conduit à examiner tout ce qui peut influer sur les esprits et les caractères pour comprendre la disposition particulière des peuples avec laquelle la forme de gouvernement doit s'accorder. C'est pourquoi il faut examiner ces « rapports qui semblent plus particuliers » (I, 3) à partir du livre XIV. Les passions-principes permettent d'articuler le questionnement proprement politique (dans le cadre classique, mais remanié, d'une typologie des gouvernements) à l'ordre des mœurs et des manières, à ce que Montesquieu appelle l'esprit général d'une nation. On saisit alors pourquoi il juge ses principes « d'une fécondité si grande qu'ils forment presque tout [s]on livre » (*Réponses et explications données à la faculté de théologie*, Pléiade, t. II, p. 1181).

## Chapitre premier
### Différence de la nature du gouvernement et de son principe

Après avoir examiné quelles sont les lois relatives à la nature de chaque gouvernement, il faut voir celles qui le sont à son principe [1].

Il y a cette différence [a] entre la nature du gouvernement et son principe, que sa nature est ce qui le fait être

---

a. Cette distinction est très importante, et j'en tirerai bien des conséquences ; elle est la clef d'une infinité de lois.

tel, et son principe ce qui le fait agir. L'une est sa structure particulière, et l'autre les passions humaines qui le font mouvoir.

Or les lois ne doivent pas être moins relatives au principe de chaque gouvernement qu'à sa nature. Il faut donc chercher quel est ce principe. C'est ce que je vais faire dans ce livre-ci.

## CHAPITRE 2
### Du principe des divers gouvernements

J'ai dit que la nature du gouvernement républicain est que le peuple en corps, ou de certaines familles, y aient la souveraine puissance : celle du gouvernement monarchique, que le prince y ait la souveraine puissance, mais qu'il l'exerce selon des lois établies : celle du gouvernement despotique, qu'un seul y gouverne selon ses volontés et ses caprices. Il ne m'en faut pas davantage pour trouver leurs trois principes ; ils en dérivent naturellement [2]. Je commencerai par le gouvernement républicain, et je parlerai d'abord du démocratique.

## CHAPITRE 3
### Du principe de la démocratie

Il ne faut pas beaucoup de probité pour qu'un gouvernement monarchique ou un gouvernement despotique se maintiennent ou se soutiennent. La force des lois dans l'un, le bras du prince toujours levé dans l'autre [3], règlent ou contiennent tout. Mais, dans un État populaire, il faut un ressort de plus, qui est la VERTU [4].

Ce que je dis est confirmé par le corps entier de l'histoire, et est très conforme à la nature des choses. Car il est clair que dans une monarchie, où celui qui fait exécuter les lois se juge au-dessus des lois, on a besoin de moins de vertu que dans un gouvernement populaire, où celui qui fait exécuter les lois sent qu'il y est soumis lui-même, et qu'il en portera le poids [5].

Il est clair encore que le monarque qui, par mauvais conseil ou par négligence, cesse de faire exécuter les lois, peut aisément réparer le mal : il n'a qu'à changer de conseil, ou se corriger de cette négligence même. Mais lorsque, dans un gouvernement populaire, les lois ont cessé d'être exécutées, comme cela ne peut venir que de la corruption de la république [6], l'État est déjà perdu.

Ce fut un assez beau spectacle, dans le siècle passé, de voir les efforts impuissants des Anglais pour établir parmi eux la démocratie. Comme ceux qui avaient part aux affaires n'avaient point de vertu, que leur ambition était irritée par le succès de celui qui avait le plus osé [a], que l'esprit d'une faction [I] n'était réprimé que par l'esprit d'une autre, le gouvernement changeait sans cesse ; le peuple étonné cherchait la démocratie et ne la trouvait nulle part. Enfin, après bien des mouvements, des chocs et des secousses, il fallut se reposer dans le gouvernement même qu'on avait proscrit [7].

Quand Sylla voulut rendre à Rome la liberté, elle ne put plus la recevoir [8] ; elle n'avait plus qu'un faible reste de vertu, et, comme elle en eut toujours moins, au lieu de se réveiller après César, Tibère, Caïus [II], Claude, Néron, Domitien, elle fut toujours plus esclave ; tous les coups portèrent sur les tyrans, aucun sur la tyrannie [9].

Les politiques grecs, qui vivaient dans le gouvernement populaire, ne reconnaissaient d'autre force qui pût le sou-

a. Cromwell.

I. Parti (le terme n'a pas forcément de connotation péjorative).
II. Caligula.

tenir que celle de la vertu [10]. Ceux d'aujourd'hui ne nous parlent que de manufactures, de commerce, de finances, de richesses et de luxe même [11].

Lorsque cette vertu cesse, l'ambition entre dans les cœurs qui peuvent la recevoir, et l'avarice entre dans tous. Les désirs changent d'objets : ce qu'on aimait, on ne l'aime plus ; on était libre avec les lois, on veut être libre contre elles ; chaque citoyen est comme un esclave échappé de la maison de son maître ; ce qui était *maxime* [I], on l'appelle *rigueur* ; ce qui était *règle*, on l'appelle *gêne* ; ce qui était *attention*, on l'appelle *crainte*. C'est la frugalité qui y est l'avarice, et non pas le désir d'avoir [12]. Autrefois le bien des particuliers faisait le trésor public ; mais pour lors le trésor public devient le patrimoine des particuliers [13]. La république est une dépouille [II] ; et sa force n'est plus que le pouvoir de quelques citoyens et la licence [III] de tous.

Athènes eut dans son sein les mêmes forces pendant qu'elle domina avec tant de gloire, et pendant qu'elle servit avec tant de honte. Elle avait vingt mille citoyens [b] lorsqu'elle défendit les Grecs contre les Perses, qu'elle disputa l'empire à Lacédémone, et qu'elle attaqua la Sicile. Elle en avait vingt mille, lorsque Démétrius de Phalère les dénombra [c] comme dans un marché l'on compte les esclaves. Quand Philippe osa dominer dans la Grèce, quand il parut aux portes d'Athènes [d], elle n'avait encore perdu que le temps. On peut voir dans Démosthène quelle peine il fallut pour la réveiller : on y craignait Philippe, non pas comme l'ennemi de la liberté,

b. Plutarque, *in Pericle* [*Vie de Périclès*, 37, 4] ; Platon, *in Critia* [*Critias*, 112e].
c. Il s'y trouva vingt et un mille citoyens, dix mille étrangers, quatre cent mille esclaves. Voyez Athénée, [*Deipnosophistes*,] liv. VI [272].
d. Elle avait vingt mille citoyens. Voyez Démosthène, *in Aristog* [14].

I. Précepte, principe de conduite.
II. Trophée, butin que se partagent les vainqueurs.
III. Liberté excessive, sans règle ; voir, XI, 3.

mais des plaisirs[e]. Cette ville, qui avait résisté à tant de
défaites, qu'on avait vu renaître après ses destructions,
fut vaincue à Chéronée[15], et le fut pour toujours. Qu'importe que Philippe renvoie tous les prisonniers ? Il ne renvoie pas des hommes. Il était toujours aussi aisé de
triompher des forces d'Athènes qu'il était difficile de
triompher de sa vertu.

Comment Carthage aurait-elle pu se soutenir ?
Lorsque Annibal, devenu préteur, voulut empêcher les
magistrats[I] de piller la république[16], n'allèrent-ils pas
l'accuser devant les Romains ? Malheureux, qui voulaient être citoyens sans qu'il y eût de cité, et tenir leurs
richesses de la main de leurs destructeurs ! Bientôt Rome
leur demanda pour otages trois cents de leurs principaux
citoyens ; elle se fit livrer les armes et les vaisseaux, et
ensuite leur déclara la guerre[17]. Par les choses que fit le
désespoir dans Carthage désarmée[f], on peut juger de
ce qu'elle aurait pu faire avec sa vertu, lorsqu'elle avait
ses forces.

## Chapitre 4
### Du principe de l'aristocratie

Comme il faut de la vertu dans le gouvernement populaire, il en faut aussi dans l'aristocratique. Il est vrai
qu'elle n'y est pas si absolument requise[18].

e. Ils avaient fait une loi pour punir de mort celui qui proposerait
de convertir aux usages de la guerre l'argent destiné pour les théâtres.
f. Cette guerre dura trois ans.

I. « Officier de [justice] et de police, qui a juridiction et autorité sur
le peuple. [...] Se dit aussi collectivement de ceux qui ont soin de la
police ou du gouvernement de la ville, ou de la république » (Thomas
Corneille, *Dictionnaire des arts et des sciences*, 1694).

Le peuple, qui est à l'égard des nobles ce que les sujets sont à l'égard du monarque [19], est contenu par leurs lois. Il a donc moins besoin de vertu que le peuple de la démocratie. Mais comment les nobles seront-ils contenus ? Ceux qui doivent faire exécuter les lois contre leurs collègues sentiront d'abord qu'ils agissent contre eux-mêmes. Il faut donc de la vertu dans ce corps, par la nature de la constitution.

Le gouvernement aristocratique a par lui-même une certaine force que la démocratie n'a pas. Les nobles y forment un corps qui, par sa prérogative et pour son intérêt particulier, réprime le peuple : il suffit qu'il y ait des lois, pour qu'à cet égard elles soient exécutées.

Mais autant qu'il est aisé à ce corps de réprimer les autres, autant est-il difficile qu'il se réprime lui-même [a]. Telle est la nature de cette constitution, qu'il semble qu'elle mette les mêmes gens sous la puissance des lois, et qu'elle les en retire.

Or, un corps pareil ne peut se réprimer que de deux manières : ou par une grande vertu, qui fait que les nobles se trouvent en quelque façon égaux à leur peuple, ce qui peut former une grande république ; ou par une vertu moindre, qui est une certaine modération [20] qui rend les nobles au moins égaux à eux-mêmes, ce qui fait leur conservation.

La *modération* est donc l'âme de ces gouvernements [21]. J'entends celle qui est fondée sur la vertu, non pas celle qui vient d'une lâcheté et d'une paresse de l'âme [22].

a. Les crimes publics y pourront être punis, parce que c'est l'affaire de tous ; les crimes particuliers n'y seront pas punis, parce que l'affaire de tous est de ne les pas punir.

## CHAPITRE 5
### Que la vertu n'est point le principe du gouvernement monarchique [23]

Dans les monarchies, la politique [I] fait faire les grandes choses avec le moins de vertu qu'elle peut ; comme dans les plus belles machines [24], l'art emploie aussi peu de mouvements, de forces et de roues qu'il est possible [25].

L'État subsiste, indépendamment de l'amour pour la patrie, du désir de la vraie gloire, du renoncement à soi-même, du sacrifice de ses plus chers intérêts [26], et de toutes ces vertus héroïques que nous trouvons dans les anciens [27], et dont nous avons seulement entendu parler.

Les lois y tiennent la place de toutes ces vertus, dont on n'a aucun besoin ; l'État vous en dispense : une action qui se fait sans bruit, y est en quelque façon sans conséquence.

Quoique tous les crimes soient publics par leur nature, on distingue pourtant les crimes véritablement publics d'avec les crimes privés, ainsi appelés, parce qu'ils offensent plus un particulier, que la société entière.

Or, dans les républiques, les crimes privés sont plus publics, c'est-à-dire choquent plus la constitution de l'État [II], que les particuliers ; et, dans les monarchies, les crimes publics sont plus privés, c'est-à-dire choquent plus les fortunes particulières [III], que la constitution de l'État même.

Je supplie qu'on ne s'offense pas de ce que j'ai dit ; je parle après toutes les histoires. Je sais très bien qu'il n'est pas rare qu'il y ait des princes vertueux ; mais je dis que,

---

I. « L'art de gouverner un État » ; « signifie aussi, la manière adroite dont on se conduit pour parvenir à ses fins » (*Académie*).

II. L'ordre de l'État.

III. Les situations des personnes.

dans une monarchie, il est très difficile que le peuple le soit[a].

Qu'on lise ce que les historiens de tous les temps ont dit sur la cour des monarques ; qu'on se rappelle les conversations des hommes de tous les pays sur le misérable caractère des courtisans : ce ne sont point des choses de spéculation, mais d'une triste expérience.

L'ambition dans l'oisiveté, la bassesse dans l'orgueil, le désir de s'enrichir sans travail, l'aversion pour la vérité, la flatterie, la trahison, la perfidie, l'abandon de tous ses engagements, le mépris des devoirs du citoyen, la crainte de la vertu du prince, l'espérance de ses faiblesses, et, plus que tout cela, le ridicule perpétuel jeté sur la vertu, forment, je crois, le caractère du plus grand nombre des courtisans[28], marqué dans tous les lieux et dans tous les temps. Or il est très mal aisé que la plupart des principaux d'un État soient malhonnêtes gens, et que les inférieurs soient gens de bien ; que ceux-là soient trompeurs, et que ceux-ci consentent à n'être que dupes.

Que si, dans le peuple, il se trouve quelque malheureux honnête homme[b], le cardinal de Richelieu, dans son testament politique, insinue qu'un monarque doit se garder de s'en servir[c]. Tant il est vrai que la vertu n'est pas le ressort de ce gouvernement ! Certainement elle n'en est point exclue ; mais elle n'en est pas le ressort.

a. Je parle ici de la vertu politique, qui est la vertu morale, dans le sens qu'elle se dirige au bien général, fort peu des vertus morales particulières, et point du tout de cette vertu qui a du rapport aux vérités révélées. On verra bien ceci au liv. V, chap. 2.

b. Entendez ceci dans le sens de la note précédente[29].

c. *Il ne faut pas*, y est-il dit, *se servir des gens de bas lieu ; ils sont trop austères et trop difficiles*[30].

## CHAPITRE 6
### Comment on supplée à la vertu
### dans le gouvernement monarchique

Je me hâte, et je marche à grands pas, afin qu'on ne croie pas que je fasse une satire du gouvernement monarchique. Non ; s'il manque d'un ressort, il en a un autre : L'HONNEUR, c'est-à-dire le préjugé de chaque personne et de chaque condition [31], prend la place de la vertu politique dont j'ai parlé, et la représente [I] partout. Il y peut inspirer les plus belles actions ; il peut, joint à la force des lois, conduire au but du gouvernement comme la vertu même [32].

Ainsi, dans les monarchies bien réglées, tout le monde sera à peu près bon citoyen, et on trouvera rarement quelqu'un qui soit homme de bien ; car, pour être homme de bien [a], il faut avoir intention de l'être [b], et aimer l'État moins pour soi que pour lui-même.

## CHAPITRE 7
### Du principe de la monarchie

Le gouvernement monarchique suppose, comme nous avons dit, des prééminences, des rangs [II], et même une

a. Ce mot, *homme de bien*, ne s'entend ici que dans un sens politique [33].
b. Voyez la note *a* de la page 94.

---

I. Au sens de « supplée » ; l'expression désigne un rapport d'analogie : l'honneur est à la monarchie ce que la vertu est à la république.
II. Prééminences : qualités qui procurent des avantages sur les autres. Rangs : préséances qui distinguent des autres, et qui confèrent aux personnes leur qualité.

noblesse d'origine. La nature de l'*honneur* est de demander des préférences et des distinctions ; il est donc, par la
chose même, placé dans ce gouvernement.

L'ambition est pernicieuse dans une république. Elle a
de bons effets dans la monarchie ; elle donne la vie à ce
gouvernement ; et on y a cet avantage, qu'elle n'y est pas
dangereuse, parce qu'elle y peut être sans cesse réprimée.

Vous diriez qu'il en est comme du système de l'univers,
où il y a une force qui éloigne sans cesse du centre tous
les corps, et une force de pesanteur qui les y ramène [34].
L'honneur fait mouvoir toutes les parties du corps politique ; il les lie par son action même ; et il se trouve que
chacun va au bien commun, croyant aller à ses intérêts
particuliers [35].

Il est vrai que, philosophiquement parlant, c'est un
honneur faux [36] qui conduit toutes les parties de l'État :
mais cet honneur faux est aussi utile au public, que le
vrai le serait aux particuliers qui pourraient l'avoir.

Et n'est-ce pas beaucoup d'obliger les hommes à faire
toutes les actions difficiles, et qui demandent de la force,
sans autre récompense que le bruit de ces actions [37] ?

## CHAPITRE 8
### Que l'honneur n'est point le principe
### des États despotiques

Ce n'est point l'*honneur* qui est le principe des États
despotiques : les hommes y étant tous égaux, on n'y peut
se préférer aux autres ; les hommes y étant tous
esclaves [38], on n'y peut se préférer à rien.

De plus, comme l'honneur a ses lois et ses règles [39], et
qu'il ne saurait plier ; qu'il dépend bien de son propre
caprice, et non pas de celui d'un autre, il ne peut se trouver que dans des États où la constitution est fixe, et qui
ont des lois certaines.

Comment serait-il souffert [1] chez le despote ? Il fait gloire de mépriser la vie, et le despote n'a de force que parce qu'il peut l'ôter. Comment pourrait-il souffrir le despote ? Il a des règles suivies et des caprices soutenus ; le despote n'a aucune règle, et ses caprices détruisent tous les autres.

L'honneur, inconnu aux États despotiques, où même souvent on n'a pas de mot pour l'exprimer [a], règne dans les monarchies ; il y donne la vie à tout le corps politique, aux lois et aux vertus même.

## CHAPITRE 9
### Du principe du gouvernement despotique

Comme il faut de la vertu dans une république, et dans une monarchie, de l'honneur, il faut de la CRAINTE dans un gouvernement despotique : pour la vertu, elle n'y est point nécessaire, et l'honneur y serait dangereux.

Le pouvoir immense du prince y passe tout entier à ceux à qui il le confie [40]. Des gens capables de s'estimer beaucoup eux-mêmes seraient en état d'y faire des révolutions [II][41]. Il faut donc que la crainte y abatte tous les courages, et y éteigne jusqu'au moindre sentiment d'ambition [42].

Un gouvernement modéré peut, tant qu'il veut, et sans péril, relâcher ses ressorts [43]. Il se maintient par ses lois et par sa force même. Mais lorsque, dans le gouvernement despotique, le prince cesse un moment de lever le bras ; quand il ne peut pas anéantir à l'instant ceux qui ont

---

a. Voyez Perry, p. 447 [44].

---

I. Supporté, toléré.

II. « Changement qui arrive dans les affaires publiques » (*Académie*).

les premières places [a], tout est perdu : car le ressort du gouvernement, qui est la crainte, n'y étant plus, le peuple n'a plus de protecteur [45].

C'est apparemment dans ce sens que des cadis [I] ont soutenu que le grand seigneur n'était point obligé de tenir sa parole ou son serment, lorsqu'il bornait par-là son autorité [b].

Il faut que le peuple soit jugé par les lois, et les grands par la fantaisie du prince ; que la tête du dernier sujet soit en sûreté, et celle des bachas [II] toujours exposée. On ne peut parler sans frémir de ces gouvernements monstrueux. Le sophi [III] de Perse détrôné de nos jours par Mirivéis, vit le gouvernement périr avant la conquête, parce qu'il n'avait pas versé assez de sang [c].

L'histoire nous dit que les horribles cruautés de Domitien [46] effrayèrent les gouverneurs [IV], au point que le peuple se rétablit un peu sous son règne [d]. C'est ainsi qu'un torrent, qui ravage tout d'un côté, laisse de l'autre des campagnes où l'œil voit de loin quelques prairies [47].

a. Comme il arrive souvent dans l'aristocratie militaire.
b. RICAUT, *De l'empire ottoman* [p. 18] [48].
c. Voyez l'histoire de cette révolution, par le père Du Cerceau [49].
d. Son gouvernement était militaire ; ce qui est une des espèces du gouvernement despotique.

I. « C'est le nom qu'on a donné aux juges chez les Sarrazins et les Turcs » (Furetière).
II. Pachas. En Turquie, officiers qui ont le commandement dans une province.
III. Le roi.
IV. Officier du prince qui commande dans une province, dans une place.

## CHAPITRE 10
### Différence de l'obéissance
### dans les gouvernements modérés
### et dans les gouvernements despotiques

Dans les États despotiques, la nature du gouvernement demande une obéissance extrême ; et la volonté du prince, une fois connue, doit avoir aussi infailliblement son effet qu'une boule jetée contre une autre doit avoir le sien [50].

Il n'y a point de tempérament [I], de modification, d'accommodements, de termes, d'équivalents, de pourparlers, de remontrances [II] ; rien d'égal ou de meilleur à proposer ; l'homme est une créature qui obéit à une créature qui veut.

On n'y peut pas plus représenter ses craintes sur un événement futur, qu'excuser ses mauvais succès sur le caprice de la fortune [III]. Le partage [IV] des hommes, comme des bêtes, y est l'instinct, l'obéissance, le châtiment [51].

Il ne sert de rien d'opposer les sentiments naturels, le respect pour un père, la tendresse pour ses enfants et ses femmes, les lois de l'honneur, l'état de sa santé ; on a reçu l'ordre, et cela suffit.

En Perse, lorsque le roi a condamné quelqu'un, on ne peut plus lui en parler, ni demander grâce. S'il était ivre ou hors de sens, il faudrait que l'arrêt s'exécutât tout de même [V][a] ; sans cela, il se contredirait, et la loi ne peut se

a. Voyez Chardin [52].

I. Ce qui permet d'accorder deux partis ou d'adoucir leurs rapports.
II. Mise en garde contre les inconvénients d'une action, en vue de corriger celui qui l'accomplit.
III. Chance, hasard.
IV. Lot, sort.
V. De la même façon.

contredire. Cette manière de penser y a été de tout temps : l'ordre que donna Assuérus d'exterminer les juifs ne pouvant être révoqué, on prit le parti de leur donner la permission de se défendre [53].

Il y a pourtant une chose que l'on peut quelquefois opposer à la volonté du prince [b] : c'est la religion. On abandonnera son père, on le tuera même, si le prince l'ordonne : mais on ne boira pas du vin, s'il le veut et s'il l'ordonne [54]. Les lois de la religion sont d'un précepte supérieur, parce qu'elles sont données sur la tête du prince comme sur celles des sujets [55]. Mais, quant au droit naturel [56], il n'en est pas de même ; le prince est supposé n'être plus un homme.

Dans les États monarchiques et modérés, la puissance est bornée par ce qui en est le ressort ; je veux dire l'honneur, qui règne [57], comme un monarque, sur le prince et sur le peuple. On n'ira point lui alléguer les lois de la religion ; un courtisan se croirait ridicule : on lui alléguera sans cesse celles de l'honneur. De là résultent des modifications nécessaires dans l'obéissance ; l'honneur est naturellement sujet à des bizarreries [1], et l'obéissance les suivra toutes.

Quoique la manière d'obéir soit différente dans ces deux gouvernements, le pouvoir est pourtant le même [58]. De quelque côté que le monarque se tourne, il emporte et précipite la balance [59], et est obéi. Toute la différence est que, dans la monarchie, le prince a des lumières, et que les ministres y sont infiniment plus habiles et plus rompus aux affaires que dans l'État despotique [60].

b. *Ibid* [61].

I. Caprices. Voir *EL*, V, 19.

## CHAPITRE 11
### Réflexions sur tout ceci

Tels sont les principes des trois gouvernements : ce qui ne signifie pas que, dans une certaine république, on soit vertueux ; mais qu'on devrait l'être. Cela ne prouve pas non plus que, dans une certaine monarchie, on ait de l'honneur ; et que, dans un État despotique particulier, on ait de la crainte ; mais qu'il faudrait en avoir : sans quoi le gouvernement sera imparfait [62].

# LIVRE IV

## Que les lois de l'éducation doivent être relatives aux principes du gouvernement

Le terme d'éducation doit s'entendre dans un sens large, et ne se réduit pas à l'« institution » des enfants. Il s'agit de former des hommes, ou plutôt, en fonction de la typologie, des citoyens, des sujets, des esclaves. Les réflexions sur l'éducation traversent toute l'œuvre de Montesquieu ; l'*Essai sur les causes qui peuvent affecter les esprits et les caractères* peut être lu dans une perspective formatrice, en ce sens qu'il s'agit d'éclairer la façon dont se forment les esprits dans leur diversité. Dans *L'Esprit des lois*, la question est abordée selon le principe de convenance qui rapporte la forme d'éducation à la passion principale qui doit animer le gouvernement. Ainsi, la question traditionnelle de l'éduction du prince n'est plus au centre de la problématique politique – non que Montesquieu se désintéresse du « grand art de régner » (*EL*, XII, 27), ni que l'ouvrage puisse être également formateur pour ceux qui ont à charge de commander (voir préface et *Pensées*, n° 1864), mais le questionnement de I, 3 engage à mettre au jour les « dispositions » (du gouvernement ou du peuple) et les processus immanents qui constituent l'ordre social.

La question de l'éducation vient juste après que les principes ont été exposés au livre III, ce qui souligne l'importance des motivations passionnelles qui soutiennent la structure du gouvernement au niveau des mœurs. Il faut remarquer que l'ordre d'exposition dans ce livre diffère de celui qui est généralement suivi. Le livre commence par le cas monarchique pour révéler la logique de l'apparence et de la distinction qui préside à la formation du bon sujet (IV, 2). Ce faisant, Montesquieu précise comment l'honneur, du fait de ses règles propres, peut offrir une résistance au bon plaisir du prince : parce que la monarchie repose sur un concours des intérêts (III, 7), qu'elle suppose un ressort-passion complexe, il faut détailler les modalités des processus qui sont en jeu dans la société civile monarchique et ses conditions anthropologiques. On peut alors voir comment tout oppose cette formation de l'« honnête homme » au dressage qui tient lieu d'éducation dans le despotisme, où l'homme est ravalé à l'état d'animal craintif (IV, 3). L'éducation dans les républiques est abordée en dernier, parce qu'elle est comprise dans un tout autre sens. Elle est la formation du citoyen ; elle vise à convertir l'être particulier en homme public, capable de renoncer à ses désirs et à ses intérêts propres (IV, 5), ce qui suppose un long apprentissage qui mobilise toutes les institutions : de la famille au « sénat », tout doit inspirer ce dévouement pour le bien commun ; les mœurs sont réglées dans un dispositif serré de subordinations qui en assure le contrôle. En ce sens, la cohérence et l'unité de l'institution républicaine entre en opposition avec les différentes éducations qui composent nos esprits, ce qui semble l'inscrire dans un passé révolu : « Aujourd'hui, nous recevons trois éducations différentes ou contraires : celle de nos pères, celle de nos maîtres, celle du monde. Ce qu'on nous dit dans la dernière renverse toutes les idées de la première. Cela vient, en quelque partie, du contraste qu'il y a parmi nous entre les engagements de la religion et ceux du monde ; chose que les anciens ne connaissaient pas » (EL, IV, 4).

Les derniers chapitres portent justement sur des institutions singulières chez les Grecs (EL, IV, 6), comme la musique (EL, IV, 8), mais c'est aussi pour permettre de mesurer certains effets et rendre sensible au jeu complexe des mœurs et des dispositions légales. En ce sens, ces institutions nous intéressent : elles montrent comment le législateur peut être éducateur, ce qu'indiquent les exemples modernes de William Penn et des communautés formées par les jésuites au Paraguay (EL, IV, 6), même s'ils renvoient à des circonstances particulières.


## Chapitre premier
### Des lois de l'éducation


Les lois de l'éducation sont les premières que nous recevons. Et, comme elles nous préparent à être citoyens, chaque famille particulière doit être gouvernée sur le plan de la grande famille qui les comprend toutes.

Si le peuple en général a un principe, les parties qui le composent, c'est-à-dire les familles, l'auront aussi. Les lois de l'éducation seront donc différentes dans chaque espèce de gouvernement[1]. Dans les monarchies, elles auront pour objet l'honneur ; dans les républiques, la vertu ; dans le despotisme, la crainte.

## CHAPITRE 2
## De l'éducation dans les monarchies

Ce n'est point dans les maisons publiques où l'on instruit l'enfance, que l'on reçoit dans les monarchies la principale éducation ; c'est lorsque l'on entre dans le monde[2], que l'éducation en quelque façon commence. Là est l'école de ce que l'on appelle *honneur*, ce maître universel qui doit partout nous conduire.

C'est là que l'on voit et que l'on entend toujours dire trois choses : *qu'il faut mettre dans les vertus une certaine noblesse, dans les mœurs une certaine franchise, dans les manières une certaine politesse*[1].

Les vertus qu'on nous y montre sont toujours moins ce que l'on doit aux autres, que ce que l'on se doit à soi-même : elles ne sont pas tant ce qui nous appelle vers nos concitoyens, que ce qui nous en distingue.

On n'y juge pas les actions des hommes comme bonnes, mais comme belles ; comme justes, mais comme grandes ; comme raisonnables, mais comme extraordinaires.

Dès que l'honneur y peut trouver quelque chose de noble, il est ou le juge qui les rend légitimes, ou le sophiste[II] qui les justifie.

---

I. « Conduite honnête, civile et agréable dans les mœurs, dans les manières d'agir et d'écrire » (Furetière). « L'établissement des monarchies produit la politesse » (*Pensées*, n° 779).

II. Celui qui produit une argumentation surprenante pour faire valoir sa cause. L'usage du terme est généralement connoté : le sophiste joue sur les apparences pour « tromper ceux qu'il veut persuader » (Furetière).

Il permet la galanterie [I], lorsqu'elle est unie à l'idée des sentiments du cœur, ou à l'idée de conquête ; et c'est la vraie raison pour laquelle les mœurs ne sont jamais si pures dans les monarchies que dans les gouvernements républicains.

Il permet la ruse lorsqu'elle est jointe à l'idée de la grandeur de l'esprit ou de la grandeur des affaires, comme dans la politique, dont les finesses ne l'offensent pas.

Il ne défend l'adulation [II] que lorsqu'elle est séparée de l'idée d'une grande fortune, et n'est jointe qu'au sentiment de sa propre bassesse.

À l'égard des mœurs, j'ai dit que l'éducation des monarchies doit y mettre une certaine franchise [3]. On y veut donc de la vérité dans les discours. Mais est-ce par amour pour elle ? point du tout. On la veut, parce qu'un homme qui est accoutumé à la dire paraît être hardi [III] et libre [4]. En effet, un tel homme semble ne dépendre que des choses, et non pas de la manière dont un autre les reçoit.

C'est ce qui fait qu'autant qu'on y recommande cette espèce de franchise, autant on y méprise celle du peuple, qui n'a que la vérité et la simplicité pour objet.

Enfin, l'éducation dans les monarchies exige dans les manières une certaine politesse. Les hommes, nés pour vivre ensemble, sont nés aussi pour se plaire [5] ; et celui qui n'observerait pas les bienséances [IV], choquant tous ceux avec qui il vivrait, se discréditerait au point qu'il deviendrait incapable de faire aucun bien.

Mais ce n'est pas d'une source si pure que la politesse a coutume de tirer son origine. Elle naît de l'envie de se distinguer. C'est par orgueil que nous sommes polis :

---

I. « Galanterie : l'attache que l'on a à courtiser les dames. Il se prend en bonne et en mauvaise part » (Furetière).

II. Flatterie ; « aduler », c'est faire des louanges excessives pour courtiser.

III. Courageux et assuré.

IV. Ce qu'il convient de faire en société.

nous nous sentons flattés d'avoir des manières qui prouvent que nous ne sommes pas dans la bassesse, et que nous n'avons pas vécu avec cette sorte de gens que l'on a abandonnés dans tous les âges.

Dans les monarchies, la politesse est naturalisée à la cour[6]. Un homme excessivement grand rend tous les autres petits. De là les égards[I] que l'on doit à tout le monde ; de là naît la politesse, qui flatte autant ceux qui sont polis que ceux à l'égard de qui ils le sont ; parce qu'elle fait comprendre qu'on est de la cour, ou qu'on est digne d'en être.

L'air de la cour consiste à quitter sa grandeur propre pour une grandeur empruntée. Celle-ci flatte plus un courtisan que la sienne même. Elle donne une certaine modestie superbe qui se répand au loin, mais dont l'orgueil diminue insensiblement, à proportion de la distance où l'on est de la source de cette grandeur.

On trouve à la cour une délicatesse[7] de goût en toutes choses, qui vient d'un usage continuel des superfluités d'une grande fortune, de la variété, et surtout de la lassitude des plaisirs, de la multiplicité, de la confusion même des fantaisies[II], qui, lorsqu'elles sont agréables, y sont toujours reçues.

C'est sur toutes ces choses que l'éducation se porte pour faire ce qu'on appelle l'honnête homme[8], qui a toutes les qualités et toutes les vertus que l'on demande dans ce gouvernement.

Là l'honneur, se mêlant partout, entre dans toutes les façons de penser et toutes les manières de sentir[9], et dirige même les principes.

Cet honneur bizarre[10] fait que les vertus ne sont que ce qu'il veut, et comme il les veut : il met, de son chef,

---

I. Les attentions particulières.

II. « Fantaisie : […] se prend aussi pour caprice, boutade, bizarrerie. […] Se dit aussi, pour signifier une chose inventée à plaisir, et dans laquelle on a plutôt suivi les caprices que les règles de l'art » (*Académie*).

des règles à tout ce qui nous est prescrit ; il étend ou il borne nos devoirs à sa fantaisie, soit qu'ils aient leur source dans la religion, dans la politique, ou dans la morale [11].

Il n'y a rien dans la monarchie que les lois, la religion et l'honneur prescrivent tant que l'obéissance aux volontés du prince [12] : mais cet honneur nous dicte que le prince ne doit jamais nous prescrire une action qui nous déshonore, parce qu'elle nous rendrait incapables de le servir [13].

Crillon refusa d'assassiner le duc de Guise [14], mais il offrit à Henri III de se battre contre lui. Après la Saint-Barthélemy [15], Charles IX ayant écrit à tous les gouverneurs de faire massacrer les huguenots [I], le vicomte d'Orte, qui commandait dans Bayonne, écrivit au roi [a] : « Sire, je n'ai trouvé parmi les habitants et les gens de guerre que de bons citoyens, de braves soldats, et pas un bourreau ; ainsi, eux et moi, supplions Votre Majesté d'employer nos bras et nos vies à choses faisables. » Ce grand et généreux courage regardait une lâcheté comme une chose impossible.

Il n'y a rien que l'honneur prescrive plus à la noblesse que de servir le prince à la guerre. En effet, c'est la profession distinguée, parce que ses hasards, ses succès et ses malheurs même conduisent à la grandeur. Mais, en imposant cette loi, l'honneur veut en être l'arbitre ; et, s'il se trouve choqué, il exige ou permet qu'on se retire chez soi [16].

Il veut qu'on puisse indifféremment aspirer aux emplois, ou les refuser ; il tient cette liberté au-dessus de la fortune même.

L'honneur a donc ses règles suprêmes, et l'éducation est obligée de s'y conformer [b]. Les principales sont qu'il

a. Voyez l'*Histoire* [*universelle*] de d'Aubigné [VI, chap. 5] [17].
b. On dit ici ce qui est et non pas ce qui doit être : l'honneur est un préjugé que la religion travaille tantôt à détruire, tantôt à régler.

I. Protestants calvinistes.

nous est bien permis de faire cas de notre fortune, mais qu'il nous est souverainement défendu d'en faire aucun de notre vie.

La seconde est que, lorsque nous avons été une fois placés dans un rang[I], nous ne devons rien faire ni souffrir qui fasse voir que nous nous tenons inférieurs à ce rang même.

La troisième, que les choses que l'honneur défend sont plus rigoureusement défendues, lorsque les lois ne concourent point à les proscrire ; et que celles qu'il exige sont plus fortement exigées, lorsque les lois ne les demandent pas[18].

# CHAPITRE 3
## De l'éducation dans le gouvernement despotique

Comme l'éducation dans les monarchies ne travaille qu'à élever le cœur[II], elle ne cherche qu'à l'abaisser dans les États despotiques. Il faut qu'elle y soit servile. Ce sera un bien, même dans le commandement, de l'avoir eue telle, personne n'y étant tyran sans être en même temps esclave.

L'extrême obéissance suppose de l'ignorance dans celui qui obéit ; elle en suppose même dans celui qui commande ; il n'a point à délibérer, à douter, ni à raisonner ; il n'a qu'à vouloir[19].

Dans les États despotiques, chaque maison est un empire séparé[20]. L'éducation, qui consiste principalement à vivre avec les autres, y est donc très bornée ; elle se réduit à mettre la crainte dans le cœur, et à donner à

---

I. Préséance qui distingue des autres, et qui confère à la personne sa qualité.

II. Le cœur est siège des « passions » (XIV, 1). La simplicité de la réaction craintive s'oppose à la complexité de cette passion qu'est l'honneur.

l'esprit la connaissance de quelques principes de religion fort simples. Le savoir y sera dangereux [21], l'émulation funeste : et, pour les vertus, Aristote ne peut croire qu'il y en ait quelqu'une de propre aux esclaves [a] [22] ; ce qui bornerait bien l'éducation dans ce gouvernement.

L'éducation y est donc en quelque façon nulle [23]. Il faut ôter tout, afin de donner quelque chose ; et commencer par faire un mauvais sujet, pour faire un bon esclave.

Eh ! pourquoi l'éducation s'attacherait-elle à y former un bon citoyen qui prît part au malheur public ? S'il aimait l'État, il serait tenté de relâcher les ressorts du gouvernement [24] : s'il ne réussissait pas, il se perdrait ; s'il réussissait, il courrait risque de se perdre, lui, le prince, et l'empire.

## CHAPITRE 5
### De l'éducation dans le gouvernement républicain

C'est dans le gouvernement républicain que l'on a besoin de toute la puissance de l'éducation. La crainte des gouvernements despotiques naît d'elle-même parmi les menaces et les châtiments ; l'honneur des monarchies est favorisé par les passions, et les favorise à son tour : mais la vertu politique est un renoncement à soi-même, qui est toujours une chose très pénible [25].

On peut définir cette vertu, l'amour des lois et de la patrie [26]. Cet amour, demandant une préférence continuelle de l'intérêt public au sien propre, donne toutes les vertus particulières ; elles ne sont que cette préférence.

Cet amour est singulièrement affecté aux démocraties. Dans elles seules, le gouvernement est confié à chaque

a. *Politique*, liv. I [5].

citoyen. Or, le gouvernement est comme toutes les choses du monde ; pour le conserver, il faut l'aimer.

On n'a jamais ouï dire que les rois n'aimassent pas la monarchie, et que les despotes haïssent le despotisme.

Tout dépend donc d'établir dans la république cet amour ; et c'est à l'inspirer que l'éducation doit être attentive. Mais, pour que les enfants puissent l'avoir, il y a un moyen sûr : c'est que les pères l'aient eux-mêmes [27].

On est ordinairement le maître de donner à ses enfants ses connaissances ; on l'est encore plus de leur donner ses passions.

Si cela n'arrive pas, c'est que ce qui a été fait dans la maison paternelle est détruit par les impressions du dehors [28].

Ce n'est point le peuple naissant [1] qui dégénère ; il ne se perd que lorsque les hommes faits sont déjà corrompus [29].

---

I. Ce que nous appellerions « la jeunesse ».

# LIVRE V

# Que les lois que le législateur donne doivent être relatives au principe de gouvernement

Après l'exposé des livres II et III, la suite de la première partie de *L'Esprit des lois* est animée par une même démarche : les principes ayant sur les lois une « suprême influence » (I, 3), Montesquieu va pouvoir exposer leur fécondité et montrer quelle est la « source » des lois. Il y a dans chaque régime une solidarité réelle de lois ou d'institutions qui peuvent sembler disparates. Cette cohérence interne ne peut être appréhendée que par l'intermédiaire des principes, puisque dans un État bien ordonné toutes les dispositions doivent se rapporter à l'entretien de son principe. Cet examen met en évidence des processus complexes dans lesquels les lois doivent jouer avec les mœurs, dans la mesure où il s'agit de penser les conditions qui permettent à la passion-principe d'avoir toute son efficacité. L'examen étend également les comparaisons aux exemples tirés de l'histoire : à travers l'étude des dispositions législatives en matière de propriété, de successions, d'emplois publics ou militaires, Montesquieu porte son attention sur les modalités de l'exercice du pouvoir, pour opposer la complexité des régimes modérés à la simplicité brutale du despotisme.

Cette façon d'aborder la réalité politique permet de résoudre bien des difficultés qui ne se posent que parce que l'on cherche une réponse unique. Or, c'est relativement à chaque forme de gouvernement qu'il faut examiner sous quelles conditions telle loi peut convenir. Le savoir des lois qu'entend former Montesquieu peut ainsi s'inspirer d'Aristote, lorsque celui-ci dit : « Ce même savoir fera aussi voir quelles sont les meilleures lois et celles qui sont adaptées à chacune des constitutions. Car c'est selon les constitutions qu'il faut établir les lois, et toutes sont ainsi établies, et non les constitutions selon les lois » (*Politiques*, IV, 1, 1289a,

12-15). Ce parallèle permet d'insister sur la dimension pratique de ce savoir, et sur le cadre qui permet de réfléchir cette pratique. La connaissance circonstancielle des lois est essentielle si l'on veut que le législateur puisse effectivement intervenir, ce qui suppose qu'il sache comment il peut insérer son action dans des processus complexes en mesurant la portée de ses effets. Le cadre de l'investigation, qui met au centre de la typologie des gouvernements le couple nature/principe, indique que les lois civiles sont subordonnées aux lois politiques, comme le rappelle Montesquieu à l'intention du législateur (« Les lois civiles dépendent des lois politiques parce que c'est toujours pour une société qu'elles sont faites », *EL*, XXIX, 13). C'est ainsi que les lois criminelles (livre VI) ou celles concernant la condition des femmes (livre VII), qui relèvent du droit civil, sont abordées en examinant le rapport qu'elles peuvent entretenir avec les différents principes.

Ce qui est donc au centre du livre V, c'est la convenance qui peut exister entre les dispositions légales et les passions-principes ; celle-ci se manifeste par une « tension » principale (V, 1). Cette tension indique que les processus qui sont à l'œuvre dans la société civile s'accordent avec la dynamique que chaque gouvernement a en propre (l'ensemble structure/ressort-principe), et du coup elle sert de repère pour mesurer les bonnes ou les mauvaises lois. Cet examen prévient également la question de la corruption (abordée au livre VIII), de la perte de tension, ce qui donne au mouvement de la première partie de l'ouvrage une cohérence perceptible.

Montesquieu a dissocié vertu et honneur au livre III ; il commence ici par préciser en quoi consiste positivement la vertu (V, 2), car c'est finalement dans le détail des mœurs des peuples patriotes et dans les lois qui les soutiennent que son véritable caractère peut apparaître. Dans le même temps, il révèle ce qui est nécessaire pour entretenir cet amour de la république : l'égalité démocratique (V, 3) engage à examiner la question du partage des terres et des successions (V, 5), la frugalité des peuples vertueux pose la question du commerce (V, 6) et finalement des institutions particulières qui sont susceptibles de garantir le maintien des mœurs (V, 7). En nourrissant cet examen d'exemples historiques tirés de l'Antiquité, Montesquieu souligne les hautes exigences (non seulement morales, mais aussi législatives) d'une vertu qui semble dès lors inaccessible aux modernes. Mais c'est peut-être moins pour magnifier les régimes antiques que pour dégager les conditions qui rendent la vertu possible ; ce qu'il entreprend, à partir de ces exemples, pour ne pas « manquer les différences » (préface), et pour réfléchir ce que pourrait être cette vertu lorsqu'on la confronte à la réalité moderne du commerce. En examinant ce qui peut soutenir la noblesse (V, 9), Montesquieu aborde la question de ses privilèges, mais aussi celle des modalités d'exercice du pouvoir royal rapporté au jeu de l'honneur (V, 10). Du coup, il montre comment ce régime modéré peut tendre au despotisme, en soulignant les signes qui manifestent cette pente dangereuse. Si Montesquieu insiste sur l'« excellence du gouvernement monarchique » (V, 11), c'est pour montrer que celle-ci consiste essentiellement dans la présence des corps intermédiaires. Il peut alors donner une « idée » du despotisme (V, 13) avant d'engager un long examen de ce système aveugle, qui ne nécessite aucune intervention législatrice pour continuer son œuvre destructrice. Par opposition, le gouvernement modéré est toujours un « chef-d'œuvre de législation » (V, 14).

Central dans l'ouvrage par sa façon de nouer les questions entre elles, le livre V est également révélateur du fait que Montesquieu est engagé sur plusieurs fronts à la fois. S'il s'oppose résolument aux penseurs absolutistes (Hobbes, Bossuet), aux conseillers du prince tenants de la raison d'État (Richelieu), il engage aussi un dialogue avec le républicanisme moderne (Harrington, Bolingbroke) qui s'inscrit dans la tradition italienne (Machiavel, Guichardin).

## CHAPITRE PREMIER
### Idée de ce livre

Nous venons de voir que les lois de l'éducation doivent être relatives au principe de chaque gouvernement. Celles que le législateur donne à toute la société sont de même. Ce rapport des lois avec ce principe tend tous les ressorts du gouvernement ; et ce principe en reçoit à son tour une nouvelle force[1]. C'est ainsi que, dans les mouvements physiques, l'action est toujours suivie d'une réaction[2].

Nous allons examiner ce rapport dans chaque gouvernement ; et nous commencerons par l'État républicain, qui a la vertu pour principe.

## CHAPITRE 2
### Ce que c'est que la vertu dans l'État politique[I]

La vertu, dans une république, est une chose très simple : c'est l'amour de la république ; c'est un sentiment, et non une suite de connaissances ; le dernier homme de l'État peut avoir ce sentiment, comme le premier. Quand le peuple a une fois de bonnes maximes[II], il s'y tient plus longtemps, que ce qu'on appelle les honnêtes gens[III]. Il est rare que la corruption commence par lui[3]. Souvent il a tiré, de la médiocrité[IV] de ses lumières un attachement plus fort pour ce qui est établi.

L'amour de la patrie[4] conduit à la bonté des mœurs, et la bonté des mœurs mène à l'amour de la patrie. Moins nous pouvons satisfaire nos passions particulières, plus nous nous livrons aux générales. Pourquoi les moines aiment-ils tant leur ordre[V] ? C'est justement par l'endroit qui fait qu'il leur est insupportable. Leur règle les prive de toutes les choses sur lesquelles les passions ordinaires s'appuient : reste donc cette passion pour la règle même qui les afflige[5]. Plus elle est austère, c'est-à-dire, plus elle retranche de leurs penchants, plus elle donne de force à ceux qu'elle leur laisse.

---

I. L'expression « État politique » désigne ici le gouvernement républicain (que sa forme soit démocratique ou aristocratique).

II. Préceptes, principes de conduite.

III. « L'homme de bien, [le] galant homme, qui a pris l'air du monde, qui sait vivre » (Furetière). Montesquieu utilise l'expression à propos de la monarchie (IV, 2).

IV. État moyen.

V. Communauté religieuse vivant sous une même règle.

## CHAPITRE 3

### Ce que c'est que l'amour de la république dans la démocratie

L'amour de la république, dans une démocratie, est celui de la démocratie ; l'amour de la démocratie est celui de l'égalité [6].

L'amour de la démocratie est encore l'amour de la frugalité [I]. Chacun devant y avoir le même bonheur et les mêmes avantages, y doit goûter les mêmes plaisirs, et former les mêmes espérances ; chose qu'on ne peut attendre que de la frugalité générale [7].

L'amour de l'égalité, dans une démocratie, borne l'ambition au seul désir, au seul bonheur de rendre à sa patrie de plus grands services que les autres citoyens. Ils ne peuvent pas lui rendre tous des services égaux ; mais ils doivent tous également lui en rendre. En naissant, on contracte envers elle une dette immense dont on ne peut jamais s'acquitter.

Ainsi les distinctions y naissent du principe de l'égalité, lors même qu'elle paraît ôtée par des services heureux, ou par des talents supérieurs [8].

L'amour de la frugalité borne le désir d'avoir à l'attention que demande le nécessaire pour sa famille et même le superflu pour sa patrie. Les richesses donnent une puissance dont un citoyen ne peut pas user pour lui ; car il ne serait pas égal. Elles procurent des délices dont il ne doit pas jouir non plus parce qu'elles choqueraient l'égalité tout de même.

Aussi les bonnes démocraties, en établissant la frugalité domestique [II], ont-elles ouvert la porte aux dépenses publiques, comme on fit à Athènes et à Rome. Pour lors, la magnificence et la profusion naissaient du fond de la

---

I. Sobriété.
II. Au sein de la famille.

frugalité même : et, comme la religion demande qu'on ait les mains pures pour faire des offrandes aux dieux, les lois voulaient des mœurs frugales, pour que l'on pût donner à sa patrie.

Le bon sens et le bonheur des particuliers consiste beaucoup dans la médiocrité de leurs talents et de leurs fortunes [9]. Une république où les lois auront formé beaucoup de gens médiocres, composée de gens sages, se gouvernera sagement ; composée de gens heureux, elle sera très heureuse.

## Chapitre 5
### Comment les lois établissent l'égalité dans la démocratie

Quelques législateurs anciens, comme Lycurgue et Romulus [1], partagèrent également les terres. Cela ne pouvait avoir lieu que dans la fondation d'une république nouvelle [10] ; ou bien lorsque l'ancienne était si corrompue, et les esprits dans une telle disposition, que les pauvres se croyaient obligés de chercher, et les riches obligés de souffrir un pareil remède.

Si, lorsque le législateur fait un pareil partage, il ne donne pas des lois pour le maintenir, il ne fait qu'une constitution passagère ; l'inégalité entrera par le côté que les lois n'auront pas défendu, et la république sera perdue.

Il faut donc que l'on règle, dans cet objet, les dots des femmes, les donations, les successions, les testaments, enfin, toutes les manières de contracter. Car, s'il était

---

I. Ces deux personnages mythiques, l'un législateur de Sparte, l'autre fondateur de Rome, étaient considérés au XVIIIe siècle comme des personnages historiques. Lycurgue avait « cherché à établir l'égalité » (*Pensées*, n° 1837).

permis de donner son bien à qui on voudrait, et comme on voudrait, chaque volonté particulière troublerait la disposition de la loi fondamentale.

Solon [1], qui permettait à Athènes de laisser son bien à qui on voulait par testament, pourvu qu'on n'eût point d'enfants [a], contredisait les lois anciennes, qui ordonnaient que les biens restassent dans la famille du testateur [b]. Il contredisait les siennes propres ; car, en supprimant les dettes, il avait cherché l'égalité.

C'était une bonne loi pour la démocratie que celle qui défendait d'avoir deux hérédités [c] [II]. Elle prenait son origine du partage égal des terres et des portions données à chaque citoyen. La loi n'avait pas voulu qu'un seul homme eût plusieurs portions.

La loi, qui ordonnait que le plus proche parent épousât l'héritière, naissait d'une source pareille. Elle est donnée chez les juifs après un pareil partage. Platon [d], qui fonde ses lois sur ce partage, la donne de même ; et c'était une loi athénienne [11].

Il y avait à Athènes une loi, dont je ne sache pas que personne ait connu l'esprit. Il était permis d'épouser sa sœur consanguine [III], et non pas sa sœur utérine [e]. Cet usage tirait son origine des républiques, dont l'esprit était

---

a. PLUTARQUE, *Vie de Solon* [21, 2].
b. *Ibid.*
c. Philolaüs de Corinthe établit à Athènes que le nombre des portions de terre et celui des hérédités serait toujours le même. ARISTOTE, *Politiques*, liv. II, chap. 12 [12].
d. *République*, liv. VIII.
e. Cornelius Nepos, *in præfat* [*Vie des grands capitaines des nations étrangères*, préface, 4]. Cet usage était des premiers temps. Aussi Abraham dit-il de Sara [Genèse, XX, 12] : *Elle est ma sœur, fille de mon père, et non de ma mère.* Les mêmes raisons avaient fait établir une même loi chez différents peuples.

---

**I**. Législateur athénien (vers 640-vers 558 av. J.-C.).
**II**. « Hérédité : succession aux biens d'un défunt » (Furetière).
**III**. « Consanguin », né de même père, par opposition à « utérin », né d'une même mère.

de ne pas mettre sur la même tête deux portions de fonds de terre, et par conséquent deux hérédités. Quand un homme épousait sa sœur du côté du père, il ne pouvait avoir qu'une hérédité, qui était celle de son père : mais, quand il épousait sa sœur utérine, il pouvait arriver que le père de cette sœur, n'ayant pas d'enfants mâles, lui laissât sa succession ; et que, par conséquent, son frère, qui l'avait épousée, en eût deux.

Qu'on ne m'objecte pas ce que dit Philon [f], que, quoiqu'à Athènes, on épousât sa sœur consanguine, et non pas sa sœur utérine, on pouvait à Lacédémone épouser sa sœur utérine, et non pas sa sœur consanguine. Car je trouve dans Strabon [g], que quand à Lacédémone une sœur épousait son frère, elle avait pour sa dot la moitié de la portion du frère. Il est clair que cette seconde loi était faite pour prévenir les mauvaises suites de la première. Pour empêcher que le bien de la famille de la sœur ne passât dans celle du frère, on donnait en dot à la sœur la moitié du bien du frère.

Sénèque [h], parlant de Silanus qui avait épousé sa sœur, dit qu'à Athènes la permission était restreinte, et qu'elle était générale à Alexandrie. Dans le gouvernement d'un seul, il n'était guère question de maintenir le partage des biens.

Pour maintenir ce partage des terres dans la démocratie, c'était une bonne loi que celle qui voulait qu'un père qui avait plusieurs enfants en choisît un pour succéder à sa portion [i], et donnât les autres en adoption à quelqu'un qui n'eût point d'enfants, afin que le nombre des citoyens pût toujours se maintenir égal à celui des partages.

Phaléas de Chalcédoine [k] avait imaginé une façon de rendre égales les fortunes dans une république où elles

---

f. *De specialibus legibus quæ pertinent ad præcepta Decalogi* [III, 22].

g. [*Géographie*] Liv. X [4, 20].

h. *Athenis dimidium licet, Alexandriæ totum.* SÉNÈQUE, *De morte Claudii* [*Apocoloquintose*, 8].

i. Platon fait une pareille loi, liv. III des *Lois* [13].

k. ARISTOTE, *Politique*, II, chap. 7 [1266b].

ne l'étaient pas. Il voulait que les riches donnassent des dots aux pauvres, et n'en reçussent pas ; et que les pauvres reçussent de l'argent pour leurs filles, et n'en donnassent pas. Mais je ne sache point qu'aucune république se soit accommodée d'un règlement pareil. Il met les citoyens sous des conditions, dont les différences sont si frappantes, qu'ils haïraient cette égalité même que l'on chercherait à introduire. Il est bon quelquefois que les lois ne paraissent pas aller si directement au but qu'elles se proposent.

Quoique, dans la démocratie, l'égalité réelle soit l'âme de l'État, cependant elle est si difficile à établir, qu'une exactitude extrême à cet égard ne conviendrait pas toujours. Il suffit que l'on établisse un cens[1] qui réduise ou fixe les différences à un certain point ; après quoi, c'est à des lois particulières à égaliser, pour ainsi dire, les inégalités, par les charges qu'elles imposent aux riches, et le soulagement qu'elles accordent aux pauvres. Il n'y a que les richesses médiocres qui puissent donner ou souffrir ces sortes de compensations : car, pour les fortunes immodérées, tout ce qu'on ne leur accorde pas de puissance et d'honneur, elles le regardent comme une injure[14].

Toute inégalité dans la démocratie doit être tirée de la nature de la démocratie et du principe même de l'égalité. Par exemple, on y peut craindre que des gens qui auraient besoin d'un travail continuel pour vivre, ne fussent trop appauvris par une magistrature[1], ou qu'ils n'en négligeassent les fonctions ; que des artisans ne

---

1. Solon fit quatre classes : la première, de ceux qui avaient cinq cents mines de revenu, tant en grains qu'en fruits liquides ; la seconde, de ceux qui en avaient trois cents, et pouvaient entretenir un cheval ; la troisième, de ceux qui n'en avaient que deux cents ; la quatrième, de tous ceux qui vivaient de leurs bras. PLUTARQUE, *Vie de Solon* [18, 1-2][15].

---

I. Charge de magistrat, c'est-à-dire d'une fonction judiciaire ou de police.

s'enorgueillissent ; que des affranchis trop nombreux ne devinssent plus puissants que les anciens citoyens. Dans ces cas, l'égalité entre les citoyens[m] peut être ôtée dans la démocratie pour l'utilité de la démocratie. Mais ce n'est qu'une égalité apparente que l'on ôte : car un homme ruiné par une magistrature serait dans une pire condition que les autres citoyens ; et ce même homme, qui serait obligé d'en négliger les fonctions, mettrait les autres citoyens dans condition pire que la sienne ; et ainsi du reste.

## CHAPITRE 6
### Comment les lois doivent entretenir la frugalité dans la démocratie

Il ne suffit pas, dans une bonne démocratie, que les portions de terres soient égales ; il faut qu'elles soient petites, comme chez les Romains[16]. « À Dieu ne plaise, disait Curius à ses soldats[a], qu'un citoyen estime peu de terre, ce qui est suffisant pour nourrir un homme. »

Comme l'égalité des fortunes entretient la frugalité, la frugalité maintient l'égalité des fortunes. Ces choses, quoique différentes, sont telles qu'elles ne peuvent subsister l'une sans l'autre ; chacune d'elles est la cause et l'effet ; si l'une se retire de la démocratie, l'autre la suit toujours.

Il est vrai que, lorsque la démocratie est fondée sur le commerce, il peut fort bien arriver que des particuliers y aient de grandes richesses, et que les mœurs n'y soient pas corrompues. C'est que l'esprit de commerce entraîne avec soi celui de frugalité, d'économie, de modération, de

m. Solon exclut des charges tous ceux du quatrième cens[17].
a. Ils demandaient une plus grande portion de la terre conquise. PLUTARQUE, *Œuvres morales*, *Vies des anciens rois et capitaines*.

travail, de sagesse, de tranquillité, d'ordre et de règle [18]. Ainsi, tandis que cet esprit subsiste, les richesses qu'il produit n'ont aucun mauvais effet. Le mal arrive, lorsque l'excès des richesses détruit cet esprit de commerce ; on voit tout à coup naître les désordres de l'inégalité, qui ne s'étaient pas encore fait sentir.

Pour maintenir l'esprit de commerce, il faut que les principaux citoyens le fassent eux-mêmes ; que cet esprit règne seul, et ne soit point croisé par un autre ; que toutes les lois le favorisent ; que ces mêmes lois, par leurs dispositions, divisant les fortunes à mesure que le commerce les grossit, mettent chaque citoyen pauvre dans une assez grande aisance, pour pouvoir travailler comme les autres ; et chaque citoyen riche dans une telle médiocrité, qu'il ait besoin de son travail pour conserver ou pour acquérir.

C'est une très bonne loi, dans une république commerçante, que celle qui donne à tous les enfants une portion égale dans la succession des pères. Il se trouve par là que, quelque fortune que le père ait faite, ses enfants, toujours moins riches que lui, sont portés à fuir le luxe [19], et à travailler comme lui. Je ne parle que des républiques commerçantes ; car, pour celles qui ne le sont pas, le législateur a bien d'autres règlements à faire [b].

Il y avait dans la Grèce deux sortes de républiques : les unes étaient militaires, comme Lacédémone ; d'autres étaient commerçantes, comme Athènes. Dans les unes, on voulait que les citoyens fussent oisifs [1] ; dans les autres, on cherchait à donner de l'amour pour le travail. Solon fit un crime de l'oisiveté [20], et voulut que chaque citoyen rendît compte de la manière dont il gagnait sa vie. En effet, dans une bonne démocratie où l'on ne doit dépenser que pour le nécessaire, chacun doit l'avoir ; car de qui le recevrait-on ?

b. On y doit borner beaucoup les dots des femmes [21].

---

I. Au sens où ils n'ont pas à gagner leur vie.

## CHAPITRE 7
### Autres moyens de favoriser le principe
### de la démocratie

On ne peut pas établir un partage égal des terres dans toutes les démocraties. Il y a des circonstances où un tel arrangement serait impraticable, dangereux, et choquerait même la constitution. On n'est pas toujours obligé de prendre les voies extrêmes. Si l'on voit, dans une démocratie, que ce partage, qui doit maintenir les mœurs, n'y convient pas, il faut avoir recours à d'autres moyens.

Si l'on établit un corps fixe qui soit par lui-même la règle des mœurs, un sénat où l'âge, la vertu, la gravité, les services donnent entrée ; les sénateurs, exposés à la vue du peuple comme les simulacres des dieux, inspireront des sentiments qui seront portés dans le sein de toutes les familles.

Il faut surtout que ce sénat s'attache aux institutions anciennes, et fasse en sorte que le peuple et les magistrats ne s'en départent jamais.

Il y a beaucoup à gagner, en fait de mœurs, à garder les coutumes anciennes. Comme les peuples corrompus font rarement de grandes choses, qu'ils n'ont guère établi de sociétés, fondé de villes, donné de lois ; et qu'au contraire ceux qui avaient des mœurs simples et austères ont fait la plupart des établissements ; rappeler les hommes aux maximes anciennes, c'est ordinairement les ramener à la vertu [22].

De plus, s'il y a eu quelque révolution, et que l'on ait donné à l'État une forme nouvelle, cela n'a guère pu se faire qu'avec des peines et des travaux infinis, et rarement avec l'oisiveté et des mœurs corrompues. Ceux même qui ont fait la révolution ont voulu la faire goûter, et ils n'ont guère pu y réussir que par de bonnes lois. Les institutions anciennes sont donc ordinairement des corrections, et les nouvelles, des abus [23]. Dans le cours d'un long gouvernement, on va au mal par une pente insensible, et on ne remonte au bien que par un effort [24].

On a douté si les membres du sénat dont nous parlons doivent être à vie, ou choisis pour un temps. Sans doute qu'ils doivent être choisis pour la vie, comme cela se pratiquait à Rome[a], à Lacédémone[b] et à Athènes même. Car il ne faut pas confondre ce qu'on appelait le sénat à Athènes, qui était un corps qui changeait tous les trois mois, avec l'aréopage[1], dont les membres étaient établis pour la vie, comme des modèles perpétuels.

Maxime générale : dans un sénat fait pour être la règle, et, pour ainsi dire, le dépôt des mœurs, les sénateurs doivent être élus pour la vie ; dans un sénat fait pour préparer les affaires, les sénateurs peuvent changer.

L'esprit, dit Aristote, vieillit comme le corps [25]. Cette réflexion n'est bonne qu'à l'égard d'un magistrat unique, et ne peut être appliquée à une assemblée de sénateurs.

Outre l'aréopage [26], il y avait à Athènes des gardiens des mœurs et des gardiens des lois[c]. À Lacédémone, tous les vieillards étaient censeurs [27]. À Rome, deux magistrats particuliers avaient la censure. Comme le sénat veille sur

a. Les magistrats y étaient annuels, et les sénateurs pour la vie.
b. Lycurgue, dit Xénophon, *De Republ. Lacedæm.* [*Constitution des Lacédémoniens*, X, 1-2], voulut « qu'on élût les sénateurs parmi les vieillards, pour qu'ils ne se négligeassent pas, même à la fin de la vie ; et en les établissant juges du courage des jeunes gens, il a rendu la vieillesse de ceux-là plus honorable que la force de ceux-ci ».
c. L'aréopage lui-même était soumis à la censure.

1. L'aréopage, composé des archontes (magistrats en charge de l'exécutif) sortis de charges, en général des hommes âgés et exercés aux affaires, était une cour de justice de fondation ancienne. Ses membres étaient nommés à vie. « Gardien de la constitution » (Aristote, *Constitution d'Athènes*, VIII, 4), il était chargé de veiller sur les lois de la cité et sur les mœurs. Solon créa un conseil de quatre cents sénateurs, cent de chaque tribu, qui étaient choisis dans les trois premières classes. Ce sénat préparait les lois qui devaient être soumises à l'assemblée du peuple, s'occupait des finances et de l'administration. L'aréopage, par sa fonction et sa constitution, est proche des sénats romain et spartiate (*Spic.*, nº 28).

le peuple, il faut que des censeurs aient les yeux sur le peuple et sur le sénat [28]. Il faut qu'ils rétablissent dans la république tout ce qui a été corrompu, qu'ils notent la tiédeur, jugent les négligences, et corrigent les fautes, comme les lois punissent les crimes.

La loi romaine qui voulait que l'accusation de l'adultère fût publique [29], était admirable pour maintenir la pureté des mœurs ; elle intimidait les femmes, elle intimidait aussi ceux qui devaient veiller sur elles.

Rien ne maintient plus les mœurs qu'une extrême subordination des jeunes gens envers les vieillards. Les uns et les autres seront contenus, ceux-là par le respect qu'ils auront pour les vieillards, et ceux-ci par le respect qu'ils auront pour eux-mêmes.

Rien ne donne plus de force aux lois, que la subordination extrême des citoyens aux magistrats. « La grande différence que Lycurgue a mise entre Lacédémone et les autres cités, dit Xénophon [d], consiste en ce qu'il a surtout fait que les citoyens obéissent aux lois ; ils courent lorsque le magistrat les appelle. Mais, à Athènes, un homme riche serait au désespoir que l'on crût qu'il dépendît du magistrat. »

L'autorité paternelle est encore très utile pour maintenir les mœurs [30]. Nous avons déjà dit que, dans une république, il n'y a pas une force si réprimante, que dans les autres gouvernements. Il faut donc que les lois cherchent à y suppléer : elles le font par l'autorité paternelle.

À Rome, les pères avaient droit de vie et de mort sur leurs enfants [e]. À Lacédémone, chaque père avait droit de corriger l'enfant d'un autre.

---

d. *République de Lacédémone* [31].

e. On peut voir, dans l'histoire romaine, avec quel avantage pour la république on se servit de cette puissance. Je ne parlerai que du temps de la plus grande corruption. Aulus Fulvius s'était mis en chemin pour aller trouver Catilina ; son père le rappela et le fit mourir. SALLUSTE, *De bello Catil.* [*Conjuration de Catilina*, XXXIX]. Plusieurs autres citoyens firent de même, Dion, [*Histoire romaine,*] liv. XXXVII [36].

La puissance paternelle se perdit à Rome avec la république. Dans les monarchies, où l'on n'a que faire de mœurs si pures, on veut que chacun vive sous la puissance des magistrats.

Les lois de Rome, qui avaient accoutumé les jeunes gens à la dépendance, établirent une longue minorité[I]. Peut-être avons-nous eu tort de prendre cet usage : dans une monarchie, on n'a pas besoin de tant de contrainte.

Cette même subordination dans la république y pourrait demander que le père restât, pendant sa vie, le maître des biens de ses enfants, comme il fut réglé à Rome. Mais cela n'est pas de l'esprit de la monarchie.

## CHAPITRE 9
### Comment les lois sont relatives à leur principe dans la monarchie

L'honneur étant le principe de ce gouvernement, les lois doivent s'y rapporter.

Il faut qu'elles y travaillent à soutenir cette noblesse, dont l'honneur est, pour ainsi dire, l'enfant et le père[32].

Il faut qu'elles la rendent héréditaire, non pas pour être le terme entre le pouvoir du prince et la faiblesse du peuple, mais le lien de tous les deux[33].

Les substitutions[II], qui conservent les biens dans les familles, seront très utiles dans ce gouvernement, quoiqu'elles ne conviennent pas dans les autres.

---

I. Âge dans lequel on n'a pas l'administration de son bien.
II. Par substitution fidéicommissaire, l'héritier reçoit un bien qu'il doit conserver sa vie durant et restituer après sa mort à un tiers désigné par les noms d'« appelé » ou de « substitué ». Cette charge de conserver et de rendre met le bien à l'abri de toute dispersion. Les substitutions pouvant avoir plusieurs degrés (substitution graduelle), et se combinant avec les clauses d'aînesse et de masculinité, sont une pièce maîtresse dans la constitution des lignées nobles de « nom et d'armes ».

Le retrait lignager[1] rendra aux familles nobles les terres que la prodigalité d'un parent aura aliénées[II].

Les terres nobles auront des privilèges[34], comme les personnes. On ne peut pas séparer la dignité du monarque de celle du royaume ; on ne peut guère séparer non plus la dignité du noble de celle de son fief[III][35].

Toutes ces prérogatives seront particulières à la noblesse, et ne passeront point au peuple, si l'on ne veut choquer le principe du gouvernement, si l'on ne veut diminuer la force de la noblesse et celle du peuple.

Les substitutions gênent le commerce[36] ; le retrait lignager fait une infinité de procès nécessaires ; et tous les fonds du royaume vendus sont au moins, en quelque façon, sans maître pendant un an. Des prérogatives attachées à des fiefs donnent un pouvoir très à charge à ceux qui les souffrent. Ce sont des inconvénients particuliers de la noblesse, qui disparaissent devant l'utilité générale qu'elle procure. Mais quand on les communique au peuple, on choque inutilement tous les principes.

On peut, dans les monarchies, permettre de laisser la plus grande partie de ses biens à un seul de ses enfants[37] ; cette permission n'est même bonne que là.

Il faut que les lois favorisent tout le commerce[a] que la constitution de ce gouvernement peut donner ; afin que les sujets puissent, sans périr, satisfaire aux besoins toujours renaissants du prince et de sa cour[38].

Il faut qu'elles mettent un certain ordre dans la manière de lever les tributs[IV], afin qu'elle ne soit pas plus pesante que les charges mêmes[39].

---

a. Elle ne le permet qu'au peuple. Voyez la loi troisième, au code *De comm. et mercatoribus* [*Corpus Juris Civilis, Code* 4.63.3], qui est pleine de bon sens[40].

---

I. « Droit accordé aux parents de ceux qui ont vendu quelque héritage propre, de le retirer sur l'acquéreur, en lui remboursant le prix et les [...] coûts » (*Encyclopédie*).

II. Vendues.

III. Domaine noble concédé par le suzerain à son vassal.

IV. Impôts.

La pesanteur des charges produit d'abord le travail ; le travail, l'accablement ; l'accablement, l'esprit de paresse.

## CHAPITRE 11
### De l'excellence du gouvernement monarchique

Le gouvernement monarchique a un grand avantage sur le despotique [41]. Comme il est de sa nature qu'il y ait sous le prince plusieurs ordres [I] qui tiennent à la constitution, l'État est plus fixe, la constitution plus inébranlable, la personne de ceux qui gouvernent plus assurée.

Cicéron [a] croit que l'établissement des tribuns [II] de Rome [42] fut le salut de la république. « En effet, dit-il, la force du peuple qui n'a point de chef est plus terrible. Un chef sent que l'affaire roule sur lui, il y pense ; mais le peuple, dans son impétuosité, ne connaît point le péril où il se jette. » On peut appliquer cette réflexion à un État despotique, qui est un peuple sans tribuns ; et à une monarchie, où le peuple a, en quelque façon, des tribuns [43].

En effet, on voit partout que, dans les mouvements du gouvernement despotique, le peuple, mené par lui-même, porte toujours les choses aussi loin qu'elles peuvent aller ; tous les désordres qu'il commet sont extrêmes ; au lieu que, dans les monarchies, les choses sont très rarement portées à l'excès. Les chefs craignent pour eux-mêmes ; ils ont peur d'être abandonnés ; les puissances intermédiaires dépendantes [b] ne veulent pas que le peuple prenne trop le dessus. Il est rare que les ordres de l'État

a. Liv. III, *Des lois* [X, 23] [44].
b. Voyez ci-dessus la première note du livre II, chap. 4.

---

I. Les trois ordres sont le clergé, la noblesse et le tiers état.
II. Magistrats romains chargés de défendre les intérêts du peuple (plèbe) contre les entreprises des consuls et du sénat.

soient entièrement corrompus. Le prince tient à ces ordres : et les séditieux [I], qui n'ont ni la volonté ni l'espérance de renverser l'État, ne peuvent ni ne veulent renverser le prince.

Dans ces circonstances, les gens qui ont de la sagesse et de l'autorité s'entremettent ; on prend des tempéraments [II], on s'arrange, on se corrige ; les lois reprennent leur vigueur et se font écouter.

Aussi toutes nos histoires sont-elles pleines de guerres civiles sans révolutions ; celles des États despotiques sont pleines de révolutions sans guerres civiles [45].

Ceux qui ont écrit l'histoire des guerres civiles de quelques États [46], ceux même qui les ont fomentées [III], prouvent assez combien l'autorité que les princes laissent à de certains ordres pour leur service, leur doit être peu suspecte ; puisque, dans l'égarement même, ils ne soupireraient qu'après les lois et leur devoir, et retardaient la fougue et l'impétuosité des factieux [IV] plus qu'ils ne pouvaient la servir [c].

Le cardinal de Richelieu, pensant peut-être qu'il avait trop avili les ordres de l'État, a recours, pour le soutenir, aux vertus du prince et de ses ministres [d] ; et il exige d'eux tant de choses, qu'en vérité il n'y a qu'un ange qui puisse avoir tant d'attention, tant de lumières, tant de fermeté, tant de connaissances ; et on peut à peine se flatter que, d'ici à la dissolution des monarchies, il puisse y avoir un prince et des ministres pareils [47].

---

c. *Mémoires* du cardinal de Retz et autres histoires [48].
d. *Testament politique* [49].

---

I. Ceux qui sont perturbateurs de l'ordre public, et qui s'opposent à l'autorité.

II. À la fois un adoucissement et une voie moyenne que l'on trouve dans les affaires pour accorder des partis.

III. Provoquées.

IV. L'homme de « faction », qui est ennemi du « repos public » (Furetière), s'oppose à l'homme d'État.

Comme les peuples qui vivent sous une bonne police [I] sont plus heureux que ceux qui, sans règle et sans chefs, errent dans les forêts ; aussi les monarques qui vivent sous les lois fondamentales de leur État [50], sont-ils plus heureux que les princes despotiques [51], qui n'ont rien qui puisse régler le cœur de leurs peuples, ni le leur.

## CHAPITRE 13
### Idée du despotisme

Quand les sauvages de la Louisiane veulent avoir du fruit, ils coupent l'arbre au pied, et cueillent le fruit [a]. Voilà le gouvernement despotique.

## CHAPITRE 14 (extrait)
### Comment les lois sont relatives au principe du gouvernement despotique

Le gouvernement despotique a pour principe la crainte : mais, à des peuples timides [II], ignorants, abattus [52], il ne faut pas beaucoup de lois.

Tout y doit rouler sur deux ou trois idées ; il n'en faut donc pas de nouvelles [53]. Quand vous instruisez une bête, vous vous donnez bien de garde [III] de lui faire changer

---

a. *Lettres édif.*, 11e recueil, p. 315 [54].

---

I. Règlement d'un État. « Police : lois, ordre et conduite à observer pour la subsistance et l'entretien des États et des sociétés. En général, il est opposé à barbarie. Les sauvages de l'Amérique n'avaient ni lois, ni police, quand on en fit la découverte » (Furetière).

II. Timorés, craintifs.

III. Vous vous gardez bien.

de maître, de leçon et d'allure ; vous frappez son cerveau par deux ou trois mouvements [55], et pas davantage.

Lorsque le prince est enfermé, il ne peut sortir du séjour de la volupté sans désoler tous ceux qui l'y retiennent. Ils ne peuvent souffrir que sa personne et son pouvoir passent en d'autres mains. Il fait donc rarement la guerre en personne, et il n'ose guère la faire par ses lieutenants.

Un prince pareil, accoutumé dans son palais à ne trouver aucune résistance, s'indigne de celle qu'on lui fait les armes à la main ; il est donc ordinairement conduit par la colère ou par la vengeance. D'ailleurs il ne peut avoir d'idée de la vraie gloire. Les guerres doivent donc s'y faire dans toute leur fureur [I] naturelle, et le droit des gens [II] y avoir moins d'étendue qu'ailleurs.

Un tel prince a tant de défauts qu'il faudrait craindre d'exposer au grand jour sa stupidité [III] naturelle. Il est caché, et l'on ignore l'état où il se trouve. Par bonheur, les hommes sont tels dans ces pays, qu'ils n'ont besoin que d'un nom qui les gouverne [56].

Charles XII [57], étant à Bender, trouvant quelque résistance dans le sénat de Suède, écrivit qu'il leur enverrait une de ses bottes pour commander. Cette botte aurait commandé comme un roi despotique.

Si le prince est prisonnier, il est censé être mort, et un autre monte sur le trône. Les traités que fait le prisonnier sont nuls ; son successeur ne les ratifierait pas. En effet, comme il est les lois, l'État et le prince, et que sitôt qu'il n'est plus le prince, il n'est rien ; s'il n'était pas censé mort, l'État serait détruit.

Une des choses qui détermina le plus les Turcs à faire leur paix séparée avec Pierre Ier, fut que les Moscovites

---

I. Folie, déchaînement.

II. Traduction littérale de *ius gentium* (droit des nations) ; droit qui règle les rapports internationaux.

III. Insensibilité et incapacité de raisonnement.

dirent au vizir qu'en Suède on avait mis un autre roi sur le trône[a].

La conservation de l'État n'est que la conservation du prince, ou plutôt du palais où il est enfermé. Tout ce qui ne menace pas directement ce palais ou la ville capitale, ne fait point d'impression sur des esprits ignorants, orgueilleux et prévenus ; et, quant à l'enchaînement des événements, ils ne peuvent le suivre, le prévoir, y penser même[58]. La politique[I], ses ressorts et ses lois, y doivent être très bornés ; et le gouvernement politique y est aussi simple que le gouvernement civil[b].

Tout se réduit à concilier le gouvernement politique et civil avec le gouvernement domestique, les officiers de l'État avec ceux du sérail[59].

Un pareil État sera dans la meilleure situation, lorsqu'il pourra se regarder comme seul dans le monde ; qu'il sera environné de déserts, et séparé des peuples qu'il appellera barbares. Ne pouvant compter sur la milice[II], il sera bon qu'il détruise une partie de lui-même[60].

Comme le principe du gouvernement despotique est la crainte, le but en est la tranquillité ; mais ce n'est point une paix, c'est le silence de ces villes que l'ennemi est prêt d'occuper[61].

La force n'étant pas dans l'État, mais dans l'armée qui l'a fondé, il faudrait, pour défendre l'État, conserver cette armée ; mais elle est formidable[III] au prince. Comment donc concilier la sûreté de l'État avec la sûreté de la personne ?

a. Suite de PUFENDORF, *Hist. universelle*, au traité de la Suède, chap. 10[62].
b. Selon M. Chardin, il n'y a point de conseil d'État en Perse.

I. Il s'agit de l'art de gouverner. Ce qui peut s'entendre comme l'établissement de la « police », des lois qui garantissent la sûreté et la tranquillité d'un État, ou comme l'art de se maintenir au pouvoir. Dans le despotisme, ces deux sens sont confondus, comme l'indique le début du paragraphe.
II. Au sens général d'armée, ou troupe de gens de guerre.
III. Qui fait peur, qui est à redouter.

Voyez, je vous prie, avec quelle industrie[I] le gouvernement moscovite cherche à sortir du despotisme, qui lui est plus pesant qu'aux peuples mêmes[63]. On a cassé les grands corps de troupes ; on a diminué les peines des crimes ; on a établi des tribunaux ; on a commencé à connaître les lois ; on a instruit les peuples. Mais il y a des causes particulières, qui le ramèneront peut-être au malheur qu'il voulait fuir.

Dans ces États, la religion a plus d'influence que dans aucun autre ; elle est une crainte ajoutée à la crainte. Dans les empires mahométans[II], c'est de la religion que les peuples tirent en partie le respect étonnant qu'ils ont pour leur prince[64].

C'est la religion qui corrige un peu la constitution turque. Les sujets, qui ne sont pas attachés à la gloire et à la grandeur de l'État par honneur[65], le sont par la force et par le principe de la religion.

De tous les gouvernements despotiques, il n'y en a point qui s'accable plus lui-même, que celui où le prince se déclare propriétaire de tous les fonds de terre, et l'héritier de tous ses sujets[66]. Il en résulte toujours l'abandon de la culture des terres ; et, si d'ailleurs le prince est marchand, toute espèce d'industrie[III] est ruinée[67].

Dans ces États, on ne répare, on n'améliore rien[c]. On ne bâtit de maisons que pour la vie, on ne fait point de fossés, on ne plante point d'arbres ; on tire tout de la terre, on ne lui rend rien ; tout est en friche, tout est désert[68].

[...]

Après tout ce que nous venons de dire[69], il semblerait que la nature humaine se soulèverait sans cesse contre

---

c. Voyez RICAUT, *État de l'empire ottoman*, éd. de 1678, in-12, p. 196[70].

---

I. Adresse.
II. Adeptes du mahométisme, c'est-à-dire de l'islam, la religion de Mahomet, sans nuance péjorative.
III. Ici, toute activité autre que l'agriculture.

le gouvernement despotique. Mais, malgré l'amour des hommes pour la liberté, malgré leur haine contre la violence, la plupart des peuples y sont soumis. Cela est aisé à comprendre. Pour former un gouvernement modéré[71], il faut combiner les puissances, les régler, les tempérer, les faire agir ; donner, pour ainsi dire, un lest à l'une, pour la mettre en état de résister à une autre ; c'est un chef-d'œuvre de législation, que le hasard fait rarement, et que rarement on laisse faire à la prudence[1][72]. Un gouvernement despotique, au contraire, saute, pour ainsi dire, aux yeux ; il est uniforme[73] partout : comme il ne faut que des passions pour l'établir, tout le monde est bon pour cela.

## CHAPITRE 16
### De la communication du pouvoir

Dans le gouvernement despotique, le pouvoir passe tout entier dans les mains de celui à qui on le confie[74]. Le vizir est le despote lui-même[75] ; et chaque officier particulier est le vizir. Dans le gouvernement monarchique, le pouvoir s'applique moins immédiatement ; le monarque, en le donnant, le tempère[a]. Il fait une telle distribution de son autorité, qu'il n'en donne jamais une partie, qu'il n'en retienne une plus grande.

Ainsi, dans les États monarchiques, les gouverneurs particuliers des villes ne relèvent pas tellement du gouverneur de la province, qu'ils ne relèvent du prince encore

a. *Ut esse Phœbi dulcius lumen solet/ Jamjam cadentis*[76]...

---

**I.** Chef-d'œuvre : « ouvrage que font les ouvriers, pour faire preuve de leur capacité dans le métier où ils se veulent faire passer maîtres » (*Académie*). Prudence : art de se conduire habilement. Le savoir des lois que Montesquieu veut éclairer est pratique et suppose un discernement des cas.

davantage ; et les officiers particuliers des corps militaires ne dépendant pas tellement du général, qu'ils ne dépendent du prince encore plus.

Dans la plupart des États monarchiques, on a sagement établi que ceux qui ont un commandement un peu étendu ne soient attachés à aucun corps de milice ; de sorte que, n'ayant de commandement que par une volonté particulière du prince, pouvant être employés et ne l'être pas, ils sont en quelque façon dans le service, et en quelque façon dehors.

Ceci est incompatible avec le gouvernement despotique. Car, si ceux qui n'ont pas un emploi actuel avaient néanmoins des prérogatives et des titres, il y aurait dans l'État des hommes grands par eux-mêmes ; ce qui choquerait la nature de ce gouvernement [77].

Que si le gouverneur d'une ville était indépendant du bacha, il faudrait tous les jours des tempéraments pour les accommoder ; chose absurde dans un gouvernement despotique. Et, de plus, le gouverneur particulier pouvant ne pas obéir, comment l'autre pourrait-il répondre de sa province sur sa tête ?

Dans ce gouvernement, l'autorité ne peut être balancée [78] ; celle du moindre magistrat ne l'est pas plus que celle du despote. Dans les pays modérés, la loi est partout sage, elle est partout connue, et les plus petits magistrats peuvent la suivre. Mais dans le despotisme, où la loi n'est que la volonté du prince, quand le prince serait sage, comment un magistrat pourrait-il suivre une volonté qu'il ne connaît pas ? Il faut qu'il suive la sienne.

Il y a plus : c'est que la loi n'étant que ce que le prince veut, et le prince ne pouvant vouloir que ce qu'il connaît, il faut bien qu'il y ait une infinité de gens qui veuillent pour lui et comme lui.

Enfin, la loi étant la volonté momentanée du prince, il est nécessaire que ceux qui veulent pour lui veuillent subitement comme lui [79].

# LIVRE VIII

## De la corruption des principes des trois gouvernements

Le livre VIII vient clore la première partie de *L'Esprit des lois* structurée par l'entreprise typologique. L'exposition du couple nature/principe des gouvernements dans les livres II et III permet d'interroger le rapport aux lois, selon qu'elles conviennent ou non à l'organisation du gouvernement et à la passion-principe qui doit animer les sujets. C'est le jeu entre ces trois aspects de la réalité sociale (dispositifs politiques, dispositions légales, économie passionnelle) qui permet d'interroger le devenir des gouvernements, c'est-à-dire le passage d'une forme à une autre. Le livre VIII donne les moyens de penser la transformation des régimes. Comme Montesquieu l'annonce dans sa préface, il s'agit de rendre raison à la fois des lois positives et des histoires de toutes les nations. Le cadre typologique doit permettre d'éclairer le devenir des gouvernements existants qui ont, « comme toutes les choses humaines » (XI, 6), une fin : la corruption est l'horizon des gouvernements.

Si la nature et le principe de chaque gouvernement doivent s'accorder, comment comprendre le primat reconnu au principe dans ce processus (VIII, 1) ? L'exposé, qui suit l'ordre typologique, permet de donner sens à cette affirmation initiale. La vertu, essentielle à la démocratie, peut se perdre par excès ou par défaut. Par défaut, lorsque apparaît le désir de jouissance qui particularise les intérêts : les mœurs frugales des bons citoyens sont corrompues avec l'introduction du luxe (*EL*, VII, 2). Par excès, lorsque les citoyens refusent toute hiérarchie et toute subordination (VIII, 2). L'« esprit d'égalité extrême » introduit un individualisme qui nie les distinctions et les valeurs morales constitutives de la république (*EL*, VIII, 3). La corruption de la monarchie intervient lorsque disparaissent les corps intermédiaires et que le prince identifie sa personne à l'État (VIII, 6). Dans la monarchie déréglée, le prince use de la noblesse en même temps qu'il use le principe qui l'anime (*EL*, VIII, 7). On voit ainsi que, dans une monarchie bien ordonnée, la passion qui règle les ambitions de la noblesse est également ce qui offre une résistance au bon plaisir du roi.

Immédiatement après cette analyse des structures dynamiques que sont les républiques et les monarchies, Montesquieu complète sa typologie (qui concerne l'ordre interne des gouvernements, en II, 1) d'une nouvelle distinction (qui concerne le devenir des gouvernements) : avec l'opposition des gouvernements « modérés » (républiques et monarchie) au despotisme, l'entreprise typologique acquiert une dimension normative (VIII, 8). Il faut dès lors distinguer deux types de corruption : celle qui se rapporte aux *transformations* des régimes modérés (une aristocratie qui devient monarchie, ou une monarchie qui devient république), et celle qui est une *chute* dans le despotisme. Le régime despotique est corrompu *en lui-même* (VIII, 10), ce qui indique qu'il est d'une tout autre nature que les régimes modérés et ce qui conduit à se demander comment un tel régime peut exister (voir livre XIV). L'enjeu pratique de ces considérations sur la corruption des principes apparaît donc dans la *tendance* au despotisme, qui peut être le fait de tous les régimes modérés, même si les mœurs freinent cette évolution en Europe. En insistant sur « l'abus de pouvoir » et la « conquête » (VIII, 8), susceptibles d'emporter un équilibre fragile et d'entraîner le gouvernement dans une dérive despotique, Montesquieu met en place les thèmes qui vont structurer la deuxième partie de *L'Esprit des lois* : la défense du territoire et la conquête (livres IX et X), la liberté politique comme étant constitutive de l'ordre modéré (livre XI). Il faut examiner les conditions de la modération territoriale (qui suppose de renoncer à l'esprit de conquête) et de la modération constitutionnelle (entendue comme distribution et balance du pouvoir).

La tendance au despotisme n'est certes pas une fatalité, mais encore faut-il avoir les moyens de « proposer des changements » (préface) opportuns qui permettent de prévenir le basculement. Montesquieu, décrivant le passage de la monarchie à la république chez les Romains, indique que la « correction » est cette modération qui œuvre historiquement, puisque c'est dans la distribution des pouvoirs et la combinaison des puissances sociales que se maintient l'équilibre précaire qui caractérise ces régimes, c'est-à-dire un accord toujours renouvelé : « Un État peut changer de deux manières : ou parce que la constitution se corrige, ou parce qu'elle se corrompt. S'il a conservé ses principes, et que la constitution change, c'est qu'elle se corrige : s'il a perdu ses principes, quand la constitution vient à changer, c'est qu'elle se corrompt » (*EL*, XI, 13).

C'est dans les commencements qu'il faut être capable de percevoir et d'évaluer les transformations des gouvernements. Le primat du principe (VIII, 1) a ainsi une dimension pratique qui intéresse le législateur : seule la présence des principes lui permet d'espérer une correction par les lois. Si les principes sont corrompus, il n'a plus prise sur le processus historique : « Lorsque les principes du gouvernement sont une fois corrompus, les meilleures lois deviennent mauvaises, et se tournent contre l'État ; lorsque les principes en sont sains, les mauvaises ont l'effet des bonnes ; la force du principe entraîne tout » (*EL*, VIII, 11). Cette affirmation peut être rapprochée de Machiavel : « Là où la matière n'est pas corrompue, les troubles et les désordres ne sont pas nocifs. Là où elle est corrompue, les bonnes lois ne servent à rien, si elles ne sont appliquées par un homme capable de les faire observer avec une telle énergie que la matière s'assainisse » (*Discours sur la première décade de Tite-Live* [1531], I, XVII). Le livre VIII reprend donc un thème cher au républicanisme, la question de la corruption de la vertu, et instaure un dialogue avec ce courant de pensée. Le prisme romain révèle ainsi les conditions d'une véritable réforme, qui est toujours un *rappel* aux principes (*EL*, VIII, 12). Il s'agit de dévoiler des processus insensibles, où « le plus petit changement dans la constitution entraîne la ruine des principes » (*EL*, VIII, 14), pour permettre de régler l'intervention législatrice.

C'est en effet après avoir donné les raisons de l'impuissance législatrice que Montesquieu aborde les « moyens très efficaces pour la conservation des trois principes » (*EL*, VIII, 15), qui occupe la fin du livre. Il met en évidence l'adéquation entre l'étendue du territoire et la nature du régime. La propriété distinctive de la république est d'avoir un petit territoire (VIII, 16), celle de la monarchie d'être d'une « grandeur médiocre » (VIII, 17) ; ce qui distingue ces régimes modérés d'un « grand empire », nécessairement despotique (VIII, 19). S'efforcer de maintenir l'unité territoriale dans les *limites* indiquées est donc essentiel pour les régimes modérés (VIII, 20). Le cas chinois (VIII, 21), qui vient clore le livre, peut se comprendre comme une mise à l'épreuve du cadre typologique, en même temps qu'il permet d'interroger les présupposés idéologiques des défenseurs de l'absolutisme.

Mettre en avant cette logique territoriale pour se prémunir du risque despotique, c'est indiquer que la guerre, qu'elle soit perdue ou gagnée, n'est pas sans effet sur l'ordre interne des gouvernements. Aussi convient-il d'éclairer les princes européens soucieux de leur puissance sur ce qui est une de leurs préoccupations centrales. Il faut mesurer le devenir ouvert par l'esprit de conquête, et voir comment ce mouvement induit des déséquilibres internes. Le livre VIII relance donc l'enquête pour éclairer cette dimension historique : le droit des gens et le droit politique doivent être interrogés à l'aune des rapports qui ont été exposés dans la première partie de l'ouvrage entre les principes et les lois. Plutôt que d'aborder abstraitement la question de la souveraineté, Montesquieu examine dans la deuxième partie de *L'Esprit des lois* quels dispositifs permettent la modération lorsqu'on considère les fonctions de la puissance souveraine : faire la guerre (livres IX et X), rendre la justice (livre XII), lever les impôts (livre XIII). Au centre de ce projet, il aborde la question de la liberté politique et des rapports qui *constituent* l'équilibre précaire propre au gouvernement modéré, « chef-d'œuvre de législation » (V, 14). Le livre XI s'organise autour de deux exemples (les cas anglais et romain) qui donnent à voir synchroniquement, puis diachroniquement, la dynamique des pouvoirs et des forces sociales. Si le livre VIII vient effectivement boucler l'exposé typologique de la première partie de l'ouvrage, il en est aussi une articulation majeure en ce qu'il poursuit l'investigation sur les conditions de la modération (deuxième partie), et en ce qu'il donne tout son sens historique à une enquête sur « les lois » qui regarde « les histoires de toutes les nations ».

## CHAPITRE PREMIER
### Idée générale de ce livre

La corruption de chaque gouvernement [1] commence presque toujours par celle des principes.

## CHAPITRE 2 (extrait)
### De la corruption du principe
### de la démocratie

Le principe de la démocratie se corrompt, non seulement lorsqu'on perd l'esprit d'égalité, mais encore quand on prend l'esprit d'égalité extrême [2], et que chacun veut être égal à ceux qu'il choisit pour lui commander. Pour lors le peuple, ne pouvant souffrir le pouvoir même qu'il confie, veut tout faire par lui-même [3], délibérer pour le sénat, exécuter pour les magistrats, et dépouiller tous les juges.

Il ne peut plus y avoir de vertu dans la république. Le peuple veut faire les fonctions des magistrats ; on ne les respecte donc plus. Les délibérations du sénat n'ont plus de poids ; on n'a donc plus d'égard pour les sénateurs, et par conséquent pour les vieillards [4]. Que si l'on n'a pas du respect pour les vieillards, on n'en aura pas non plus pour les pères ; les maris ne méritent pas plus de déférence, ni les maîtres plus de soumission. Tout le monde parviendra à aimer ce libertinage [1] ; la gêne du commandement fatiguera comme celle de l'obéissance. Les femmes, les enfants, les esclaves n'auront de soumission pour personne [5]. Il n'y aura plus de mœurs, plus d'amour de l'ordre [6], enfin plus de vertu.

On voit, dans le *Banquet* de Xénophon, une peinture bien naïve d'une république où le peuple a abusé de l'égalité. Chaque convive donne, à son tour, la raison pourquoi il est content de lui. « Je suis content de moi, dit Charmides, à cause de ma pauvreté. Quand j'étais riche, j'étais obligé de faire ma cour aux calomniateurs, sachant bien que j'étais plus en état de recevoir du mal d'eux que de leur en faire : la république me demandait toujours

---

I. Conduite de celui qui ne veut pas s'assujettir aux lois, aux règles du bien-vivre.

quelque nouvelle somme : je ne pouvais m'absenter. Depuis que je suis pauvre, j'ai acquis de l'autorité ; personne ne me menace, je menace les autres ; je puis m'en aller, ou rester. Déjà les riches se lèvent de leurs places, et me cèdent le pas. Je suis un roi, j'étais esclave ; je payais un tribut à la république, aujourd'hui elle me nourrit ; je ne crains plus de perdre, j'espère d'acquérir [7]. »

Le peuple tombe dans ce malheur, lorsque ceux à qui il se confie, voulant cacher leur propre corruption, cherchent à le corrompre. Pour qu'il ne voie pas leur ambition, ils ne lui parlent que de sa grandeur ; pour qu'il n'aperçoive pas leur avarice, ils flattent sans cesse la sienne.

La corruption augmentera parmi les corrupteurs, et elle augmentera parmi ceux qui sont déjà corrompus. Le peuple se distribuera tous les deniers publics ; et, comme il aura joint à sa paresse la gestion des affaires, il voudra joindre à sa pauvreté les amusements du luxe. Mais, avec sa paresse et son luxe, il n'y aura que le trésor public qui puisse être un objet pour lui.

Il ne faudra pas s'étonner si l'on voit les suffrages se donner pour de l'argent. On ne peut donner beaucoup au peuple, sans retirer encore plus de lui ; mais, pour retirer de lui, il faut renverser l'État. Plus il paraîtra tirer d'avantage de sa liberté, plus il s'approchera du moment où il doit la perdre. Il se forme de petits tyrans qui ont tous les vices d'un seul. Bientôt ce qui reste de liberté devient insupportable ; un seul tyran s'élève ; et le peuple perd tout, jusqu'aux avantages de sa corruption [8].

La démocratie a donc deux excès à éviter : l'esprit d'inégalité, qui la mène à l'aristocratie, ou au gouvernement d'un seul ; et l'esprit d'égalité extrême, qui la conduit au despotisme d'un seul, comme le despotisme d'un seul finit par la conquête.

[...]

## CHAPITRE 6
### De la corruption du principe
### de la monarchie

Comme les démocraties se perdent lorsque le peuple dépouille le sénat, les magistrats et les juges de leurs fonctions, les monarchies se corrompent lorsqu'on ôte peu à peu les prérogatives des corps ou les privilèges des villes. Dans le premier cas, on va au despotisme de tous ; dans l'autre, au despotisme d'un seul [9].

« Ce qui perdit les dynasties de Tsin et de Souï, dit un auteur chinois, c'est qu'au lieu de se borner, comme les anciens, à une inspection générale, seule digne du souverain, les princes voulurent gouverner tout immédiatement par eux-mêmes [a]. » L'auteur chinois nous donne ici la cause de la corruption de presque toutes les monarchies [10].

La monarchie se perd, lorsqu'un prince croit qu'il montre plus sa puissance en changeant l'ordre des choses qu'en le suivant ; lorsqu'il ôte les fonctions naturelles des uns pour les donner arbitrairement à d'autres, et lorsqu'il est plus amoureux de ses fantaisies que de ses volontés.

La monarchie se perd, lorsque le prince, rapportant tout uniquement à lui, appelle l'État à sa capitale, la capitale à sa cour, et la cour à sa seule personne [11].

Enfin elle se perd, lorsqu'un prince méconnaît son autorité, sa situation, l'amour de ses peuples ; et lorsqu'il ne sent pas bien qu'un monarque doit se juger en sûreté, comme un despote doit se croire en péril [12].

---

a. *Compilation d'ouvrages faits sous les Ming*, rapportés par le père Du Halde [13].

## CHAPITRE 8

### Danger de la corruption du principe du gouvernement monarchique

L'inconvénient [14] n'est pas lorsque l'État passe d'un gouvernement modéré à un gouvernement modéré, comme de la république à la monarchie [15], ou de la monarchie à la république ; mais quand il tombe et se précipite du gouvernement modéré au despotisme.

La plupart des peuples d'Europe sont encore gouvernés par les mœurs [16]. Mais si par un long abus du pouvoir [17], si par une grande conquête [18], le despotisme s'établissait à un certain point, il n'y aurait pas de mœurs ni de climat qui tinssent ; et, dans cette belle partie du monde, la nature humaine souffrirait [I], au moins pour un temps, les insultes qu'on lui fait dans les trois autres.

## CHAPITRE 10

### De la corruption du principe du gouvernement despotique

Le principe du gouvernement despotique se corrompt sans cesse, parce qu'il est corrompu par sa nature. Les autres gouvernements périssent, parce que des accidents particuliers en violent le principe : celui-ci périt par son vice intérieur [19], lorsque quelques causes accidentelles n'empêchent point son principe de se corrompre. Il ne se maintient donc que quand des circonstances [20] tirées du climat, de la religion, de la situation ou du génie du peuple, le forcent à suivre quelque ordre, et à souffrir quelque règle [21]. Ces choses forcent sa nature sans la

---

I. Endurerait.

changer ; sa férocité reste ; elle est pour quelque temps apprivoisée.

## Chapitre 16
### Propriétés distinctives de la république

Il est de la nature d'une république qu'elle n'ait qu'un petit territoire [22] ; sans cela, elle ne peut guère subsister [23]. Dans une grande république, il y a de grandes fortunes, et par conséquent peu de modération dans les esprits : il y a de trop grands dépôts à mettre entre les mains d'un citoyen ; les intérêts se particularisent ; un homme sent d'abord qu'il peut être heureux, grand, glorieux, sans sa patrie ; et bientôt, qu'il peut être seul grand sur les ruines de sa patrie.

Dans une grande république, le bien commun est sacrifié à mille considérations ; il est subordonné à des exceptions ; il dépend des accidents. Dans une petite, le bien public est mieux senti, mieux connu, plus près de chaque citoyen ; les abus y sont moins étendus, et par conséquent moins protégés.

Ce qui fit subsister si longtemps Lacédémone, c'est qu'après toutes ses guerres, elle resta toujours avec son territoire. Le seul but de Lacédémone était la liberté ; le seul avantage de sa liberté, c'était la gloire.

Ce fut l'esprit des républiques grecques de se contenter de leurs terres, comme de leurs lois. Athènes prit de l'ambition, et en donna à Lacédémone : mais ce fut plutôt pour commander à des peuples libres, que pour gouverner des esclaves ; plutôt pour être à la tête de l'union, que pour la rompre. Tout fut perdu lorsqu'une monarchie s'éleva ; gouvernement dont l'esprit est plus tourné vers l'agrandissement.

Sans des circonstances particulières [a], il est difficile que tout autre gouvernement que le républicain puisse subsister dans une seule ville. Un prince d'un si petit État chercherait naturellement à opprimer, parce qu'il aurait une grande puissance et peu de moyens pour en jouir, ou pour la faire respecter : il foulerait donc beaucoup ses peuples. D'un autre côté, un tel prince serait aisément opprimé par une force étrangère, ou même par une force domestique ; le peuple pourrait à tous les instants s'assembler et se réunir contre lui. Or, quand un prince d'une ville est chassé de sa ville, le procès est fini : s'il a plusieurs villes, le procès n'est que commencé [24].

## CHAPITRE 17
### Propriétés distinctives de la monarchie

Un État monarchique doit être d'une grandeur médiocre [25]. S'il était petit, il se formerait en république ; s'il était fort étendu, les principaux de l'État, grands par eux-mêmes, n'étant point sous les yeux du prince, ayant leur cour hors de sa cour, assurés d'ailleurs contre les exécutions promptes par les lois et par les mœurs, pourraient cesser d'obéir ; ils ne craindraient pas une punition trop lente et trop éloignée.

Aussi Charlemagne eut-il à peine fondé son empire, qu'il fallut le diviser ; soit que les gouverneurs des provinces n'obéissent pas ; soit que, pour les faire mieux obéir, il fût nécessaire de partager l'empire en plusieurs royaumes [26].

Après la mort d'Alexandre, son empire fut partagé. Comment ces grands de Grèce et de Macédoine, libres,

a. Comme quand un petit souverain se maintient entre deux grands États par leur jalousie mutuelle ; mais il n'existe que précairement.

ou du moins chefs des conquérants répandus dans cette vaste conquête, auraient-ils pu obéir ?

Après la mort d'Attila, son empire fut dissous[27] : tant de rois, qui n'étaient plus contenus, ne pouvaient point reprendre des chaînes.

Le prompt établissement du pouvoir sans bornes est le remède qui, dans ces cas, peut prévenir la dissolution : nouveau malheur après celui de l'agrandissement[28] !

Les fleuves courent se mêler dans la mer : les monarchies vont se perdre dans le despotisme.

## CHAPITRE 19
### Propriétés distinctives du gouvernement despotique

Un grand empire suppose une autorité despotique dans celui qui gouverne. Il faut que la promptitude des résolutions supplée à la distance des lieux où elles sont envoyées ; que la crainte empêche la négligence du gouverneur ou du magistrat éloigné ; que la loi soit dans une seule tête ; et qu'elle change sans cesse, comme les accidents, qui se multiplient toujours dans l'État, à proportion de sa grandeur[29].

## CHAPITRE 20
### Conséquence des chapitres précédents

Que si la propriété naturelle des petits États est d'être gouvernés en république ; celle des médiocres d'être soumis à un monarque ; celle des grands empires d'être dominés par un despote ; il suit que, pour conserver les principes du gouvernement établi, il faut maintenir l'État dans la grandeur qu'il avait déjà ; et que cet État changera d'esprit, à mesure qu'on rétrécira, ou qu'on étendra ses limites.

## CHAPITRE 21
### De l'empire de la Chine

Avant de finir ce livre, je répondrai à une objection qu'on peut faire sur tout ce que j'ai dit jusqu'ici.

Nos missionnaires nous parlent du vaste empire de la Chine, comme d'un gouvernement admirable [30], qui mêle ensemble dans son principe la crainte, l'honneur et la vertu [31]. J'ai donc posé une distinction vaine, lorsque j'ai établi les principes des trois gouvernements.

J'ignore ce que c'est que cet honneur dont on parle chez des peuples à qui on ne fait rien faire qu'à coups de bâton [a].

De plus, il s'en faut beaucoup que nos commerçants nous donnent l'idée de cette vertu dont nous parlent nos missionnaires : on peut les consulter sur les brigandages des mandarins [b].

Je prends encore à témoin le grand homme mylord Anson [32].

D'ailleurs, les lettres du P. Parennin sur le procès que l'empereur fit faire à des princes du sang néophytes [c], qui lui avaient déplu, nous font voir un plan de tyrannie constamment suivi, et des injures faites à la nature humaine avec règle, c'est-à-dire de sang-froid.

Nous avons encore les lettres de M. de Mairan [1] et du même P. Parennin sur le gouvernement de la Chine.

a. C'est le bâton qui gouverne la Chine, dit le père Du Halde [*Description de la Chine*, t. II, p. 134] [33].
b. Voyez, entre autres, la relation de Lange [34].
c. De la famille de Sourniama, *Lettres édif.*, 18e recueil [35].

_____

I. Dortous de Mairan (1678-1771), physicien membre de l'Académie des sciences.

Après des questions et des réponses très sensées, le merveilleux [1] s'est évanoui.

Ne pourrait-il pas se faire que les missionnaires auraient été trompés par une apparence d'ordre ; qu'ils auraient été frappés de cet exercice continuel de la volonté d'un seul, par lequel ils sont gouvernés eux-mêmes, et qu'ils aiment tant à trouver dans les cours des rois des Indes, parce que n'y allant que pour y faire de grands changements, il leur est plus aisé de convaincre les princes qu'ils peuvent tout faire que de persuader aux peuples qu'ils peuvent tout souffrir [d].

Enfin, il y a souvent quelque chose de vrai dans les erreurs mêmes. Des circonstances particulières, et peut-être uniques, peuvent faire que le gouvernement de la Chine ne soit pas aussi corrompu qu'il devrait l'être [36]. Des causes, tirées la plupart du physique du climat, ont pu forcer les causes morales dans ce pays, et faire des espèces de prodiges.

Le climat de la Chine est tel qu'il favorise prodigieusement la propagation de l'espèce humaine. Les femmes y sont d'une fécondité si grande, que l'on ne voit rien de pareil sur la terre. La tyrannie la plus cruelle n'y arrête point le progrès de la propagation. Le prince n'y peut pas dire comme Pharaon : *Opprimons-les avec sagesse*. Il serait plutôt réduit à former le souhait de Néron, que le genre humain n'eût qu'une tête. Malgré la tyrannie, la Chine, par la force du climat, se peuplera toujours, et triomphera de la tyrannie.

La Chine, comme tous les pays où croît le riz [e], est sujette à des famines fréquentes. Lorsque le peuple meurt de faim, il se disperse pour chercher de quoi vivre ; il se

d. Voyez dans le père Du Halde comment les missionnaires se servirent de l'autorité de Canhi pour faire taire les mandarins, qui disaient toujours que, par les lois du pays, un culte étranger ne pouvait être établi dans l'empire [t. III, p. 104-111] [37].

e. Voyez ci-dessous, liv. XXIII, chap. 14 [38].

—————

I. Le caractère étonnant.

forme de toutes parts des bandes de trois, quatre ou cinq
voleurs. La plupart sont d'abord exterminées ; d'autres
se grossissent et sont exterminées encore. Mais, dans un
si grand nombre de provinces, et si éloignées, il peut arriver que quelque troupe fasse fortune. Elle se maintient,
se fortifie, se forme en corps d'armée, va droit à la capitale, et le chef monte sur le trône [39].

Telle est la nature de la chose, que le mauvais gouvernement y est d'abord puni [40]. Le désordre y naît soudain,
parce que ce peuple prodigieux y manque de subsistance.
Ce qui fait que, dans d'autres pays, on revient si diffici-
lement des abus, c'est qu'ils n'y ont pas des effets sensibles ; le prince n'y est pas averti d'une manière prompte
et éclatante, comme il l'est à la Chine.

Il ne sentira point, comme nos princes, que, s'il gouverne mal, il sera moins heureux dans l'autre vie, moins
puissant et moins riche dans celle-ci. Il saura que, si son
gouvernement n'est pas bon, il perdra l'empire et la vie.

Comme, malgré les expositions d'enfants, le peuple
augmente toujours à la Chine [f], il faut un travail infati-
gable pour faire produire aux terres de quoi le nourrir :
cela demande une grande attention de la part du gouvernement [41]. Il est à tous les instants intéressé à ce que tout
le monde puisse travailler sans crainte d'être frustré de
ses peines. Ce doit moins être un gouvernement civil
qu'un gouvernement domestique [42].

Voilà ce qui a produit les règlements dont on parle
tant. On a voulu faire régner les lois avec le despotisme ;
mais ce qui est joint avec le despotisme n'a plus de force.
En vain ce despotisme, pressé par ses malheurs, a-t-il
voulu s'enchaîner ; il s'arme de ses chaînes, et devient
plus terrible encore.

La Chine est donc un État despotique [43], dont le principe est la crainte. Peut-être que dans les premières

f. Voyez le mémoire d'un Tsongtou, pour qu'on défriche, *Lettres
édif.*, 21e recueil.

dynasties, l'empire n'étant pas si étendu, le gouvernement déclinait un peu de cet esprit. Mais aujourd'hui cela n'est pas.

# III

# Une enquête
# sur les sociétés humaines

# LIVRE XIV

## Des lois dans le rapport qu'elles ont avec la nature du climat

Le livre XIV marque le début de la troisième partie de *L'Esprit des lois*, qui semble relancer l'enquête dans une nouvelle direction, avec l'examen des rapports « qui semblent être plus particuliers » (I, 3). Montesquieu mobilise l'approche sensualiste et les connaissances physiologiques qui lui ont permis d'interroger les rapports du physique au moral dans l'*Essai sur les causes qui peuvent affecter les esprits et les caractères*, rédigé entre 1734 et 1738. L'ensemble du chapitre 2, par exemple, est composé à partir de la première partie de cet *Essai* (voir *OC*, t. IX, p. 203-270).

Si l'idée d'une influence climatique sur les mœurs et les arts n'est pas nouvelle, Montesquieu l'étend à l'ensemble des institutions humaines, religions comprises. C'est cette extension, et l'idée que « l'empire du climat est le premier de tous les empires » (XIX, 14), plus que l'idée même d'une influence du climat sur les esprits, qui suscita les objections les plus virulentes. Ce qui semble en jeu pour les lecteurs de *L'Esprit des lois*, c'est la justification d'un matérialisme naturaliste que l'on voit à l'œuvre dans le livre XIV, et que l'on peut rapprocher des accusations de spinozisme issues de la lecture du livre I. Soumettre absolument l'homme au climat, c'est admettre une fatalité aveugle, c'est réduire l'homme à n'être qu'une machine sans âme, c'est s'opposer à tous les principes de la religion et faire de la religion elle-même un simple effet du climat. La *Défense de l'Esprit des lois*, dans sa seconde partie, répond à ces attaques.

Si Montesquieu distingue bien des « causes physiques » et des « causes morales », il n'affirme jamais que les *premières* sont *prépondérantes*. C'est pour avoir confondu cette antériorité chronologique, dans l'ordre d'enchevêtrement des diverses causes, avec une primauté d'influence que les adversaires de Montesquieu ont cru trouver dans l'ouvrage même la preuve de son fatalisme. De fait, les causes physiques, et donc l'influence climatique, se combinent aux causes morales, qui en retour en modifient les effets, pour les renforcer ou les infléchir en divers sens. La mise au jour des fondements physiologiques de la sensibilité des peuples (XIV, 2), qui varie en fonction de la température, mais aussi des autres facteurs jouant sur l'ordre du corps dans un milieu donné, n'est qu'un point de départ pour dénouer l'intrication de multiples causes qui sont à l'œuvre ensemble. Aussi cette troisième partie de l'ouvrage, qui commence par l'examen d'une langue de mouton, trouve-t-elle son aboutissement au livre XIX : ce qui caractérise l'esprit général d'une nation, c'est justement la façon particulière dont les « causes » physiques et morales se déterminent mutuellement (XIX, 4).

Il s'agit donc de relancer l'enquête sur les lois pour pouvoir la mener à bien. Le problème est de réfléchir sur la disposition particulière du gouvernement (ce que l'entreprise typologique et l'examen des attributs de la souveraineté permettent de faire) qui convienne à la « disposition du peuple pour lequel il est établi » (I, 3). Montesquieu ne peut faire l'économie d'une étude sur ce qui dispose les esprits (ce qui « gouverne les hommes »), et donc, en premier lieu, sur les dispositions du corps. Cette étude engage du même coup celui qui veut bien légiférer à prêter attention à des choses qui ne relèvent plus directement de la sphère juridique : l'enquête climatique ouvre l'examen des situations dans une visée pratique et le savoir des lois porte aussi sur les conditions non politiques de la politique. Il faut comprendre des intrications complexes pour saisir *comment* le législateur doit intervenir, et *mesurer* l'efficacité propre des lois pour éclairer son action.

Montesquieu met en place le cadre à partir duquel on peut examiner les situations (corrélations dégagées entre les variations de température et leur influence inversement proportionnelle sur la force de caractère des peuples et leurs passions). Mais c'est aussitôt pour souligner que, dans certaines situations, les mêmes causes physiques peuvent produire des effets contrastés (comme dans le cas de l'Inde, XIV, 3), dès lors qu'elles s'articulent toujours avec l'influence d'une *certaine* éducation. On comprend alors que les lois peuvent participer de cette éducation, que les mauvais législateurs sont ceux qui favorisent les vices liés au climat, et que les bons sont ceux qui s'y opposent (XIV, 5). Montesquieu donne l'exemple de la mauvaise législation indienne qui, combinée aux préceptes et aux croyances religieuses, « augmente » la « paresse naturelle », c'est-à-dire celle qui se rapporte à la nature climatique (XIV, 6). L'examen du « monachisme » (XIV, 7), en Inde, mais aussi dans le midi de l'Europe, montre comment le mode de vie se combine aux déterminations climatiques, et qu'il faut une intervention législatrice pour corriger leurs mauvais effets. Les lois interviennent indirectement, par incitation, et en se servant des diverses passions en présence (XIV, 9). Le cas anglais manifeste enfin qu'il faut parfois ne pas légiférer : le mal-être qui multiplie les suicides en Angleterre est un effet du climat et, dans ce cas, « des lois contre ceux qui se tuent eux-mêmes » seraient sans effet (XIV, 12). D'une certaine façon, cette maladie participe d'un caractère du peuple qui s'accorde avec la liberté propre à l'Angleterre. La physiologie des Anglais s'articule avec une sensibilité sociale qui n'est pas sans rapport avec leur « constitution » (XIV, 13). La confrontation de la sévérité des lois japonaises à la douceur du système pénal indien montre que celui-ci convient à la douceur du peuple et au climat « heureux » de l'Inde (XIV, 15), ce qui illustre l'idée générale de départ (XIV, 1), mais ouvre aussi la question de la modération au travers de la dialectique entre la situation climatique, les mœurs et les lois.

## Chapitre premier
### Idée générale

S'il est vrai que le caractère de l'esprit et les passions du cœur soient extrêmement différents dans les divers climats, les lois doivent être relatives [1] et à la différence de ces passions, et à la différence de ces caractères.

## Chapitre 2
### Combien les hommes sont différents dans les divers climats

L'air froid [a] resserre les extrémités des fibres extérieures de notre corps ; cela augmente leur ressort, et favorise le

a. Cela paraît même à la vue : dans le froid, on paraît plus maigre.

retour du sang des extrémités vers le cœur. Il diminue la longueur [b] de ces mêmes fibres ; il augmente donc encore par là leur force. L'air chaud, au contraire, relâche les extrémités des fibres, et les allonge ; il diminue donc leur force et leur ressort [2].

On a donc plus de vigueur dans les climats froids. L'action du cœur et la réaction des extrémités des fibres s'y font mieux, les liqueurs sont mieux en équilibre, le sang est plus déterminé vers le cœur, et réciproquement le cœur a plus de puissance. Cette force plus grande doit produire bien des effets : par exemple, plus de confiance en soi-même, c'est-à-dire plus de courage ; plus de connaissance [3] de sa supériorité, c'est-à-dire moins de désir de la vengeance ; plus d'opinion de sa sûreté, c'est-à-dire plus de franchise, moins de soupçons, de politique et de ruses. Enfin cela doit faire des caractères bien différents. Mettez un homme dans un lieu chaud et enfermé, il souffrira, par les raisons que je viens de dire, une défaillance de cœur très grande. Si, dans cette circonstance, on va lui proposer une action hardie, je crois qu'on l'y trouvera très peu disposé ; sa faiblesse présente mettra un découragement dans son âme ; il craindra tout, parce qu'il sentira qu'il ne peut rien. Les peuples [4] des pays chauds sont timides [1] comme les vieillards le sont ; ceux des pays froids sont courageux comme le sont les jeunes gens. Si nous faisons attention aux dernières [c] guerres, qui sont celles que nous avons le plus sous nos yeux, et dans lesquelles nous pouvons mieux voir de certains effets légers, imperceptibles de loin, nous sentirons bien que les peuples du nord, transportés dans les pays du midi [d], n'y ont pas fait d'aussi belles actions que leurs

b. On sait qu'il raccourcit le fer.
c. Celles pour la succession d'Espagne [5].
d. En Espagne, par exemple.

---

1. Timorés, craintifs.

compatriotes qui, combattant dans leur propre climat, y jouissaient de tout leur courage.

La force des fibres des peuples du nord fait que les sucs les plus grossiers sont tirés des aliments[6]. Il en résulte deux choses : l'une, que les parties du chyle[1], ou de la lymphe, sont plus propres, par leur grande surface, à être appliquées sur les fibres, et à les nourrir ; l'autre, qu'elles sont moins propres, par leur grossièreté, à donner une certaine subtilité au suc nerveux. Ces peuples auront donc de grands corps, et peu de vivacité.

Les nerfs, qui aboutissent de tous côtés au tissu de notre peau, font chacun un faisceau de nerfs[7]. Ordinairement ce n'est pas tout le nerf qui est remué, c'en est une partie infiniment petite. Dans les pays chauds, où le tissu de la peau est relâché, les bouts des nerfs sont épanouis et exposés à la plus petite action des objets les plus faibles. Dans les pays froids, le tissu de la peau est resserré, et les mamelons comprimés ; les petites houppes sont, en quelque façon, paralytiques ; la sensation ne passe guère au cerveau que lorsqu'elle est extrêmement forte, et qu'elle est de tout le nerf ensemble. Mais c'est d'un nombre infini de petites sensations que dépendent l'imagination, le goût[8], la sensibilité, la vivacité[9].

J'ai observé le tissu extérieur d'une langue de mouton, dans l'endroit où elle paraît, à la simple vue, couverte de mamelons. J'ai vu avec un microscope, sur ces mamelons, de petits poils ou une espèce de duvet ; entre les mamelons étaient des pyramides[10], qui formaient par bout comme de petits pinceaux. Il y a grande apparence que ces pyramides sont le principal organe du goût.

J'ai fait geler la moitié de cette langue, et j'ai trouvé, à la simple vue, les mamelons considérablement diminués ; quelques rangs même de mamelons s'étaient enfoncés

---

I. Suc blanchâtre qui se sépare, dans l'intestin grêle, des aliments, pendant l'acte de la digestion, pour passer dans la circulation sanguine. La remarque va dans le même sens que l'ensemble de l'exposé : la vigueur du corps est inversement proportionnelle à sa sensibilité.

dans leur gaine. J'en ai examiné le tissu avec le microscope, je n'ai plus vu de pyramides. À mesure que la langue s'est dégelée, les mamelons, à la simple vue, ont paru se relever ; et, au microscope, les petites houppes ont commencé à reparaître.

Cette observation [11] confirme ce que j'ai dit, que, dans les pays froids, les houppes nerveuses sont moins épanouies : elles s'enfoncent dans leurs gaines, où elles sont à couvert de l'action des objets extérieurs. Les sensations sont donc moins vives [12].

Dans les pays froids, on aura peu de sensibilité pour les plaisirs ; elle sera plus grande dans les pays tempérés ; dans les pays chauds, elle sera extrême. Comme on distingue les climats par les degrés de latitude [I], on pourrait les distinguer, pour ainsi dire, par les degrés de sensibilité. J'ai vu les opéras d'Angleterre et d'Italie [13] ; ce sont les mêmes pièces et les mêmes acteurs : mais la même musique produit des effets si différents sur les deux nations, l'une est si calme, et l'autre si transportée, que cela paraît inconcevable.

Il en sera de même de la douleur [14] : elle est excitée en nous par le déchirement de quelque fibre de notre corps. L'auteur de la nature a établi que cette douleur serait plus forte à mesure que le dérangement serait plus grand : or il est évident que les grands corps et les fibres grossières des peuples du nord sont moins capables de dérangement que les fibres délicates des peuples des pays chauds ; l'âme y est donc moins sensible à la douleur. Il faut écorcher un Moscovite pour lui donner du sentiment [II].

Avec cette délicatesse d'organes que l'on a dans les pays chauds, l'âme est souverainement émue par tout ce

---

I. Le terme « climat » désigne d'abord une zone géographique : « Une étendue du globe de la terre comprise entre deux parallèles » (*Académie*).

II. Sentiment à la fois comme sensation (douleur et plaisir) et comme affection (sentiment de soi). Voir *Pensées*, n° 1199.

qui a du rapport à l'union des deux sexes ; tout conduit à cet objet [15].

Dans les climats du nord, à peine le physique de l'amour a-t-il la force de se rendre bien sensible ; dans les climats tempérés, l'amour, accompagné de mille accessoires, se rend agréable par des choses qui d'abord semblent être lui-même, et ne sont pas encore lui ; dans les climats plus chauds, on aime l'amour pour lui-même ; il est la cause unique du bonheur ; il est la vie [16].

Dans les pays du Midi, une machine [I] délicate, faible, mais sensible, se livre à un amour qui, dans un sérail, naît et se calme sans cesse ; ou bien à un amour qui, laissant les femmes dans une plus grande indépendance, est exposé à mille troubles [17]. Dans les pays du nord, une machine saine et bien constituée, mais lourde, trouve ses plaisirs dans tout ce qui peut remettre les esprits en mouvement : la chasse, les voyages, la guerre, le vin. Vous trouverez, dans les climats du nord des peuples qui ont peu de vices, assez de vertus, beaucoup de sincérité et de franchise. Approchez des pays du Midi, vous croirez vous éloigner de la morale même : des passions plus vives multiplieront les crimes ; chacun cherchera à prendre sur les autres tous les avantages qui peuvent favoriser ces mêmes passions. Dans les pays tempérés, vous verrez des peuples inconstants dans leurs manières [18], dans leurs vices mêmes, et dans leurs vertus ; le climat n'y a pas une qualité assez déterminée pour les fixer eux-mêmes [19].

La chaleur du climat peut être si excessive que le corps y sera absolument sans force. Pour lors l'abattement passera à l'esprit même ; aucune curiosité, aucune noble entreprise, aucun sentiment généreux ; les inclinations y seront toutes passives ; la paresse y sera le bonheur [20] ; la plupart des châtiments y seront moins difficiles à soutenir que l'action de l'âme ; et la servitude [21] moins insup-

---

I. C'est-à-dire le corps, dans la tradition cartésienne. « Les vices et les vertus humaines sont ordinairement l'effet des passions, et les passions l'effet d'un certain état de la machine » (*Pensées*, n° 2035).

portable que la force d'esprit qui est nécessaire pour se conduire soi-même.

## CHAPITRE 3
### Contradiction dans les caractères de certains peuples du Midi

Les Indiens [a] sont naturellement sans courage ; les enfants [b] même des Européens nés aux Indes perdent celui de leur climat. Mais comment accorder cela avec leurs actions atroces, leurs coutumes, leurs pénitences barbares ? Les hommes s'y soumettent à des maux incroyables, les femmes s'y brûlent elles-mêmes [22] : voilà bien de la force pour tant de faiblesse.

La nature, qui a donné à ces peuples une faiblesse qui les rend timides, leur a donné aussi une imagination si vive que tout les frappe à l'excès. Cette même délicatesse d'organes, qui leur fait craindre la mort, sert aussi à leur faire redouter mille choses plus que la mort. C'est la même sensibilité qui leur fait fuir tous les périls, et les leur fait tous braver.

Comme une bonne éducation [23] est plus nécessaire aux enfants qu'à ceux dont l'esprit est dans sa maturité, de même les peuples de ces climats ont plus besoin d'un législateur sage que les peuples du nôtre. Plus on est aisément et fortement frappé [24], plus il importe de l'être d'une manière convenable [25], de ne recevoir pas des préjugés, et d'être conduit par la raison.

Du temps des Romains, les peuples du nord de l'Europe [26] vivaient sans art, sans éducation, presque

a. « Cent soldats d'Europe, dit Tavernier, n'auraient pas grand-peine à battre mille soldats indiens [27]. »

b. Les Persans mêmes qui s'établissent aux Indes prennent, à la troisième génération, la nonchalance et la lâcheté indienne. Voyez BERNIER, *Sur le Mogol*, t. I, p. 282 [28].

sans lois ; et cependant, par le seul bon sens attaché aux fibres grossières de ces climats, ils se maintinrent avec une sagesse admirable contre la puissance romaine, jusqu'au moment où ils sortirent de leurs forêts pour la détruire.

## CHAPITRE 5

### Que les mauvais législateurs sont ceux qui ont favorisé les vices du climat et les bons sont ceux qui s'y sont opposés

Les Indiens croient que le repos et le néant sont le fondement de toutes choses et la fin où elles aboutissent. Ils regardent donc l'entière inaction comme l'état le plus parfait et l'objet de leurs désirs. Ils donnent au souverain être le surnom d'immobile [a]. Les Siamois croient que la félicité [b] suprême consiste à n'être point obligé d'animer une machine et de faire agir un corps.

Dans ces pays, où la chaleur excessive énerve [1] et accable, le repos est si délicieux, et le mouvement si pénible, que ce système de métaphysique paraît naturel ; et Foë [c], législateur des Indes, a suivi ce qu'il sentait, lorsqu'il a mis les hommes dans un état extrêmement passif ; mais sa doctrine, née de la paresse du climat, la favorisant à son tour, a causé mille maux [29].

a. Panamanack. Voyez Kircher [*La Chine illustrée*, Amsterdam, 1670] [30].

b. La Loubère, *Relation de Siam*, [Paris, 1691,] p. 446.

c. Foë veut réduire le cœur au pur vide. « Nous avons des yeux et des oreilles ; mais la perfection est de ne voir ni entendre ; une bouche, des mains, etc., la perfection est que ces membres soient dans l'inaction. » Ceci est tiré du dialogue d'un philosophe chinois, rapporté par le père Du Halde, [*Description de la Chine*,] t. III [p. 49] [31].

I. Au sens classique : coupe les nerfs, et donc prive d'énergie, de ressort.

Les législateurs de la Chine[32] furent plus sensés lorsque, considérant les hommes, non pas dans l'état paisible où ils seront quelque jour, mais dans l'action propre à leur faire remplir les devoirs de la vie, ils firent leur religion[33], leur philosophie et leurs lois toutes pratiques. Plus les causes physiques portent les hommes au repos, plus les causes morales les en doivent éloigner[34].

## Chapitre 6
### De la culture des terres dans les climats chauds

La culture des terres est le plus grand travail des hommes[35]. Plus le climat les porte à fuir ce travail, plus la religion et les lois doivent y exciter. Ainsi les lois des Indes, qui donnent les terres aux princes, et ôtent aux particuliers l'esprit de propriété[36], augmentent les mauvais effets du climat, c'est-à-dire la paresse naturelle.

## Chapitre 7
### Du monachisme

Le monachisme y fait les mêmes maux[37] ; il est né dans les pays chauds d'Orient, où l'on est moins porté à l'action qu'à la spéculation.

En Asie, le nombre des derviches, ou moines, semble augmenter avec la chaleur du climat ; les Indes, où elle est excessive, en sont remplies ; on trouve en Europe cette même différence.

Pour vaincre la paresse du climat, il faudrait que les lois cherchassent à ôter tous les moyens de vivre sans travail[38] ; mais dans le midi de l'Europe[39] elles font tout le contraire : elles donnent à ceux qui veulent être oisifs des places propres à la vie spéculative, et y attachent des richesses immenses. Ces gens, qui vivent dans une abondance qui leur est à charge, donnent avec raison leur superflu au bas peuple : il a perdu la propriété des biens ; ils l'en dédommagent par l'oisiveté dont ils le font jouir ; et il parvient à aimer sa misère même.

## Chapitre 9
### Moyens d'encourager l'industrie

Je ferai voir, au livre XIX[40], que les nations[I] paresseuses sont ordinairement orgueilleuses. On pourrait tourner l'effet contre la cause, et détruire la paresse par l'orgueil. Dans le midi de l'Europe, où les peuples sont si frappés par le point d'honneur[II], il serait bon de donner des prix aux laboureurs qui auraient le mieux cultivé leurs champs, ou aux ouvriers qui auraient porté plus loin leur industrie[III]. Cette pratique réussira même par tout pays. Elle a servi de nos jours, en Irlande, à l'établissement d'une des plus importantes manufactures de toile qui soit en Europe.

---

I. « Tous les habitants d'un même État, d'un même pays, qui vivent sous les mêmes lois, parlent le même langage » (*Académie*).

II. Pratique qui consiste à laver une offense par un duel. Voir *LP*, 88 (90), et *EL*, XXVIII, 20.

III. Toute activité autre que l'agriculture.

## CHAPITRE 12

### Des lois contre ceux qui se tuent[a]
### eux-mêmes

Nous ne voyons point dans les histoires que les Romains se fissent mourir sans sujet[41] ; mais les Anglais se tuent sans qu'on puisse imaginer aucune raison qui les y détermine, ils se tuent dans le sein même du bonheur[42]. Cette action, chez les Romains, était l'effet de l'éducation ; elle tenait à leur manière de penser et à leurs coutumes : chez les Anglais, elle est l'effet d'une maladie[b] ; elle tient à l'état physique de la machine, et est indépendante de toute autre cause.

Il y a apparence que c'est un défaut de filtration du suc nerveux ; la machine, dont les forces motrices se trouvent à tout moment sans action, est lasse d'elle-même ; l'âme ne sent point de douleur, mais une certaine difficulté de l'existence. La douleur est un mal local qui nous porte au désir de voir cesser cette douleur ; le poids de la vie est un mal qui n'a point de lieu particulier, et qui nous porte au désir de voir finir cette vie.

Il est clair que les lois civiles de quelques pays ont eu des raisons pour flétrir l'homicide de soi-même[43] ; mais, en Angleterre, on ne peut pas plus le punir qu'on ne punit les effets de la démence[44].

a. L'action de ceux qui se tuent eux-mêmes est contraire à la loi naturelle et à la religion révélée[45].

b. Elle pourrait bien être compliquée avec le scorbut, qui, surtout dans quelques pays, rend un homme bizarre et insupportable à lui-même. *Voyage* de François Pyrard, part. II, chap. 21 [en fait part. III, Paris, 1679, p. 37][46].

## Chapitre 13
### Effets qui résultent du climat d'Angleterre

Dans une nation à qui une maladie du climat affecte tellement l'âme, qu'elle pourrait porter le dégoût de toutes choses jusqu'à celui de la vie, on voit bien que le gouvernement qui conviendrait le mieux à des gens à qui tout serait insupportable, serait celui où ils ne pourraient pas se prendre à un seul de ce qui causerait leurs chagrins ; et où les lois gouvernant plutôt que les hommes, il faudrait, pour changer l'État, les renverser elles-mêmes.

Que si la même nation avait encore reçu du climat un certain caractère d'impatience qui ne lui permît pas de souffrir[1] longtemps les mêmes choses[47], on voit bien que le gouvernement dont nous venons de parler[48] serait encore le plus convenable.

Ce caractère d'impatience n'est pas grand par lui-même ; mais il peut le devenir beaucoup, quand il est joint avec le courage.

Il est différent de la légèreté, qui fait que l'on entreprend sans sujet, et que l'on abandonne de même. Il approche plus de l'opiniâtreté, parce qu'il vient d'un sentiment des maux, si vif, qu'il ne s'affaiblit pas même par l'habitude de les souffrir.

Ce caractère, dans une nation libre, serait très propre à déconcerter les projets de la tyrannie[a], qui est toujours lente et faible dans ses commencements[49], comme elle est prompte et vive dans sa fin ; qui ne montre d'abord qu'une main pour secourir, et opprime ensuite avec une infinité de bras[50].

a. Je prends ici ce mot pour le dessein de renverser le pouvoir établi, et surtout la démocratie. C'est la signification que lui donnaient les Grecs et les Romains.

I. Supporter, tolérer.

La servitude commence toujours par le sommeil. Mais un peuple qui n'a de repos dans aucune situation, qui se tâte sans cesse, et trouve tous les endroits douloureux, ne pourrait guère s'endormir.

La politique [I] est une lime sourde, qui use et qui parvient lentement à sa fin. Or les hommes dont nous venons de parler ne pourraient soutenir les lenteurs, les détails, le sang-froid des négociations ; ils y réussiraient souvent moins que toute autre nation ; et ils perdraient, par leurs traités, ce qu'ils auraient obtenu par leurs armes.

## CHAPITRE 15
### De la différente confiance que les lois ont dans le peuple selon les climats

Le peuple japonais a un caractère si atroce, que ses législateurs et ses magistrats [II] n'ont pu avoir aucune confiance en lui : ils ne lui ont mis devant les yeux que des juges, des menaces et des châtiments [51] ; ils l'ont soumis, pour chaque démarche, à l'inquisition de la police. Ces lois qui, sur cinq chefs de famille, en établissent un comme magistrat sur les quatre autres ; ces lois qui, pour un seul crime, punissent toute une famille ou tout un quartier ; ces lois, qui ne trouvent point d'innocents là où il peut y avoir un coupable, sont faites pour que tous les hommes se méfient les uns des autres, pour que chacun recherche la conduite de chacun, et qu'il en soit l'inspecteur, le témoin et le juge.

Le peuple des Indes au contraire est doux [a], tendre, compatissant : aussi ses législateurs ont-ils eu une grande

---

a. Voyez Bernier, t. II, p. 140 [52].

I. Comme art de gouverner, qui suppose de savoir dissimuler et négocier, disposer des moyens pour arriver à ses fins.
II. Ceux qui ont soin du gouvernement.

confiance en lui. Ils ont établi peu [b] de peines, et elles sont peu sévères ; elles ne sont pas même rigoureusement exécutées. Ils ont donné les neveux aux oncles, les orphelins aux tuteurs, comme on les donne ailleurs à leurs pères : ils ont réglé la succession par le mérite reconnu du successeur. Il semble qu'ils ont pensé que chaque citoyen devait se reposer sur le bon naturel des autres.

Ils donnent aisément la liberté [c] à leurs esclaves ; ils les marient, ils les traitent comme leurs enfants [d] : heureux climat, qui fait naître la candeur des mœurs, et produit la douceur des lois [53] !

b. Voyez, dans le quatorzième recueil des *Lettres édifiantes*, p. 403, les principales lois ou coutumes des peuples de l'Inde de la presqu'île deçà le Gange [54].

c. *Lettres édifiantes*, 9e recueil, p. 378 [55].

d. J'avais pensé que la douceur de l'esclavage, aux Indes, avait fait dire à Diodore [*Bibliothèque historique*, II, 39] qu'il n'y avait dans ce pays ni maître ni esclave ; mais Diodore a attribué à toute l'Inde ce qui, selon Strabon, [*Géographie*,] liv. XV [34], n'était propre qu'à une nation particulière.

# LIVRE XIX

# Des lois, dans le rapport qu'elles ont avec les principes qui forment l'esprit général, les mœurs et les manières d'une nation

Les considérations climatiques ouvertes au livre XIV conduisent logiquement au livre XIX où apparaît le concept d'esprit général. Le climat n'est pas seulement présenté en premier dans la liste des facteurs qui composent ce dernier ; touchant aux « caractères » et aux « passions du cœur », il ouvre l'examen de la formation des mœurs ; engageant une approche des situations, il conduit à interroger la singularité du vivre ensemble dans un lieu, qui apparaît dans l'esprit général de chaque nation. L'énumération des « causes » qui constituent l'esprit général rappelle la présentation de « l'esprit des lois » en I, 3, et la liste des rapports qu'il faut considérer pour rendre raison des lois et bien légiférer. Le « gouvernement le plus conforme à la nature » n'est pas celui qui est bien fondé parce qu'il découle de la nature raisonnable de l'homme, c'est « celui dont la disposition particulière se rapporte mieux à la disposition du peuple pour lequel il est établi » (I, 3). Il ne s'agit donc plus de penser une forme unique, mais à chaque fois un nouvel accord entre le gouvernement, les lois positives et une situation particulière. Cet impératif de convenance est rappelé dans la formule de Solon (XIX, 21). Il est dès lors essentiel d'éclairer cette « disposition » des peuples, et pour cela d'identifier ce qui gouverne les hommes.

L'esprit général est le résultat du jeu de diverses déterminations : « Plusieurs choses gouvernent les hommes : le climat, la religion, les lois, les maximes du gouvernement, les exemples des choses passées, les mœurs, les manières ; d'où il se forme un esprit général qui en résulte. À mesure que, dans chaque nation, une de ces causes agit avec plus de force, les autres lui cèdent d'autant » (XIX, 4). Lié à l'histoire d'une nation, il est l'effet d'un système de causes où la force de chacune est en même temps un effet de la composition des autres. L'esprit général articule l'ordre de l'État à celui de la société, ce qui permet de « sentir le rapport que peuvent avoir, avec la constitution fondamentale [d'un État], des choses qui paraissent les plus indifférentes » (XIX, 16). Le législateur doit voir combien l'action des hommes ne se règle pas uniquement sur des prescriptions juridiques. Il faut aussi examiner l'efficacité propre des règles religieuses, des « exemples des choses passées » (XIX, 4), dans lesquels la nation peut reconnaître des valeurs qui constituent quelque chose de son identité, des mœurs et des manières qui sont des « usages que les lois n'ont point établis » (XIX, 16). L'attention que les citoyens peuvent porter au regard des autres et l'opinion que chacun se fait de l'ordre social et de la place qui est la sienne induisent une régulation immanente des comportements dont le législateur doit tenir compte.

L'effort que fait Montesquieu pour démêler les choses dans cette matière « d'une grande étendue » (XIX, 1) ne vise pas seulement à envisager les possibilités d'intervention d'un législateur habile. Un peuple « connaît, aime et défend toujours plus ses mœurs que ses lois » (*EL*, X, 11). La considération de l'ordre des mœurs est constitutive de la modération législatrice : il faut tenir compte des représentations communes, des sentiments et des croyances qui vont avec l'opinion que le peuple se fait de sa propre condition, pour faire en sorte que « tout le monde [ait] de nouvelles raisons pour aimer ses devoirs, son prince, sa patrie, ses lois » (préface). Le mot d'ordre d'adaptation aux mœurs ne signifie pas qu'il faille renoncer à toute réforme, mais justement celle-ci ne peut être libératrice et véritablement bénéfique qu'en prenant en compte la dynamique des passions sociales et des régulations juridiques. La modération apparaît ici dans les modalités particulières de l'intervention législatrice. Il faut agir « d'une manière sourde et insensible » (VI, 13), par l'incitation plutôt que par la contrainte.

Montesquieu commence par confronter le lecteur à l'extrême diversité qui caractérise la perception que les peuples ont de ce qui s'oppose à la liberté (XIX, 2), ce qui conduit à distinguer la tyrannie réelle et la tyrannie d'opinion (XIX, 3). Pour comprendre ces réactions diverses face à l'intervention législatrice, il faut examiner ce qui gouverne les hommes : ce premier ensemble du livre XIX aboutit à la définition de l'esprit général (XIX, 4). La France apparaît ensuite comme un cas exemplaire d'une situation où l'ordre des mœurs induit une régulation favorable au bien public, le législateur devant adapter ses interventions à la société en ne cherchant pas à tout corriger (XIX, 5-6). Ce cas montre encore comment l'humeur sociable et le commerce des femmes sont liés au développement des échanges et à l'enrichissement de la nation (XIX, 8), et les cas espagnols et chinois montrent en miroir comment des traits de caractère peuvent favoriser ou gêner le commerce (XIX, 10), ce qui illustre que les vices privés peuvent contribuer au bon ordre d'ensemble (XIX, 11). Montesquieu révèle alors l'importance de l'ordre des mœurs dans le système despotique : leur stabilité supplée à l'absence de lois fixes dans ce type d'État (XIX, 12). En mettant en regard le cas des réformes de Pierre Ier de Russie (XIX, 14) et le cas chinois (XIX, 16), Montesquieu insiste sur la nécessité d'inspirer des mœurs plutôt que de contraindre par la loi. La sentence pratique exemplaire qui découle de cette attention aux mœurs est donnée par Solon (XIX, 21). Le cas anglais est abordé dans le long dernier chapitre (XIX, 27), qui fait le pendant à l'examen de la constitution d'Angleterre (XI, 6). Ce n'est pas seulement la disposition des pouvoirs qui contribue à faire de l'Angleterre le pays le plus libre qui soit, ce sont aussi les passions sociales et les mœurs du peuple qui animent cette dynamique politique. Dans ce cas particulier, les lois peuvent même contribuer à former les mœurs de ce peuple libre.

## CHAPITRE PREMIER
### Du sujet de ce livre

Cette matière est d'une grande étendue. Dans cette foule d'idées qui se présentent à mon esprit, je serai plus attentif à l'ordre des choses qu'aux choses mêmes. Il faut que j'écarte à droite et à gauche, que je perce, et que je me fasse jour.

## CHAPITRE 2

### Combien pour les meilleures lois il est nécessaire que les esprits soient préparés

Rien ne parut plus insupportable aux Germains [a] que le tribunal de Varus. Celui que Justinien érigea [b] chez les Laziens [1], pour faire le procès au meurtrier de leur roi, leur parut une chose horrible et barbare. Mithridate [c], haranguant contre les Romains, leur reproche surtout les formalités [d] de leur justice. Les Parthes ne purent supporter ce roi, qui ayant été élevé à Rome, se rendit affable [e] et accessible à tout le monde. La liberté même a paru insupportable à des peuples qui n'étaient pas accoutumés à en jouir [1]. C'est ainsi qu'un air pur est quelquefois nuisible à ceux qui ont vécu dans des pays marécageux [2].

Un Vénitien nommé Balbi, étant au Pégu [f], fut introduit chez le roi. Quand celui-ci apprit qu'il n'y avait point de roi à Venise, il fit un si grand éclat de rire [3], qu'une toux le prit, et qu'il eut beaucoup de peine à parler à ses courtisans. Quel est le législateur qui pourrait proposer le gouvernement populaire à des peuples pareils ?

a. Ils coupaient la langue aux avocats et disaient : *Vipère, cesse de siffler.* Tacite [*Annales*, I, I, 60-62] [4].

b. Agathias, liv. IV [*Histoires*, III, 13].

c. Justin, [*Histoire universelle,*] liv. XXXVIII [4-7] [5].

d. *Calumnias litium. Ibid* [6].

e. *Prompti aditus, nova comitas, ignotæ Parthis virtutes, nova vitia.* Tacite [7].

f. Il en a fait la description en 1596, *Recueil des voyages qui ont servi à l'établissement de la compagnie des Indes,* t. III, part. I, [Amsterdam, 1705, p. 30] [8].

I. Habitants de l'ancienne Colchide, au nord de l'Arménie.

## CHAPITRE 3
### De la tyrannie

Il y a deux sortes de tyrannie : une réelle, qui consiste dans la violence du gouvernement ; et une d'opinion, qui se fait sentir lorsque ceux qui gouvernent établissent des choses qui choquent la manière de penser d'une nation.

Dion dit qu'Auguste voulut se faire appeler Romulus ; mais qu'ayant appris que le peuple craignait qu'il ne voulût se faire roi, il changea de dessein [9]. Les premiers Romains ne voulaient point de roi, parce qu'ils n'en pouvaient souffrir la puissance ; les Romains d'alors ne voulaient point de roi, pour n'en point souffrir les manières. Car, quoique César, les triumvirs [I], Auguste, fussent de véritables rois, ils avaient gardé tout l'extérieur de l'égalité, et leur vie privée contenait une espèce d'opposition avec le faste des rois d'alors ; et quand ils ne voulaient point de roi, cela signifiait qu'ils voulaient garder leurs manières, et ne pas prendre celles des peuples d'Afrique et d'Orient [10].

Dion [a] nous dit que le peuple romain était indigné contre Auguste, à cause de certaines lois trop dures qu'il avait faites ; mais que sitôt qu'il eut fait revenir le comédien Pylade, que les factions [II] avaient chassé de la ville, le mécontentement cessa. Un peuple pareil sentait plus vivement la tyrannie lorsqu'on chassait un baladin, que lorsqu'on lui ôtait toutes ses lois.

a. [*Histoire romaine*,] Liv. LIV [17].

I. Collège de « trois hommes ». Le premier, en 60 av. J.-C., réunit César, Crassus et Pompée, le second, après la mort de César, réunit Marc Antoine, Lépide et Octave, le futur empereur Auguste. Ce sont des périodes de guerre civile animée par les différents partis.
II. Partis (le terme n'a pas forcément de connotation péjorative).

## CHAPITRE 4
### Ce que c'est que l'esprit général

Plusieurs choses gouvernent les hommes : le climat, la religion, les lois, les maximes[I] du gouvernement, les exemples des choses passées, les mœurs, les manières ; d'où il se forme un esprit général qui en résulte[11].

À mesure que, dans chaque nation, une de ces causes agit avec plus de force, les autres lui cèdent d'autant. La nature et le climat dominent presque seuls sur les sauvages[12] ; les manières gouvernent les Chinois[13] ; les lois tyrannisent le Japon[14] ; les mœurs donnaient autrefois le ton dans Lacédémone[II][15] ; les maximes du gouvernement et les mœurs anciennes le donnaient dans Rome[16].

## CHAPITRE 5
### Combien il faut être attentif à ne point changer l'esprit général d'une nation

S'il y avait dans le monde une nation[17] qui eût une humeur sociable, une ouverture de cœur, une joie dans la vie, un goût, une facilité à communiquer ses pensées ; qui fût vive, agréable, enjouée, quelquefois imprudente, souvent indiscrète ; et qui eût avec cela du courage, de la générosité, de la franchise[18], un certain point d'honneur[19], il ne faudrait point chercher à gêner, par des lois, ses manières, pour ne point gêner ses vertus. Si en général le caractère est bon, qu'importe de quelques défauts qui s'y trouvent ?

On y pourrait contenir les femmes[20], faire des lois pour corriger leurs mœurs, et borner leur luxe[21] ; mais

---

I. Préceptes, principes de conduite.
II. Ancien nom de Sparte.

qui sait si on n'y perdrait pas un certain goût qui serait la source des richesses de la nation [22], et une politesse qui attire chez elle les étrangers ?

C'est au législateur à suivre l'esprit de la nation, lorsqu'il n'est pas contraire aux principes du gouvernement ; car nous ne faisons rien de mieux que ce que nous faisons librement, et en suivant notre génie [I] naturel.

Qu'on donne un esprit de pédanterie [II] à une nation naturellement gaie, l'État n'y gagnera rien, ni pour le dedans ni pour le dehors. Laissez-lui faire les choses frivoles sérieusement, et gaiement les choses sérieuses.

## Chapitre 6
### Qu'il ne faut pas tout corriger

Qu'on nous laisse comme nous sommes, disait un gentilhomme d'une nation qui ressemble beaucoup à celle dont nous venons de donner une idée. La nature répare tout. Elle nous a donné une vivacité capable d'offenser, et propre à nous faire manquer à tous les égards ; cette même vivacité est corrigée par la politesse qu'elle nous procure, en nous inspirant du goût pour le monde [23], et surtout pour le commerce [III] des femmes.

Qu'on nous laisse tels que nous sommes. Nos qualités indiscrètes, jointes à notre peu de malice [IV], font que les lois qui gêneraient l'humeur sociable parmi nous ne seraient point convenables.

---

I. « J'appelle *génie d'une nation* les mœurs et le caractère d'esprit de différents peuples dirigés par l'influence d'une même cour et d'une même capitale » (*Pensées*, n° 348).

II. Le pédant « affecte trop d'exactitude, trop de sévérité dans des bagatelles, et [...] veut assujettir les autres à ses règles » (*Académie*).

III. Dans le sens de communication.

IV. Méchanceté.

## CHAPITRE 8
### Effets de l'humeur sociable

Plus les peuples se communiquent[1], plus ils changent aisément de manières, parce que chacun est plus un spectacle pour un autre[24] ; on voit mieux les singularités des individus. Le climat qui fait qu'une nation aime à se communiquer[25] fait aussi qu'elle aime à changer ; et ce qui fait qu'une nation aime à changer fait aussi qu'elle se forme le goût[26].

La société des femmes gâte les mœurs[27], et forme le goût : l'envie de plaire plus que les autres établit les parures ; et l'envie de plaire plus que soi-même établit les modes[28]. Les modes sont un objet important : à force de se rendre l'esprit frivole[29], on augmente sans cesse les branches de son commerce[a].

## CHAPITRE 10
### Du caractère des Espagnols
### et de celui des Chinois

Les divers caractères des nations sont mêlés de vertus et de vices, de bonnes et de mauvaises qualités. Les heureux mélanges sont ceux dont il résulte de grands biens, et souvent on ne les soupçonnerait pas ; il y en a dont il résulte de grands maux, et qu'on ne soupçonnerait pas non plus.

a. Voyez la *Fable des abeilles*[30].

---

1. Ont des relations les uns avec les autres.

La bonne foi des Espagnols a été fameuse dans tous les temps. Justin [a] nous parle de leur fidélité à garder les dépôts : ils ont souvent souffert la mort pour les tenir secrets. Cette fidélité qu'ils avaient autrefois, ils l'ont encore aujourd'hui. Toutes les nations qui commercent à Cadix confient leur fortune aux Espagnols ; elles ne s'en sont jamais repenties. Mais cette qualité admirable, jointe à leur paresse [31], forme un mélange dont il résulte des effets qui leur sont pernicieux : les peuples de l'Europe font, sous leurs yeux, tout le commerce de leur monarchie [32].

Le caractère des Chinois forme un autre mélange, qui est en contraste avec le caractère des Espagnols. Leur vie précaire [b] fait qu'ils ont une activité prodigieuse et un désir si excessif du gain, qu'aucune nation commerçante ne peut se fier à eux [c]. Cette infidélité reconnue leur a conservé le commerce du Japon [33] ; aucun négociant d'Europe n'a osé entreprendre de le faire sous leur nom, quelque facilité qu'il y eût eu à l'entreprendre par leurs provinces maritimes du Nord.

## Chapitre 11
## Réflexion

Je n'ai point dit ceci pour diminuer rien de la distance infinie qu'il y a entre les vices et les vertus : à Dieu ne plaise ! J'ai seulement voulu faire comprendre que tous les vices politiques ne sont pas des vices moraux, et que tous les vices moraux ne sont pas des vices politiques [34] ; et c'est ce que ne doivent point ignorer ceux qui font des lois qui choquent l'esprit général.

a. [*Histoire universelle*,] Liv. [XLIV, 2].
b. Par la nature du climat et du terrain. [Voir VIII, 21.]
c. Le père Du Halde, [*Description de la Chine*,] t. II [p. 171] [35].

## Chapitre 12
### Des manières et des mœurs
### dans l'État despotique

C'est une maxime[I] capitale, qu'il ne faut jamais changer les mœurs et les manières dans l'État despotique ; rien ne serait plus promptement suivi d'une révolution[II]. C'est que, dans ces États, il n'y a point de lois[36], pour ainsi dire ; il n'y a que des mœurs et des manières ; et, si vous renversez cela, vous renversez tout[37].

Les lois sont établies, les mœurs sont inspirées[III] ; celles-ci tiennent plus à l'esprit général, celles-là tiennent plus à une institution particulière : or il est aussi dangereux, et plus, de renverser l'esprit général, que de changer une institution particulière.

On se communique[38] moins dans les pays où chacun, et comme supérieur et comme inférieur, exerce et souffre un pouvoir arbitraire, que dans ceux où la liberté règne dans toutes les conditions. On y change donc moins de manières et de mœurs[39]. Les manières plus fixes approchent plus des lois. Ainsi, il faut qu'un prince ou un législateur y choque moins les mœurs et les manières que dans aucun pays du monde.

Les femmes y sont ordinairement enfermées[40], et n'ont point de ton à donner. Dans les autres pays où elles vivent avec les hommes[41], l'envie qu'elles ont de plaire, et le désir que l'on a de leur plaire aussi, font que l'on change continuellement de manières[42]. Les deux sexes se gâtent[IV], ils perdent l'un et l'autre leur qualité distinctive

---

I. « Proposition générale qui sert de principe, de fondement, de règle en quelques arts ou sciences » (*Académie*).

II. « Changement qui arrive dans les affaires publiques » (*Académie*).

III. Elles naissent dans le cœur des individus, et se rapportent à tout ce qui peut influer sur leurs passions.

IV. Se corrompent.

et essentielle ; il se met un arbitraire dans ce qui était absolu, et les manières changent tous les jours.

## CHAPITRE 14
### Quels sont les moyens naturels de changer les mœurs et les manières d'une nation

Nous avons dit[43] que les lois étaient des institutions particulières et précises du législateur ; et les mœurs et les manières des institutions de la nation en général. De là il suit que lorsqu'on veut changer les mœurs et les manières, il ne faut pas les changer par les lois : cela paraîtrait trop tyrannique[44] : il vaut mieux les changer par d'autres mœurs et d'autres manières.

Ainsi, lorsqu'un prince veut faire de grands changements dans sa nation, il faut qu'il réforme par les lois ce qui est établi par les lois, et qu'il change par les manières ce qui est établi par les manières : et c'est une très mauvaise politique de changer par les lois ce qui doit être changé par les manières.

La loi qui obligeait les Moscovites à se faire couper la barbe[45] et les habits, et la violence de Pierre Ier[46], qui faisait tailler jusqu'aux genoux les longues robes de ceux qui entraient dans les villes[47], étaient tyranniques. Il y a des moyens pour empêcher les crimes : ce sont les peines[48] ; il y en a pour faire changer les manières : ce sont les exemples.

La facilité et la promptitude avec laquelle cette nation s'est policée[I] ont bien montré que ce prince avait trop mauvaise opinion d'elle, et que ces peuples n'étaient pas des bêtes[49], comme il le disait. Les moyens violents qu'il employa étaient inutiles ; il serait arrivé tout de même[II] à son but par la douceur.

---

I. « Policer : civiliser ; adoucir les mœurs » (*Académie*).
II. De la même façon.

Il éprouva lui-même la facilité de ces changements. Les femmes étaient renfermées, et en quelque façon esclaves ; il les appela à la cour, il les fit habiller à l'allemande [50], il leur envoyait des étoffes. Ce sexe goûta d'abord une façon de vivre qui flattait si fort son goût, sa vanité et ses passions, et la fit goûter aux hommes.

Ce qui rendit le changement plus aisé, c'est que les mœurs d'alors étaient étrangères au climat, et y avaient été apportées par le mélange des nations et par les conquêtes. Pierre Ier, donnant les mœurs et les manières de l'Europe à une nation d'Europe, trouva des facilités qu'il n'attendait pas lui-même. L'empire du climat est le premier de tous les empires [51].

Il n'avait donc pas besoin de lois pour changer les mœurs et les manières de sa nation : il lui eût suffi d'inspirer d'autres mœurs et d'autres manières.

En général, les peuples sont très attachés à leurs coutumes ; les leur ôter violemment, c'est les rendre malheureux [52] : il ne faut donc pas les changer, mais les engager à les changer eux-mêmes [53].

Toute peine qui ne dérive pas de la nécessité est tyrannique. La loi n'est pas un pur acte de puissance ; les choses indifférentes par leur nature ne sont pas de son ressort [54].

## CHAPITRE 15
### Influence du gouvernement domestique sur le politique

Ce changement des mœurs des femmes influera sans doute beaucoup dans le gouvernement de Moscovie. Tout est extrêmement lié [55] : le despotisme du prince s'unit naturellement avec la servitude des femmes [56] ; la liberté des femmes avec l'esprit de la monarchie [57].

## CHAPITRE 16
### Comment quelques législateurs
ont confondu les principes qui gouvernent
les hommes

Les mœurs et les manières sont des usages que les lois n'ont point établis, ou n'ont pas pu, ou n'ont pas voulu établir.

Il y a cette différence entre les lois et les mœurs, que les lois règlent plus les actions du citoyen, et que les mœurs règlent plus les actions de l'homme. Il y a cette différence entre les mœurs et les manières, que les premières regardent plus la conduite intérieure, les autres l'extérieure.

Quelquefois, dans un État, ces choses se confondent [a]. Lycurgue fit un même code pour les lois, les mœurs et les manières ; et les législateurs de la Chine en firent de même [58].

Il ne faut pas être étonné si les législateurs de Lacédémone et de la Chine confondirent les lois, les mœurs et les manières : c'est que les mœurs représentent [I] les lois, et les manières représentent les mœurs.

Les législateurs de la Chine avaient pour principal objet de faire vivre leur peuple tranquille [59]. Ils voulurent que les hommes se respectassent beaucoup ; que chacun sentît à tous les instants qu'il devait beaucoup aux autres ; qu'il n'y avait point de citoyen qui ne dépendît, à quelque égard, d'un autre citoyen. Ils donnèrent donc aux règles de la civilité [II] la plus grande étendue [60].

---

a. Moïse fit un même code pour les lois et la religion. Les premiers Romains confondirent les coutumes anciennes avec les lois.

---

I. Tiennent lieu de.

II. « Honnêteté, courtoisie, manière honnête de vivre et de converser dans le monde » (*Académie*).

Ainsi, chez les peuples chinois, on vit les gens [b] de village observer entre eux des cérémonies comme les gens d'une condition relevée : moyen très propre à inspirer la douceur, à maintenir parmi le peuple la paix et le bon ordre, et à ôter tous les vices qui viennent d'un esprit dur. En effet, s'affranchir des règles de la civilité, n'est-ce pas chercher le moyen de mettre ses défauts plus à l'aise ?

La civilité vaut mieux, à cet égard, que la politesse. La politesse flatte les vices des autres, et la civilité nous empêche de mettre les nôtres au jour : c'est une barrière que les hommes mettent entre eux pour s'empêcher de se corrompre.

Lycurgue, dont les institutions étaient dures, n'eut point la civilité pour objet, lorsqu'il forma les manières : il eut en vue cet esprit belliqueux qu'il voulait donner à son peuple [61]. Des gens toujours corrigeant, ou toujours corrigés, qui instruisaient [I] toujours et étaient toujours instruits, également simples et rigides, exerçaient plutôt entre eux des vertus qu'ils n'avaient des égards.

## CHAPITRE 21
### Comment les lois doivent être relatives
### aux mœurs et aux manières

Il n'y a que des institutions singulières qui confondent ainsi des choses naturellement séparées, les lois, les mœurs et les manières ; mais quoiqu'elles soient séparées, elles ne laissent pas d'avoir entre elles de grands rapports.

On demanda à Solon si les lois qu'il avait données aux Athéniens étaient les meilleures : « Je leur ai donné, répondit-il, les meilleures de celles qu'ils pouvaient

b. Voyez le père Du Halde [*Description de la Chine*, t. III, p. 130] [62].

I. Instruire : enseigner les préceptes pour régler les mœurs.

souffrir [63]. » Belle parole, qui devrait être entendue de tous les législateurs. Quand la sagesse divine dit au peuple juif : « Je vous ai donné des préceptes qui ne sont pas bons », cela signifie qu'ils n'avaient qu'une bonté relative [64] ; ce qui est l'éponge de toutes les difficultés que l'on peut faire sur les lois de Moïse [65].

## CHAPITRE 27

### Comment les lois peuvent contribuer à former les mœurs, les manières et le caractère d'une nation [66]

Les coutumes d'un peuple esclave sont une partie de sa servitude : celles d'un peuple libre sont une partie de sa liberté [67].

J'ai parlé au livre XI [a] d'un peuple libre ; j'ai donné les principes de sa constitution [I] : voyons les effets qui ont dû suivre, le caractère qui a pu s'en former, et les manières qui en résultent.

Je ne dis point que le climat n'ait produit, en grande partie, les lois, les mœurs et les manières de cette nation [68] ; mais je dis que les mœurs et les manières de cette nation devraient avoir un grand rapport à ses lois.

Comme il y aurait dans cet État deux pouvoirs visibles [69] : la puissance législative et l'exécutrice, et que tout citoyen y aurait sa volonté propre, et ferait valoir à son gré son indépendance, la plupart des gens auraient plus d'affection pour une de ces puissances que pour l'autre, le grand nombre n'ayant pas ordinairement assez

a. Chap. 6.

I. Le mot n'a pas chez Montesquieu son sens moderne, exclusivement politique (texte fondateur d'un État) ; il renvoie au corps que forme l'État, à son ordre ou à l'arrangement de ses parties.

d'équité ni de sens pour les affectionner également toutes les deux.

Et, comme la puissance exécutrice, disposant de tous les emplois, pourrait donner de grandes espérances et jamais de craintes, tous ceux qui obtiendraient d'elle seraient portés à se tourner de son côté, et elle pourrait être attaquée par tous ceux qui n'en espéreraient rien.

Toutes les passions y étant libres, la haine, l'envie, la jalousie, l'ardeur de s'enrichir et de se distinguer, paraîtraient dans toute leur étendue ; et si cela était autrement, l'État serait comme un homme abattu par la maladie, qui n'a point de passions parce qu'il n'a point de forces[70].

La haine qui serait entre les deux partis[71] durerait, parce qu'elle serait toujours impuissante.

Ces partis étant composés d'hommes libres, si l'un prenait trop le dessus, l'effet de la liberté serait que celui-ci serait abaissé, tandis que les citoyens, comme les mains qui secourent le corps, viendraient relever l'autre.

Comme chaque particulier, toujours indépendant, suivrait beaucoup ses caprices et ses fantaisies, on changerait souvent de parti ; on en abandonnerait un où l'on laisserait tous ses amis pour se lier à un autre dans lequel on trouverait tous ses ennemis ; et souvent, dans cette nation, on pourrait oublier les lois de l'amitié et celles de la haine.

Le monarque serait dans le cas des particuliers ; et, contre les maximes ordinaires de la prudence, il serait souvent obligé de donner sa confiance à ceux qui l'auraient le plus choqué, et de disgracier ceux qui l'auraient le mieux servi, faisant par nécessité ce que les autres princes font par choix[72].

On craint de voir échapper un bien que l'on sent, que l'on ne connaît guère, et qu'on peut nous déguiser ; et la crainte grossit toujours les objets. Le peuple serait inquiet sur sa situation, et croirait être en danger dans les moments même les plus sûrs.

D'autant mieux que ceux qui s'opposeraient le plus vivement à la puissance exécutrice, ne pouvant avouer les motifs intéressés de leur opposition, ils augmenteraient les terreurs du peuple, qui ne saurait jamais au juste s'il serait en danger ou non. Mais cela même contribuerait à lui faire éviter les vrais périls où il pourrait, dans la suite, être exposé.

Mais le corps législatif ayant la confiance du peuple, et étant plus éclairé que lui, il pourrait le faire revenir des mauvaises impressions qu'on lui aurait données, et calmer ses mouvements.

C'est le grand avantage qu'aurait ce gouvernement sur les démocraties anciennes, dans lesquelles le peuple avait une puissance immédiate[73] ; car, lorsque des orateurs l'agitaient, ces agitations avaient toujours leur effet[74].

Ainsi, quand les terreurs imprimées n'auraient point d'objet certain, elles ne produiraient que de vaines clameurs et des injures : et elles auraient même ce bon effet, qu'elles tendraient tous les ressorts du gouvernement[75], et rendraient tous les citoyens attentifs. Mais si elles naissaient à l'occasion du renversement des lois fondamentales[76], elles seraient sourdes, funestes, atroces, et produiraient des catastrophes.

Bientôt on verrait un calme affreux, pendant lequel tout se réunirait contre la puissance violatrice des lois.

Si, dans le cas où les inquiétudes n'ont pas d'objet certain, quelque puissance étrangère menaçait l'État, et le mettait en danger de sa fortune ou de sa gloire ; pour lors, les petits intérêts cédant aux plus grands, tout se réunirait en faveur de la puissance exécutrice.

Que si les disputes étaient formées à l'occasion de la violation des lois fondamentales, et qu'une puissance étrangère parût, il y aurait une révolution qui ne changerait pas la forme du gouvernement, ni sa constitution : car les révolutions que forme la liberté ne sont qu'une confirmation de la liberté[77].

Une nation libre peut avoir un libérateur ; une nation subjuguée[1] ne peut avoir qu'un autre oppresseur[78].

Car tout homme qui a assez de force pour chasser celui qui est déjà le maître absolu dans un État en a assez pour le devenir lui-même.

Comme, pour jouir de la liberté, il faut que chacun puisse dire ce qu'il pense ; et que, pour la conserver, il faut encore que chacun puisse dire ce qu'il pense, un citoyen, dans cet État, dirait et écrirait tout ce que les lois ne lui ont pas défendu expressément de dire ou d'écrire[79].

Cette nation, toujours échauffée, pourrait plus aisément être conduite par ses passions que par la raison, qui ne produit jamais de grands effets sur l'esprit des hommes ; et il serait facile à ceux qui la gouverneraient de lui faire faire des entreprises contre ses véritables intérêts.

Cette nation aimerait prodigieusement sa liberté, parce que cette liberté serait vraie ; et il pourrait arriver que, pour la défendre, elle sacrifierait son bien, son aisance, ses intérêts ; qu'elle se chargerait des impôts les plus durs, et tels que le prince le plus absolu n'oserait les faire supporter à ses sujets[80].

Mais, comme elle aurait une connaissance certaine de la nécessité de s'y soumettre, qu'elle paierait dans l'espérance bien fondée de ne payer plus ; les charges y seraient plus pesantes que le sentiment de ces charges ; au lieu qu'il y a des États où le sentiment est infiniment au-dessus du mal.

Elle aurait un crédit sûr[81], parce qu'elle emprunterait à elle-même, et se paierait elle-même. Il pourrait arriver qu'elle entreprendrait au-dessus de ses forces naturelles, et ferait valoir contre ses ennemis d'immenses richesses de fiction, que la confiance et la nature de son gouvernement rendraient réelles.

---

I. Soumise.

Pour conserver sa liberté, elle emprunterait de ses sujets ; et ses sujets, qui verraient que son crédit serait perdu si elle était conquise, auraient un nouveau motif de faire des efforts pour défendre sa liberté.

Si cette nation habitait une île, elle ne serait point conquérante, parce que des conquêtes séparées l'affaibliraient[82]. Si le terrain de cette île était bon, elle le serait encore moins, parce qu'elle n'aurait pas besoin de la guerre pour s'enrichir. Et, comme aucun citoyen ne dépendrait d'un autre citoyen, chacun ferait plus de cas de sa liberté que de la gloire de quelques citoyens, ou d'un seul.

Là, on regarderait les hommes de guerre comme des gens d'un métier qui peut être utile et souvent dangereux, comme des gens dont les services sont laborieux pour la nation même ; et les qualités civiles y seraient plus considérées.

Cette nation, que la paix et la liberté rendraient aisée, affranchie des préjugés destructeurs, serait portée à devenir commerçante. Si elle avait quelqu'une de ces marchandises primitives qui servent à faire de ces choses auxquelles la main de l'ouvrier donne un grand prix, elle pourrait faire des établissements[1] propres à se procurer la jouissance de ce don du ciel dans toute son étendue.

Si cette nation était située vers le nord, et qu'elle eût un grand nombre de denrées superflues ; comme elle manquerait aussi d'un grand nombre de marchandises que son climat lui refuserait, elle ferait un commerce nécessaire, mais grand, avec les peuples du Midi : et, choisissant les États qu'elle favoriserait d'un commerce avantageux, elle ferait des traités réciproquement utiles avec la nation qu'elle aurait choisie.

Dans un État où, d'un côté, l'opulence serait extrême et, de l'autre, les impôts excessifs, on ne pourrait guère vivre sans industrie avec une fortune bornée. Bien des gens, sous prétexte de voyages ou de santé, s'exileraient

---

I. « Ce qui est établi [institué] pour l'utilité publique » (*Académie*).

de chez eux, et iraient chercher l'abondance dans les pays de la servitude même.

Une nation commerçante a un nombre prodigieux de petits intérêts particuliers ; elle peut donc choquer et être choquée d'une infinité de manières. Celle-ci deviendrait souverainement jalouse ; et elle s'affligerait plus de la prospérité des autres, qu'elle ne jouirait de la sienne.

Et ses lois, d'ailleurs douces et faciles, pourraient être si rigides à l'égard du commerce et de la navigation qu'on ferait chez elle, qu'elle semblerait ne négocier qu'avec des ennemis.

Si cette nation envoyait au loin des colonies, elle le ferait plus pour étendre son commerce que sa domination.

Comme on aime à établir ailleurs ce qu'on trouve établi chez soi, elle donnerait aux peuples de ses colonies la forme de son gouvernement propre [83] : et ce gouvernement portant avec lui la prospérité, on verrait se former de grands peuples dans les forêts mêmes qu'elle enverrait habiter [84].

Il pourrait être qu'elle aurait autrefois subjugué une nation voisine [I] qui, par sa situation, la bonté de ses ports, la nature de ses richesses, lui donnerait de la jalousie : ainsi, quoiqu'elle lui eût donné ses propres lois, elle la tiendrait dans une grande dépendance ; de façon que les citoyens y seraient libres, et que l'État lui-même serait esclave.

L'État conquis aurait un très bon gouvernement civil, mais il serait accablé par le droit des gens [II] ; et on lui imposerait des lois de nation à nation, qui seraient telles que sa prospérité ne serait que précaire, et seulement en dépôt pour un maître.

La nation dominante habitant une grande île, et étant en possession d'un grand commerce, aurait toutes sortes

---

I. L'Irlande.

II. Traduction littérale de *ius gentium* (droit des nations) ; droit qui règle les rapports internationaux.

de facilités pour avoir des forces de mer ; et comme la conservation de sa liberté demanderait qu'elle n'eût ni places, ni forteresses, ni armées de terre, elle aurait besoin d'une armée de mer qui la garantît des invasions ; et sa marine serait supérieure à celle de toutes les autres puissances, qui, ayant besoin d'employer leurs finances pour la guerre de terre, n'en auraient plus assez pour la guerre de mer [85].

L'empire de la mer a toujours donné aux peuples qui l'ont possédé une fierté naturelle [86] ; parce que, se sentant capables d'insulter partout, ils croient que leur pouvoir n'a pas plus de bornes que l'océan.

Cette nation pourrait avoir une grande influence dans les affaires de ses voisins. Car, comme elle n'emploierait pas sa puissance à conquérir, on rechercherait plus son amitié, et l'on craindrait plus sa haine que l'inconstance de son gouvernement et son agitation intérieure ne sembleraient le permettre.

Ainsi, ce serait le destin de la puissance exécutrice, d'être presque toujours inquiétée au-dedans, et respectée au-dehors.

S'il arrivait que cette nation devînt en quelques occasions le centre des négociations de l'Europe, elle y porterait un peu plus de probité et de bonne foi que les autres ; parce que ses ministres [1] étant souvent obligés de justifier leur conduite devant un conseil populaire, leurs négociations ne pourraient être secrètes, et ils seraient forcés d'être, à cet égard, un peu plus honnêtes gens [87].

De plus, comme ils seraient en quelque façon garants des événements qu'une conduite détournée pourrait faire naître, le plus sûr pour eux serait de prendre le plus droit chemin.

Si les nobles avaient eu dans de certains temps un pouvoir immodéré dans la nation, et que le monarque eût trouvé le moyen de les abaisser en élevant le peuple, le

---

1. « Celui dont on se sert pour l'exécution de quelque chose » (*Académie*).

point de l'extrême servitude aurait été entre le moment de l'abaissement des grands, et celui où le peuple aurait commencé à sentir son pouvoir.

Il pourrait être que cette nation ayant été autrefois soumise à un pouvoir arbitraire [88], en aurait, en plusieurs occasions, conservé le style ; de manière que, sur le fonds d'un gouvernement libre, on verrait souvent la forme d'un gouvernement absolu.

À l'égard de la religion, comme dans cet État chaque citoyen aurait sa volonté propre, et serait par conséquent conduit par ses propres lumières, ou ses fantaisies, il arriverait, ou que chacun aurait beaucoup d'indifférence pour toutes sortes de religions de quelque espèce qu'elles fussent [89], moyennant quoi tout le monde serait porté à embrasser la religion dominante [I] ; ou que l'on serait zélé [II] pour la religion en général, moyennant quoi les sectes [III] se multiplieraient [90].

Il ne serait pas impossible qu'il y eût dans cette nation des gens qui n'auraient point de religion [91], et qui ne voudraient pas cependant souffrir qu'on les obligeât à changer celle qu'ils auraient, s'ils en avaient une : car ils sentiraient d'abord que la vie et les biens ne sont pas plus à eux que leur manière de penser ; et que qui peut ravir l'un, peut encore mieux ôter l'autre [92].

Si, parmi les différentes religions, il y en avait une à l'établissement de laquelle on eût tenté de parvenir par la voie de l'esclavage, elle y serait odieuse [93] ; parce que, comme nous jugeons des choses par les liaisons et les accessoires que nous y mettons, celle-ci ne se présenterait jamais à l'esprit avec l'idée de liberté.

Les lois contre ceux qui professeraient cette religion ne seraient point sanguinaires ; car la liberté n'imagine point ces sortes de peines ; mais elles seraient si répri-

---

I. La religion anglicane.

II. « Zèle : affection ardente pour quelque chose. Il se dit principalement à l'égard des choses saintes et sacrées » (*Académie*).

III. Les opinions concurrentes en matière de religion.

mantes [94], qu'elles feraient tout le mal qui peut se faire de sang-froid.

Il pourrait arriver de mille manières que le clergé aurait si peu de crédit que les autres citoyens en auraient davantage. Ainsi, au lieu de se séparer, il aimerait mieux supporter les mêmes charges que les laïques, et ne faire à cet égard qu'un même corps [95] : mais, comme il chercherait toujours à s'attirer le respect du peuple, il se distinguerait par une vie plus retirée, une conduite plus réservée, et des mœurs plus pures.

Ce clergé ne pouvant protéger la religion, ni être protégé par elle, sans force pour contraindre, chercherait à persuader : on verrait sortir de sa plume de très bons ouvrages, pour prouver la révélation et la providence du grand Être [96].

Il pourrait arriver qu'on éluderait ses assemblées, et qu'on ne voudrait pas lui permettre de corriger ses abus même ; et que, par un délire de la liberté, on aimerait mieux laisser sa réforme imparfaite, que de souffrir qu'il fût réformateur.

Les dignités [I], faisant partie de la constitution fondamentale, seraient plus fixes qu'ailleurs ; mais, d'un autre côté, les grands, dans ce pays de liberté, s'approcheraient plus du peuple ; les rangs seraient donc plus séparés, et les personnes plus confondues.

Ceux qui gouvernent ayant une puissance qui se remonte, pour ainsi dire, et se refait tous les jours, auraient plus d'égard pour ceux qui leur sont utiles que pour ceux qui les divertissent : ainsi on y verrait peu de courtisans, de flatteurs, de complaisants, enfin de toutes ces sortes de gens qui font payer aux grands le vide même de leur esprit.

On n'y estimerait guère les hommes par des talents ou des attributs frivoles, mais par des qualités réelles ; et de ce genre il n'y en a que deux : les richesses et le mérite personnel [97].

---

I. Les charges, fonctions ou titres.

Il y aurait un luxe solide, fondé, non pas sur le raffinement de la vanité, mais sur celui des besoins réels ; et l'on ne chercherait guère dans les choses que les plaisirs que la nature y a mis.

On y jouirait d'un grand superflu, et cependant les choses frivoles y seraient proscrites ; ainsi plusieurs, ayant plus de biens que d'occasions de dépense, l'emploieraient d'une manière bizarre ; et dans cette nation, il y aurait plus d'esprit que de goût.

Comme on serait toujours occupé de ses intérêts, on n'aurait point cette politesse [98] qui est fondée sur l'oisiveté ; et réellement on n'en aurait pas le temps [99].

L'époque de la politesse des Romains est la même que celle de l'établissement du pouvoir arbitraire. Le gouvernement absolu produit l'oisiveté ; et l'oisiveté fait naître la politesse.

Plus il y a de gens dans une nation qui ont besoin d'avoir des ménagements entre eux et de ne pas déplaire, plus il y a de politesse. Mais c'est plus la politesse des mœurs que celle des manières qui doit nous distinguer des peuples barbares.

Dans une nation où tout homme, à sa manière, prendrait part à l'administration de l'État, les femmes ne devraient guère vivre avec les hommes. Elles seraient donc modestes [I], c'est-à-dire timides : cette timidité ferait leur vertu ; tandis que les hommes, sans galanterie, se jetteraient dans une débauche qui leur laisserait toute leur liberté et leur loisir.

Les lois n'y étant pas faites pour un particulier plus que pour un autre, chacun se regarderait comme monarque ; et les hommes, dans cette nation, seraient plutôt des confédérés [II] que des concitoyens.

Si le climat avait donné à bien des gens un esprit inquiet [100] et des vues étendues, dans un pays où la

---

I. Retenues dans leurs sentiments.
II. La confédération est une association de républiques (voir *EL*, IX, 1).

constitution donnerait à tout le monde une part au gouvernement et des intérêts politiques, on parlerait beaucoup de politique ; on verrait des gens qui passeraient leur vie à calculer des événements qui, vu la nature des choses et le caprice de la fortune[I], c'est-à-dire des hommes, ne sont guère soumis au calcul[101].

Dans une nation libre, il est très souvent indifférent que les particuliers raisonnent bien ou mal ; il suffit qu'ils raisonnent : de là sort la liberté qui garantit des effets de ces mêmes raisonnements.

De même, dans un gouvernement despotique, il est également pernicieux qu'on raisonne bien ou mal ; il suffit qu'on raisonne pour que le principe du gouvernement soit choqué[102].

Bien des gens qui ne se soucieraient de plaire à personne s'abandonneraient à leur humeur. La plupart, avec de l'esprit, seraient tourmentés par leur esprit même : dans le dédain ou le dégoût de toutes choses, ils seraient malheureux avec tant de sujets de ne l'être pas[103].

Aucun citoyen ne craignant aucun citoyen, cette nation serait fière ; car la fierté des rois n'est fondée que sur leur indépendance.

Les nations libres sont superbes[II], les autres peuvent plus aisément être vaines[III].

Mais ces hommes si fiers, vivant beaucoup avec eux-mêmes, se trouveraient souvent au milieu de gens inconnus ; ils seraient timides, et l'on verrait en eux, la plupart du temps, un mélange bizarre de mauvaise honte et de fierté.

Le caractère de la nation paraîtrait surtout dans leurs ouvrages d'esprit, dans lesquels on verrait des gens recueillis, et qui auraient pensé tout seuls.

La société nous apprend à sentir les ridicules ; la retraite nous rend plus propres à sentir les vices. Leurs

---

I. Sort, chance, hasard.
II. Fières.
III. Présomptueuses.

écrits satiriques seraient sanglants ; et l'on verrait bien des Juvénals chez eux, avant d'avoir trouvé un Horace [104].

Dans les monarchies extrêmement absolues, les historiens trahissent la vérité, parce qu'ils n'ont pas la liberté de la dire : dans les États extrêmement libres, ils trahissent la vérité à cause de leur liberté même, qui, produisant toujours des divisions, chacun devient aussi esclave des préjugés de sa faction, qu'il le serait d'un despote [105].

Leurs poètes auraient plus souvent cette rudesse originale de l'invention, qu'une certaine délicatesse que donne le goût : on y trouverait quelque chose qui approcherait plus de la force de Michel-Ange que de la grâce de Raphaël [106].

# IV

# La liberté

# LIVRE XI

# Des lois qui forment la liberté politique dans son rapport avec la constitution

Le livre XI est bien l'un des centres de *L'Esprit des lois*. On y trouve les pages célèbres sur la constitution d'Angleterre qui focalisèrent les lectures et qui sont parmi les plus anciennes de l'œuvre (elles ont pu être rédigées en 1733-1734, même si cette date n'est pas assurée ; voir *OC*, t. III, p. 217-218). Le travail fondateur sur le système anglais s'enracine dans l'expérience d'un séjour de Montesquieu en Angleterre (novembre 1729-mars 1731) au terme d'un voyage à travers l'Europe qu'il entreprit le 5 avril 1728 dans l'espoir d'obtenir un poste dans une ambassade ou une représentation étrangère. À cette époque, Montesquieu cherche à entretenir ou à constituer les réseaux nécessaires pour appuyer ses propositions de service, et à se former dans cette optique, en se frottant à la politique, c'est-à-dire à la réalité diplomatique. Cela nécessite de connaître les lieux qui peuvent devenir le théâtre même des opérations militaires, mais aussi d'être capable de mesurer la puissance des nations, de connaître les gouvernants et les jeux d'alliances ou d'intérêts. Le diplomate en voyage est un peu comme le médecin hippocratique, qui doit inventorier tout ce qui est susceptible de lui fournir des informations sur l'état des pays qu'il traverse, et de mobiliser un savoir total pour évaluer la situation (sanitaire ou politique).

Si les espoirs de Montesquieu furent déçus, et s'il se vit contraint de revenir d'une île où il serait bien resté, il est rentré d'Angleterre avec la capacité et l'envie de mettre en œuvre le « savoir » de cette réalité qui s'est peu à peu constitué dans le travail d'écriture effectué au cours des voyages (outre les nombreuses notes de voyage qui figurent en Pléiade, t. I, Montesquieu y a poursuivi son *Spicilège*, et les *Pensées* renvoient aussi à cette période). Les *Considérations sur les causes de la grandeur des Romains et de leur décadence* (1734) participent de cet effort pour interroger le devenir historique contemporain, de même que les *Réflexions sur la monarchie universelle*, dont on sait que Montesquieu fait vraisemblablement imprimer le texte à la même époque, mais dont il fait détruire ensuite tous les exemplaires, sauf un, sur lequel on trouve la mention autographe : « J'ai écrit qu'on supprimât cette copie et qu'on en imprimât une autre si quelque exemplaire avait passé : de peur qu'on n'interprétât mal quelques endroits » (voir *OC*, t. II, p. 321-324). De nombreux passages de ces *Réflexions* ont été intégrés dans *L'Esprit des lois*. Les *Considérations sur les causes de la grandeur des Romains* sont moins un livre d'histoire qu'une tentative pour éclairer la réalité politique au travers du prisme romain : en suivant pas à pas la perte de la liberté républicaine, on se donne les moyens de mettre au jour les processus qui permettent de rendre compte des phénomènes de corruption et de penser des corrections possibles. En ce sens, Rome n'est pas un modèle. Les *Réflexions sur la monarchie universelle* s'inscrivent bien dans la continuité des *Considérations sur les causes de la grandeur des Romains* et en tirent les leçons méthodologiques et politiques : la mise en perspective historique manifeste que la situation en Europe ne permet à aucune nation de prétendre dominer les autres comme Rome a pu le faire. Pas de « monarchie universelle » en vue, donc, mais une nouvelle réalité, le commerce, qui invalide les prétentions des conquérants et qui engage à penser autrement les relations entre États et le sens de la puissance.

On voit alors comment l'analyse de la constitution d'Angleterre, certainement contemporaine de ces œuvres politiques, met en place le noyau autour duquel Montesquieu va pouvoir former peu à peu son dessein : on ne peut découvrir les conditions de la liberté politique que dans l'histoire, et cela suppose de réfléchir les dispositions des gouvernements, de voir comment les différents corps sociaux modèrent leur pouvoir et constituent, dans leurs oppositions mêmes, l'union d'un corps politique. L'Angleterre et Rome fournissent ici, avec des modalités différentes qui permettent justement les comparaisons, d'excellents miroirs pour réfléchir ce qui fonde en situation la liberté politique. Mais dans ce premier effort pour penser les conditions historiques de la liberté apparaît la nécessité d'étendre les recherches aux autres pays et aux autres époques, qui interviennent toujours comme éléments de comparaison, afin de constituer les répertoires utiles pour voir comment les dispositifs politiques renvoient aussi à un ordre des lois civiles, à un ordre des mœurs, des relations internationales, etc. C'est en suivant minutieusement ces fils que

Montesquieu sentira la nécessité de trouver un moyen de les tenir tous ensemble. La découverte des « principes » (*EL*, préface) permet alors d'unifier les recherches et de les accomplir dans la grande œuvre. Ce qui guide Montesquieu dans ses efforts, c'est une passion de la liberté telle qu'il est impossible de ne pas chercher à l'éclairer : il faut penser ce qui rend possible ce bien, si rare et si précieux.

Le livre XI, consacré aux « lois qui forment la liberté politique dans son rapport à la constitution », est comme le noyau primitif de l'ouvrage, celui dans lequel on découvre les strates les plus anciennes de ce qui n'était pas encore *L'Esprit des lois*, et dans lequel s'accomplit pourtant le sens du projet. Car la pensée des rapports, l'idée d'esprit des lois et d'esprit général, le renouvellement de l'entreprise typologique, tout concourt à penser la liberté en situation pour faire aboutir les réflexions initiées suite aux voyages. Mais en même temps, il faut bien constater que le cadre typologique est ici brouillé, alors qu'il est prégnant et structure les autres livres de la deuxième partie de *L'Esprit des lois*. La constitution d'Angleterre rentre-t-elle dans la typologie de Montesquieu ? Faut-il y voir le modèle constitutionnel qui indiquerait la préférence de l'auteur ?

On rapportera ce fameux chapitre à la problématique posée en I, 3 : il s'agit bien d'étudier la « disposition particulière » du gouvernement. En ce sens, la *constitution* d'un État ne doit pas seulement être comprise dans un sens législatif (ce qui est fixé par ce que nous appelons le droit constitutionnel, et qui peut se rapporter à ce que Montesquieu appelle le droit politique), c'est la résultante d'un *ordre* social conflictuel dont il faut saisir la dynamique. C'est aussi ce qui explique que l'examen des différents champs de juridictions des lois politiques et civiles (car à l'origine les livres XI et XII n'en formaient qu'un ; voir *infra*, p. 262, la notice introduisant au livre VI) doive s'articuler à l'étude du jeu social des passions pour avoir en vue le « tout ensemble ». Étudier la « constitution », ce n'est pas simplement examiner les dispositifs législatifs qui règlent les institutions, c'est comprendre les *arrangements*, la *disposition* (termes qui renvoient à la définition de « constitution » telle qu'on la trouve dans les dictionnaires du XVIIIe siècle) des corps sociaux qui investissent les différents pouvoirs. En ce sens, le long chapitre 6 du livre XI parle bien d'un *cas particulier*, mais il ne s'agit pas simplement de décrire la réalité institutionnelle de l'Angleterre contemporaine (postérieure à la *Glorious Revolution* de 1688) : l'Angleterre n'est nommée que dans le titre du chapitre, et Montesquieu présente une épure, ce qui est attesté à la fois par des lacunes évidentes et par l'usage du conditionnel. S'il ne s'agissait que de décrire la réalité anglaise, Montesquieu n'aurait pas manqué, par exemple, d'évoquer la corruption parlementaire, puisque ses notes et sa correspondance en font état. Il constate ainsi, dans ses *Notes sur l'Angleterre*, que le roi donne des emplois à un grand nombre de députés, ces pensionnaires au sein de la chambre populaire lui assurant une moindre indépendance du Parlement : « Les Anglais ne sont plus dignes de leur liberté. Ils la vendent au roi ; et si le roi la leur redonnait, ils la lui vendraient encore » (Pléiade, t. I, p. 880). Pourtant, il ne s'agit pas d'une Angleterre rêvée ou reconstituée à la faveur des préférences politiques de Montesquieu. L'évocation de Harrington, héritier anglais de Machiavel, montre qu'il faut s'en tenir à la « vérité effective de la chose » (*Le Prince*, chap. 15), plutôt qu'à l'imagination pour résoudre la question du meilleur gouvernement. Pas une Angleterre irréelle donc, mais un « miroir » : le cas de l'Angleterre permet de « trouver » les « principes de la liberté politique », dès lors que l'on étudie « comment » sa « constitution » est « fondée » sur ces principes (ces différents termes renvoient aux bribes, éléments raturés, qui composent les nombreux essais de titre pour ce chapitre sur le manuscrit de XI, 6 ; voir *OC*, t. III, p. 228).

C'est parce que l'objet particulier de l'Angleterre est la liberté (XI, 5) qu'elle peut jouer ce rôle de révélateur. La problématique des fondements telle qu'elle apparaît chez les penseurs de la souveraineté n'est donc pas la bonne : les principes sont inséparables de leur actualisation dans une situation historique, et ce qui importe, c'est de comprendre comment ils sont mis en œuvre. Il faut donc étudier des *modalités* particulières qui *rendent possible* la liberté politique. L'usage du conditionnel vient marquer l'étude de ces *conditions constitutionnelles* d'une fin politique, la liberté comme objet de la constitution. Ainsi l'Angleterre ne fournit pas un modèle idéal à universaliser, mais un étalon pour apprendre à mesurer partout la liberté (XI, 20), et le chapitre 6 donne à voir d'une façon exemplaire la façon dont il faut « penser » à chaque fois une réalité singulière, en repérant les différents pouvoirs, en examinant leur distribution, en étant attentif aux jeux des corps politiques et des passions sociales.

Si l'Angleterre offre un miroir pour réfléchir la liberté, Rome apparaît aussi comme un miroir de l'Angleterre. Il faut insister sur la forme vraiment étonnante de ce livre XI, où les cas anglais et romain sont mis en regard et s'articulent autour d'une réflexion sur les difficultés typologiques rencontrées par Aristote et qui met en évidence l'origine gothique des monarchies modernes (*EL*, XI, 7-11). Le cas romain (*EL*, XI, 12-19) offre un bel exemple de balance des pouvoirs et permet d'être sensible aux évolutions de la constitution. C'est donc la même problématique de la distribution des pouvoirs qui est mise en œuvre dans une *continuité* historique, comme si la vision du « système » anglais était actualisée dans le devenir historique : il ne suffit pas de comprendre l'équilibre dynamique d'une bonne constitution, il faut le voir se former pour être capable de le corriger et de renouveler les accords de cet ordre précaire. Regarder vers les Romains, ce n'est pas se tourner vers le passé pour l'ériger en modèle ou en faire un récit édifiant, mais c'est saisir le devenir et la fragilité de toute constitution libre, c'est éclairer l'horizon de l'Angleterre. C'est enfin indiquer que la modération des monarchies européennes se joue dans une forme de distribution des pouvoirs proprement moderne (soit la monarchie repose sur les corps intermédiaires, soit elle va avec la représentation parlementaire) : « Les Anciens ne connaissaient point le gouvernement fondé sur un corps de noblesse, et encore moins le gouvernement fondé sur un corps législatif formé par les représentants d'une nation » (*EL*, XI, 8). La forme anglaise de la monarchie, qui ne dispose pas de corps intermédiaires (II, 4) et qui n'est d'une certaine façon qu'un cas extrême (si l'on mesurait les degrés où peut être portée la liberté), n'invalide pas la forme française : elles ont une source commune dans ce que Montesquieu appelle le « gouvernement gothique ». Les invasions germaniques empêchèrent les peuples barbares d'exercer eux-mêmes le pouvoir, mais Montesquieu met en évidence le mouvement de « concert » du peuple, de la noblesse, du clergé et des rois qui forma « la meilleure espèce de gouvernement que les hommes aient pu imaginer » (*EL*, XI, 8). Il ne faut donc pas s'étonner de ne pouvoir classer l'Angleterre, cette « nation où la république se cache sous la forme de la monarchie » (*EL*, V, 19). Si du point de vue de la constitution, l'Angleterre est bien une monarchie, ses mœurs sont celles d'une république (voir XIX, 27) : dans le *continuum* qu'offrent les gouvernements modérés, l'important est d'être capable de discerner la *manière particulière* de modérer les pouvoirs, ce que l'on peut appeler la « disposition particulière » (I, 3) du gouvernement.

Il faut commencer par dépasser la diversité des opinions concernant la liberté, que Montesquieu exprime par l'énumération de XI, 2. Les hommes interprètent la liberté en fonction de leurs usages ou de leurs passions particulières, pourtant elle ne peut

se définir ni comme licence ni comme indépendance, mais seulement comme liberté sous la loi (XI, 3). En ce sens, Montesquieu
entérine la critique que Locke, dans le *Second Traité du gouvernement civil* (1689, VII, § 93), avait formulée contre Robert Filmer
(1588-1653), et qu'il peut reprendre contre Hobbes : les gouvernants eux-mêmes sont soumis à la loi qui apparaît comme une
protection nécessaire du citoyen contre l'arbitraire et l'abus. Mais
en même temps, il s'oppose à la tradition républicaine pour
laquelle la liberté suppose la participation des citoyens à l'élaboration des lois : le pouvoir du peuple n'est pas la liberté du peuple
(XI, 2-3). Il faut s'en souvenir pour mesurer comment Bolingbroke
ou Sidney ont pu intéresser Montesquieu : si l'on en perçoit des
traces en XI, 6, s'il s'accorde avec eux contre l'absolutisme, il
récuse l'existence d'un « modèle » républicain... La dernière
partie du livre XI, qui porte sur le cas romain sur lequel s'était déjà
penché Machiavel dans le *Discours sur la première décade de
Tite-Live*, s'inscrit également dans ce dialogue avec le républicanisme moderne pour savoir comment il faut interpréter la formation et la corruption de la république romaine. Mais il faut aussi
rendre raison aux tenants du républicanisme : le cas particulier de
l'Angleterre révèle des mœurs qui donnent corps à leur définition
de la liberté. Cependant, pour mettre en évidence cela, il n'est
pas nécessaire de se fixer sur un modèle idéal (la fin de XI, 6 fait
cette critique à Harrington), il ne faut que regarder ce que l'on a
sous les yeux et examiner la liberté extrême des Anglais, qui ne
saurait, de ce fait, exister sous cette forme ailleurs que sur leur
île. Car ce qui caractérise cette nation, c'est « que tout citoyen y
aurait sa volonté propre, et ferait valoir à son gré son *indépendance* », c'est que « tout homme, à sa manière, *prendrait part à
l'administration de l'État* » (XIX, 27 ; nous soulignons). Les définitions écartées en XI, 2 et 3 ne le sont pas définitivement, puisqu'elles trouvent une incarnation circonstanciée dans l'examen
des mœurs du peuple anglais. C'est donc en relevant la confusion
des républicains que Montesquieu s'engage dans une voie réaliste, en posant le problème de la limitation du pouvoir (XI, 4).
Seul un examen de la « disposition des choses » permet de ne
pas s'aveugler sur les véritables principes de la liberté politique.
Il rappelle alors les « histoires de toutes les nations », en énumérant les divers objets particuliers des différents États, pour justifier
l'examen du cas anglais (XI, 5).

Le chapitre 6 s'ouvre avec une distinction fonctionnelle des trois
pouvoirs, mais la thèse qui découle de la problématique de la

distribution des pouvoirs s'oppose directement à ceux qui défendent la nécessité d'une souveraineté absolue. Ainsi Pufendorf, qui distingue également différents pouvoirs comme des parties essentielles de la souveraineté, conclut qu'un gouvernement ne peut se conserver que par la concentration des pouvoirs (voir *Droit de la nature et des gens*, VII, 4, § 9). Pour Montesquieu, la condition de possibilité primordiale de la liberté de la constitution et de la sûreté des citoyens réside dans la non-confusion et le non-cumul des trois pouvoirs. On le voit, notre auteur progresse toujours en infléchissant la logique des illustres penseurs, « en Angleterre et en Allemagne » (*EL*, préface), qui l'ont précédé. Écartant le républicanisme et l'absolutisme, Montesquieu entend aussi justifier une autre problématique du fondement que celle que l'on peut trouver dans la pensée contractualiste. Il faut penser des mécanismes complexes de prise de décision, des dispositifs législatifs qui s'accordent à la « disposition des choses » (XI, 4), de sorte que la liberté d'ensemble et de chaque partie soit le résultat de l'affrontement des intérêts particuliers.

Si les pouvoirs doivent être en mesure de s'opposer, ils ne peuvent être séparés ou isolés. Le mythe de la séparation des pouvoirs repose sur une lecture juridique de XI, 6. Or, si le pouvoir judiciaire doit effectivement être réellement « séparé » du point de vue de l'arrangement constitutionnel, toute l'attention de Montesquieu porte sur la manière de *lier* les différents corps en les mettant en position de s'opposer mutuellement les uns aux autres. Les analyses de XI, 6 ne proposent pas un régime idéal, mais elles mettent en place une combinatoire qui, nourrie des histoires de toutes les nations, doit permettre de penser l'heureuse distribution de la situation présente.

## Chapitre premier
### Idée générale

Je distingue les lois qui forment la liberté politique dans son rapport avec la constitution[I], d'avec celles qui

---

I. Dans un sens juridique, ce terme désigne une ordonnance ou une loi. Mais Montesquieu l'utilise ici dans un sens plus large : tout ce qui participe à l'ordre et à l'arrangement d'un tout, qu'il s'agisse du corps humain, du monde ou du corps politique.

la forment dans son rapport avec le citoyen. Les premières seront le sujet de ce livre-ci ; je traiterai des secondes dans le livre suivant [1].

## Chapitre 2
### Diverses significations données au mot de liberté

Il n'y a point de mot qui ait reçu plus de différentes significations, et qui ait frappé les esprits de tant de manières, que celui de *liberté*. Les uns l'ont pris pour la facilité de déposer celui à qui ils avaient donné un pouvoir tyrannique ; les autres, pour la faculté d'élire celui à qui ils devaient obéir ; d'autres, pour le droit d'être armés, et de pouvoir exercer la violence ; ceux-ci, pour le privilège de n'être gouvernés que par un homme de leur nation, ou par leurs propres lois [a]. Certain peuple a longtemps pris la liberté pour l'usage de porter une longue barbe [b]. Ceux-ci ont attaché ce nom à une forme de gouvernement, et en ont exclu les autres. Ceux qui avaient goûté du gouvernement républicain l'ont mise dans ce gouvernement ; ceux qui avaient joui du gouvernement monarchique l'ont placée dans la monarchie [c]. Enfin chacun a appelé *liberté* le gouvernement qui était conforme à ses coutumes ou à ses inclinations [2] ; et comme dans une république on n'a pas toujours devant les yeux, et d'une manière si présente, les instruments des maux dont on se plaint, et que même les lois paraissent

a. « J'ai, dit Cicéron, copié l'édit de Scévola, qui permet aux Grecs de terminer entre eux leurs différends selon leurs lois, ce qui fait qu'ils se regardent comme des peuples libres [3]. »
b. Les Moscovites ne pouvaient souffrir [supporter] que le czar Pierre la leur fît couper [4].
c. Les Cappadociens refusèrent l'État républicain que leur offrirent les Romains [5].

y parler plus, et les exécuteurs de la loi y parler moins, on la place ordinairement dans les républiques, et on l'a exclue des monarchies. Enfin, comme dans les démocraties le peuple paraît à peu près faire ce qu'il veut, on a mis la liberté dans ces sortes de gouvernements, et on a confondu le pouvoir du peuple avec la liberté du peuple.

## Chapitre 3
### Ce que c'est que la liberté

Il est vrai que, dans les démocraties le peuple paraît faire ce qu'il veut ; mais la liberté politique ne consiste point à faire ce que l'on veut [6]. Dans un État, c'est-à-dire dans une société où il y a des lois, la liberté ne peut consister qu'à pouvoir faire ce que l'on doit vouloir, et à n'être point contraint de faire ce que l'on ne doit pas vouloir [7].

Il faut se mettre dans l'esprit ce que c'est que l'indépendance, et ce que c'est que la liberté. La liberté est le droit de faire tout ce que les lois permettent ; et si un citoyen pouvait faire ce qu'elles défendent, il n'aurait plus de liberté, parce que les autres auraient tout de même [I] ce pouvoir.

## Chapitre 4
### Continuation du même sujet

La démocratie et l'aristocratie ne sont point des États libres par leur nature. La liberté politique [8] ne se trouve que dans les gouvernements modérés [9]. Mais elle n'est

---

I. De la même façon.

pas toujours dans les États modérés ; elle n'y est que lorsqu'on n'abuse pas du pouvoir [10] ; mais c'est une expérience éternelle que tout homme qui a du pouvoir est porté à en abuser [11] ; il va jusqu'à ce qu'il trouve des limites. Qui le dirait ! la vertu même a besoin de limites.

Pour qu'on ne puisse abuser du pouvoir, il faut que, par la disposition des choses, le pouvoir arrête le pouvoir. Une constitution peut être telle que personne ne sera contraint de faire les choses auxquelles la loi ne l'oblige pas, et à ne point faire celles que la loi lui permet [12].

## CHAPITRE 5
### De l'objet des États divers

Quoique tous les États aient en général un même objet, qui est de se maintenir, chaque État en a pourtant un qui lui est particulier. L'agrandissement était l'objet de Rome [13] ; la guerre, celui de Lacédémone [14] ; la religion, celui des lois judaïques [15] ; le commerce, celui de Marseille [16] ; la tranquillité publique, celui des lois de la Chine [a] ; la navigation, celui des lois des Rhodiens [17] ; la liberté naturelle, l'objet de la police [I] des sauvages [18] ; en général, les délices du prince, celui des États despotiques [19] ; sa gloire et celle de l'État, celui des monarchies [20] ; l'indépendance de chaque particulier est l'objet des lois de Pologne ; et ce qui en résulte, l'oppression de tous [b].

Il y a aussi une nation dans le monde qui a pour objet direct de sa constitution la liberté politique. Nous allons

a. Objet naturel d'un État qui n'a point d'ennemis au-dehors, ou qui croit les avoir arrêtés par des barrières [21].

b. Inconvénient du *Liberum veto* [22].

I. Des règlements.

examiner les principes sur lesquels elle la fonde[23]. S'ils sont bons, la liberté y paraîtra comme dans un miroir.

Pour découvrir la liberté politique dans la constitution, il ne faut pas tant de peine. Si on peut la voir où elle est, si on l'a trouvée, pourquoi la chercher[24] ?

## Chapitre 6
### De la constitution d'Angleterre[25]

Il y a dans chaque État trois sortes de pouvoirs[26] : la puissance législative, la puissance exécutrice[I] des choses qui dépendent du droit des gens[II], et la puissance exécutrice de celles qui dépendent du droit civil.

Par la première, le prince ou le magistrat[III] fait des lois pour un temps ou pour toujours, et corrige ou abroge celles qui sont faites. Par la seconde, il fait la paix ou la guerre, envoie ou reçoit des ambassades, établit la sûreté, prévient les invasions. Par la troisième, il punit les crimes, ou juge les différends des particuliers. On appellera cette dernière la puissance de juger, et l'autre simplement la puissance exécutrice de l'État.

La liberté politique dans un citoyen est cette tranquillité d'esprit qui provient de l'opinion que chacun a de sa sûreté ; et pour qu'on ait cette liberté, il faut que le gouvernement soit tel qu'un citoyen ne puisse pas craindre un autre citoyen.

Lorsque dans la même personne ou dans le même corps de magistrature, la puissance législative est réunie

---

I. Exécutive.

II. Traduction littérale de *ius gentium* (droit des nations) ; droit qui règle les rapports internationaux. Voir I, 3.

III. « Magistrat : officier de [justice] et de police, qui a juridiction et autorité sur le peuple. [...] Se dit aussi collectivement de ceux qui ont soin de la police ou du gouvernement de la ville, ou de la république » (Thomas Corneille, *Dictionnaire des arts et des sciences*, 1694).

à la puissance exécutrice[27], il n'y a point de liberté ; parce qu'on peut craindre que le même monarque ou le même sénat[I] ne fasse des lois tyranniques pour les exécuter tyranniquement.

Il n'y a point encore de liberté si la puissance de juger n'est pas séparée de la puissance législative et de l'exécutrice. Si elle était jointe à la puissance législative, le pouvoir sur la vie et la liberté des citoyens serait arbitraire : car le juge serait législateur. Si elle était jointe à la puissance exécutrice, le juge pourrait avoir la force d'un oppresseur.

Tout serait perdu si le même homme, ou le même corps des principaux[II], ou des nobles, ou du peuple, exerçaient ces trois pouvoirs : celui de faire des lois, celui d'exécuter les résolutions publiques, et celui de juger les crimes ou les différends des particuliers.

Dans la plupart des royaumes de l'Europe, le gouvernement est modéré, parce que le prince, qui a les deux premiers pouvoirs, laisse à ses sujets[III] l'exercice du troisième. Chez les Turcs[28], où ces trois pouvoirs sont réunis sur la tête du sultan, il règne un affreux despotisme.

Dans les républiques d'Italie, où ces trois pouvoirs sont réunis, la liberté se trouve moins que dans nos monarchies. Aussi le gouvernement a-t-il besoin, pour se maintenir, de moyens aussi violents que le gouvernement des Turcs ; témoins les inquisiteurs d'État[a], et le tronc où tout délateur peut, à tous les moments, jeter avec un billet son accusation.

Voyez quelle peut être la situation d'un citoyen dans ces républiques. Le même corps de magistrature a, comme exécuteur des lois, toute la puissance qu'il s'est

a. À Venise[29].

I. À Rome, assemblée constituée d'anciens magistrats et dotée de grands pouvoirs. Toute assemblée qui rappelle cette institution.
II. Les notables, les personnes les plus importantes par leur rang ou leur influence.
III. Sujet : qui est soumis à l'autorité politique.

donnée comme législateur. Il peut ravager l'État par ses volontés générales, et, comme il a encore la puissance de juger, il peut détruire chaque citoyen par ses volontés particulières.

Toute la puissance y est une ; et, quoiqu'il n'y ait point de pompe extérieure qui découvre un prince despotique, on le sent à chaque instant.

Aussi les princes qui ont voulu se rendre despotiques ont-ils toujours commencé par réunir en leur personne toutes les magistratures ; et plusieurs rois d'Europe toutes les grandes charges de leur État.

Je crois bien que la pure aristocratie héréditaire des républiques d'Italie ne répond pas précisément au despotisme de l'Asie. La multitude des magistrats adoucit quelquefois la magistrature ; tous les nobles ne concourent pas toujours aux mêmes desseins ; on y forme divers tribunaux qui se tempèrent [30]. Ainsi, à Venise, le *grand conseil* a la législation ; le *prégady*, l'exécution ; les *quaranties*, le pouvoir de juger. Mais le mal est que ces tribunaux différents sont formés par des magistrats du même corps [31] ; ce qui ne fait guère qu'une même puissance.

La puissance de juger [32] ne doit pas être donnée à un sénat permanent, mais exercée par des personnes tirées du corps du peuple [b] dans certains temps de l'année, de la manière prescrite par la loi, pour former un tribunal qui ne dure qu'autant que la nécessité le requiert.

De cette façon, la puissance de juger, si terrible parmi les hommes, n'étant attachée ni à un certain état, ni à une certaine profession, devient, pour ainsi dire, invisible et nulle. On n'a point continuellement des juges devant les yeux ; et l'on craint la magistrature, et non pas les magistrats.

Il faut même que, dans les grandes accusations, le criminel, concurremment avec la loi, se choisisse des juges ; ou du moins qu'il en puisse récuser un si grand nombre que ceux qui restent soient censés être de son choix.

b. Comme à Athènes [33].

Les deux autres pouvoirs pourraient plutôt être donnés à des magistrats ou à des corps permanents, parce qu'ils ne s'exercent sur aucun particulier ; n'étant, l'un, que la volonté générale de l'État, et l'autre, que l'exécution de cette volonté générale.

Mais, si les tribunaux ne doivent pas être fixes, les jugements doivent l'être à un tel point, qu'ils ne soient jamais qu'un texte précis de la loi. S'ils étaient une opinion particulière du juge, on vivrait dans la société, sans savoir précisément les engagements que l'on y contracte [34].

Il faut même que les juges soient de la condition de l'accusé, ou ses pairs, pour qu'il ne puisse pas se mettre dans l'esprit qu'il soit tombé entre les mains de gens portés à lui faire violence [35].

Si la puissance législative laisse à l'exécutrice le droit d'emprisonner des citoyens qui peuvent donner caution de leur conduite, il n'y a plus de liberté, à moins qu'ils ne soient arrêtés pour répondre, sans délai, à une accusation que la loi a rendue capitale ; auquel cas ils sont réellement libres, puisqu'ils ne sont soumis qu'à la puissance de la loi [36].

Mais, si la puissance législative se croyait en danger par quelque conjuration secrète contre l'État, ou quelque intelligence avec les ennemis du dehors, elle pourrait, pour un temps court et limité, permettre à la puissance exécutrice de faire arrêter les citoyens suspects, qui ne perdraient leur liberté pour un temps que pour la conserver pour toujours [37].

Et c'est le seul moyen conforme à la raison de suppléer à la tyrannique magistrature des *éphores*, et aux *inquisiteurs d'État* de Venise [I], qui sont aussi despotiques [38].

Comme, dans un État libre, tout homme qui est censé avoir une âme libre doit être gouverné par lui-même, il

---

I. Les éphores sont les cinq magistrats électifs annuels établis à Sparte pour contrebalancer l'autorité des rois et du sénat ; voir *Pensées*, n° 1744. L'inquisition d'État, à Venise, instruisait à partir de délations anonymes (sur ces deux « magistratures tyranniques », voir *EL*, V, 8).

faudrait que le peuple en corps eût la puissance législative. Mais comme cela est impossible dans les grands États, et est sujet à beaucoup d'inconvénients dans les petits, il faut que le peuple fasse par ses représentants tout ce qu'il ne peut faire par lui-même.

L'on connaît beaucoup mieux les besoins de sa ville que ceux des autres villes ; et on juge mieux de la capacité de ses voisins que de celle de ses autres compatriotes. Il ne faut donc pas que les membres du corps législatif soient tirés en général du corps de la nation [I] ; mais il convient que, dans chaque lieu principal, les habitants se choisissent un représentant.

Le grand avantage des représentants, c'est qu'ils sont capables de discuter les affaires. Le peuple n'y est point du tout propre ; ce qui forme un des grands inconvénients de la démocratie [39].

Il n'est pas nécessaire que les représentants, qui ont reçu de ceux qui les ont choisis une instruction générale, en reçoivent une particulière sur chaque affaire, comme cela se pratique dans les diètes [II] d'Allemagne. Il est vrai que, de cette manière, la parole des députés serait plus l'expression de la voix de la nation ; mais cela jetterait dans des longueurs infinies, rendrait chaque député le maître de tous les autres, et dans les occasions les plus pressantes, toute la force de la nation pourrait être arrêtée par un caprice.

Quand les députés, dit très bien M. Sidney [40], représentent un corps de peuple, comme en Hollande, ils doivent rendre compte à ceux qui les ont commis : c'est autre chose lorsqu'ils sont députés par des bourgs, comme en Angleterre.

Tous les citoyens, dans les divers districts, doivent avoir droit de donner leur voix pour choisir le représentant ;

---

I. « Tous les habitants d'un même État, d'un même pays, qui vivent sous les mêmes lois, parlent le même langage » (*Académie*).

II. Assemblées. La pratique du mandat impératif est aussi liée aux systèmes de type confédératif, comme le précise l'exemple qui suit, trouvé chez Sidney.

excepté ceux qui sont dans un tel état de bassesse, qu'ils sont réputés n'avoir point de volonté propre [41].

Il y avait un grand vice dans la plupart des anciennes républiques : c'est que le peuple avait droit d'y prendre des résolutions actives, et qui demandent quelque exécution, chose dont il est entièrement incapable. Il ne doit entrer dans le gouvernement que pour choisir les représentants, ce qui est très à sa portée [42]. Car, s'il y a peu de gens qui connaissent le degré précis de la capacité des hommes, chacun est pourtant capable de savoir, en général, si celui qu'il choisit est plus éclairé que la plupart des autres.

Le corps représentant ne doit pas être choisi non plus pour prendre quelque résolution active, chose qu'il ne ferait pas bien ; mais pour faire des lois, ou pour voir si l'on a bien exécuté celles qu'il a faites, chose qu'il peut très bien faire, et qu'il n'y a même que lui qui puisse bien faire.

Il y a toujours, dans un État, des gens distingués par la naissance, les richesses ou les honneurs ; mais s'ils étaient confondus parmi le peuple, et s'ils n'y avaient qu'une voix comme les autres, la liberté commune serait leur esclavage, et ils n'auraient aucun intérêt à la défendre, parce que la plupart des résolutions seraient contre eux. La part qu'ils ont à la législation doit donc être proportionnée aux autres avantages qu'ils ont dans l'État : ce qui arrivera s'ils forment un corps qui ait droit d'arrêter les entreprises du peuple, comme le peuple a droit d'arrêter les leurs.

Ainsi, la puissance législative sera confiée, et au corps des nobles, et au corps qui sera choisi pour représenter le peuple, qui auront chacun leurs assemblées et leurs délibérations à part, et des vues et des intérêts séparés.

Des trois puissances dont nous avons parlé, celle de juger est en quelque façon nulle. Il n'en reste que deux ; et comme elles ont besoin d'une puissance réglante pour les tempérer, la partie du corps législatif qui est composé de nobles est très propre à produire cet effet.

Le corps des nobles doit être héréditaire [43]. Il l'est premièrement par sa nature ; et d'ailleurs il faut qu'il ait un très grand intérêt à conserver ses prérogatives [I], odieuses par elles-mêmes, et qui, dans un État libre, doivent toujours être en danger.

Mais comme une puissance héréditaire pourrait être induite à suivre ses intérêts particuliers et à oublier ceux du peuple, il faut que dans les choses où l'on a un souverain intérêt à la corrompre, comme dans les lois qui concernent la levée de l'argent, elle n'ait de part à la législation que par sa faculté d'empêcher, et non par sa faculté de statuer.

J'appelle *faculté de statuer*, le droit d'ordonner par soi-même, ou de corriger ce qui a été ordonné par un autre. J'appelle *faculté d'empêcher*, le droit de rendre nulle une résolution prise par quelque autre ; ce qui était la puissance des tribuns [II] de Rome. Et quoique celui qui a la faculté d'empêcher puisse avoir aussi le droit d'approuver, pour lors, cette approbation n'est autre chose qu'une déclaration qu'il ne fait point d'usage de sa faculté d'empêcher, et dérive de cette faculté.

La puissance exécutrice doit être entre les mains d'un monarque, parce que cette partie du gouvernement, qui a presque toujours besoin d'une action momentanée, est mieux administrée par un que par plusieurs [44] ; au lieu que ce qui dépend de la puissance législative est souvent mieux ordonné par plusieurs que par un seul.

Que s'il n'y avait point de monarque, et que la puissance exécutrice fût confiée à un certain nombre de personnes tirées du corps législatif, il n'y aurait plus de liberté, parce que les deux puissances seraient unies ; les mêmes personnes ayant quelquefois, et pouvant toujours avoir part à l'une et à l'autre.

---

I. Avantages, privilèges.
II. Magistrats romains chargés de défendre les intérêts du peuple (plèbe) contre les entreprises des consuls et du sénat.

Si le corps législatif était un temps considérable sans être assemblé, il n'y aurait plus de liberté. Car il arriverait de deux choses l'une : ou qu'il n'y aurait plus de résolution législative, et l'État tomberait dans l'anarchie ; ou que ces résolutions seraient prises par la puissance exécutrice, et elle deviendrait absolue.

Il serait inutile que le corps législatif fût toujours assemblé. Cela serait incommode pour les représentants, et d'ailleurs occuperait trop la puissance exécutrice, qui ne penserait point à exécuter, mais à défendre ses prérogatives, et le droit qu'elle a d'exécuter.

De plus : si le corps législatif était continuellement assemblé, il pourrait arriver que l'on ne ferait que suppléer de nouveaux députés à la place de ceux qui mourraient ; et, dans ce cas, si le corps législatif était une fois corrompu, le mal serait sans remède. Lorsque divers corps législatifs se succèdent les uns aux autres, le peuple, qui a mauvaise opinion du corps législatif actuel, porte, avec raison, ses espérances sur celui qui viendra après. Mais si c'était toujours le même corps, le peuple, le voyant une fois corrompu, n'espérerait plus rien de ses lois ; il deviendrait furieux, ou tomberait dans l'indolence.

Le corps législatif ne doit point s'assembler lui-même ; car un corps n'est censé avoir de volontés que lorsqu'il est assemblé ; et, s'il ne s'assemblait pas unanimement, on ne saurait dire quelle partie serait véritablement le corps législatif : celle qui serait assemblée, ou celle qui ne le serait pas. Que s'il avait droit de se proroger[1] lui-même, il pourrait arriver qu'il ne se prorogerait jamais ; ce qui serait dangereux dans les cas où il voudrait attenter contre la puissance exécutrice. D'ailleurs, il y a des temps plus convenables les uns que les autres, pour l'assemblée du corps législatif : il faut donc que ce soit la puissance

---

[1]. « En parlant des affaires d'Angleterre, on dit *proroger le Parlement* pour dire "en remettre la séance, la tenue à une autre fois" » (*Académie*).

exécutrice qui règle le temps de la tenue et de la durée de ces assemblées, par rapport aux circonstances qu'elle connaît.

Si la puissance exécutrice n'a pas le droit d'arrêter les entreprises du corps législatif, celui-ci sera despotique ; car, comme il pourra se donner tout le pouvoir qu'il peut imaginer, il anéantira toutes les autres puissances.

Mais il ne faut pas que la puissance législative ait réciproquement la faculté d'arrêter la puissance exécutrice. Car, l'exécution ayant ses limites par sa nature, il est inutile de la borner ; outre que la puissance exécutrice s'exerce toujours sur des choses momentanées. Et la puissance des tribuns de Rome était vicieuse, en ce qu'elle arrêtait non seulement la législation, mais même l'exécution : ce qui causait de grands maux.

Mais si, dans un État libre, la puissance législative ne doit pas avoir le droit d'arrêter la puissance exécutrice, elle a droit, et doit avoir la faculté d'examiner de quelle manière les lois qu'elle a faites ont été exécutées [45] ; et c'est l'avantage qu'a ce gouvernement sur celui de Crète et de Lacédémone, où les *cosmes* et les *éphores* ne rendaient point compte de leur administration [46].

Mais, quel que soit cet examen, le corps législatif ne doit pas avoir le pouvoir de juger la personne, et par conséquent la conduite de celui qui exécute. Sa personne doit être sacrée, parce qu'étant nécessaire à l'État pour que le corps législatif n'y devienne pas tyrannique, dès le moment qu'il serait accusé ou jugé, il n'y aurait plus de liberté.

Dans ce cas l'État ne serait point une monarchie, mais une république non libre. Mais comme celui qui exécute ne peut exécuter mal sans avoir des conseillers méchants, et qui haïssent les lois comme ministres [I], quoiqu'elles les favorisent comme hommes, ceux-ci peuvent être recherchés et punis. Et c'est l'avantage de ce gouvernement sur

---

I. « Celui dont on se sert pour l'exécution de quelque chose » (*Académie*).

celui de Gnide [I], où la loi ne permettant point d'appeler en jugement les *amimones* [c 47], même après leur administration [d], le peuple ne pouvait jamais se faire rendre raison des injustices qu'on lui avait faites.

Quoiqu'en général la puissance de juger ne doive être unie à aucune partie de la législative, cela est sujet à trois exceptions, fondées sur l'intérêt particulier de celui qui doit être jugé.

Les grands sont toujours exposés à l'envie ; et s'ils étaient jugés par le peuple, ils pourraient être en danger, et ne jouiraient pas du privilège qu'a le moindre des citoyens, dans un État libre, d'être jugé par ses pairs. Il faut donc que les nobles soient appelés, non pas devant les tribunaux ordinaires de la nation, mais devant cette partie du corps législatif qui est composée de nobles.

Il pourrait arriver que la loi, qui est en même temps clairvoyante et aveugle, serait, en de certains cas, trop rigoureuse. Mais les juges de la nation ne sont, comme nous avons dit, que la bouche qui prononce les paroles de la loi ; des êtres inanimés qui n'en peuvent modérer ni la force ni la rigueur. C'est donc la partie du corps législatif, que nous venons de dire être, dans une autre occasion, un tribunal nécessaire, qui l'est encore dans celle-ci ; c'est à son autorité suprême à modérer la loi en faveur de la loi même, en prononçant moins rigoureusement qu'elle [II].

Il pourrait encore arriver que quelque citoyen, dans les affaires publiques, violerait les droits du peuple, et ferait des crimes que les magistrats établis ne sauraient ou ne voudraient pas punir. Mais, en général, la puissance

c. C'étaient des magistrats que le peuple élisait tous les ans. Voyez Étienne de Byzance.

d. On pouvait accuser les magistrats romains après leur magistrature. Voyez, dans Denys d'Halicarnasse, liv. IX, l'affaire du tribun Génutius [48].

---

I. Cité d'Asie Mineure.
II. La Chambre des lords, juridiction suprême du royaume.

législative ne peut pas juger ; et elle le peut encore moins dans ce cas particulier, où elle représente la partie intéressée, qui est le peuple. Elle ne peut donc être qu'accusatrice. Mais devant qui accusera-t-elle ? Ira-t-elle s'abaisser devant les tribunaux de la loi, qui lui sont inférieurs, et d'ailleurs composés de gens qui, étant peuple comme elle, seraient entraînés par l'autorité d'un si grand accusateur ? Non : il faut, pour conserver la dignité du peuple et la sûreté du particulier, que la partie législative du peuple accuse devant la partie législative des nobles, laquelle n'a ni les mêmes intérêts qu'elle, ni les mêmes passions [49].

C'est l'avantage qu'a ce gouvernement sur la plupart des républiques anciennes, où il y avait cet abus, que le peuple était en même temps et juge et accusateur.

La puissance exécutrice, comme nous avons dit, doit prendre part à la législation par sa faculté d'empêcher ; sans quoi elle sera bientôt dépouillée de ses prérogatives. Mais si la puissance législative prend part à l'exécution, la puissance exécutrice sera également perdue.

Si le monarque prenait part à la législation par la faculté de statuer, il n'y aurait plus de liberté. Mais, comme il faut pourtant qu'il ait part à la législation pour se défendre, il faut qu'il y prenne part par la faculté d'empêcher.

Ce qui fut cause que le gouvernement changea à Rome, c'est que le sénat, qui avait une partie de la puissance exécutrice, et les magistrats, qui avaient l'autre [50], n'avaient pas, comme le peuple, la faculté d'empêcher.

Voici donc la constitution fondamentale du gouvernement dont nous parlons. Le corps législatif y étant composé de deux parties, l'une enchaînera l'autre par sa faculté mutuelle d'empêcher. Toutes les deux seront liées par la puissance exécutrice, qui le sera elle-même par la législative [51].

Ces trois puissances devraient former un repos ou une inaction. Mais comme, par le mouvement nécessaire des choses, elles sont contraintes d'aller, elles seront forcées d'aller de concert [52].

La puissance exécutrice ne faisant partie de la législative que par la faculté d'empêcher, elle ne saurait entrer dans le débat des affaires. Il n'est pas même nécessaire qu'elle propose, parce que, pouvant toujours désapprouver les résolutions, elle peut rejeter les décisions des propositions qu'elle aurait voulu qu'on n'eût pas faites.

Dans quelques républiques anciennes, où le peuple en corps avait le débat des affaires, il était naturel que la puissance exécutrice les proposât et les débattît avec lui ; sans quoi il y aurait eu dans les résolutions une confusion étrange.

Si la puissance exécutrice statue sur la levée des deniers publics autrement que par son consentement, il n'y aura plus de liberté, parce qu'elle deviendra législative dans le point le plus important de la législation.

Si la puissance législative statue, non pas d'année en année, mais pour toujours, sur la levée des deniers publics, elle court risque de perdre sa liberté, parce que la puissance exécutrice ne dépendra plus d'elle ; et quand on tient un pareil droit pour toujours, il est assez indifférent qu'on le tienne de soi ou d'un autre. Il en est de même si elle statue, non pas d'année en année, mais pour toujours, sur les forces de terre et de mer qu'elle doit confier à la puissance exécutrice [53].

Pour que celui qui exécute ne puisse pas opprimer, il faut que les armées qu'on lui confie soient peuple, et aient le même esprit que le peuple, comme cela fut à Rome jusqu'au temps de Marius [54]. Et, pour que cela soit ainsi, il n'y a que deux moyens : ou que ceux que l'on emploie dans l'armée aient assez de bien pour répondre de leur conduite aux autres citoyens, et qu'ils ne soient enrôlés que pour un an, comme il se pratiquait à Rome ; ou, si on a un corps de troupes permanent, et où les soldats soient une des plus viles parties de la nation [55], il faut que la puissance législative puisse le casser sitôt qu'elle le désire ; que les soldats habitent avec les citoyens, et qu'il n'y ait ni camp séparé, ni casernes, ni place de guerre.

L'armée étant une fois établie, elle ne doit point dépendre immédiatement du corps législatif, mais de la puissance exécutrice ; et cela par la nature de la chose ; son fait consistant plus en action qu'en délibération.

Il est dans la manière de penser des hommes que l'on fasse plus de cas du courage que de la timidité ; de l'activité que de la prudence ; de la force que des conseils. L'armée méprisera toujours un sénat et respectera ses officiers [56]. Elle ne fera point cas des ordres qui lui seront envoyés de la part d'un corps composé de gens qu'elle croira timides [I], et indignes par là de lui commander. Ainsi, sitôt que l'armée dépendra uniquement du corps législatif, le gouvernement deviendra militaire. Et si le contraire est jamais arrivé, c'est l'effet de quelques circonstances extraordinaires ; c'est que l'armée y est toujours séparée ; c'est qu'elle est composée de plusieurs corps qui dépendent chacun de leur province particulière ; c'est que les villes capitales sont des places excellentes, qui se défendent par leur situation seule, et où il n'y a point de troupes.

La Hollande est encore plus en sûreté que Venise ; elle submergerait les troupes révoltées, elle les ferait mourir de faim. Elles ne sont point dans les villes qui pourraient leur donner la subsistance ; cette subsistance est donc précaire.

Que si, dans le cas où l'armée est gouvernée par le corps législatif, des circonstances particulières empêchent le gouvernement de devenir militaire, on tombera dans d'autres inconvénients ; de deux choses l'une : ou il faudra que l'armée détruise le gouvernement, ou que le gouvernement affaiblisse l'armée.

Et cet affaiblissement aura une cause bien fatale : il naîtra de la faiblesse même du gouvernement.

---

I. Timorés, craintifs.

Si l'on veut lire l'admirable ouvrage de Tacite *Sur les mœurs des Germains*[e], on verra que c'est d'eux que les Anglais ont tiré l'idée de leur gouvernement politique. Ce beau système a été trouvé dans les bois [57].

Comme toutes les choses humaines ont une fin, l'État dont nous parlons perdra sa liberté, il périra [58]. Rome, Lacédémone [59] et Carthage ont bien péri. Il périra lorsque la puissance législative sera plus corrompue que l'exécutrice.

Ce n'est point à moi à examiner si les Anglais jouissent actuellement de cette liberté, ou non. Il me suffit de dire qu'elle est établie par leurs lois, et je n'en cherche pas davantage [60].

Je ne prétends point par là ravaler les autres gouvernements, ni dire que cette liberté politique extrême doive mortifier ceux qui n'en ont qu'une modérée. Comment dirais-je cela, moi qui crois que l'excès même de la raison n'est pas toujours désirable, et que les hommes s'accommodent presque toujours mieux des milieux que des extrémités ?

Harrington, dans son *Oceana*[I], a aussi examiné quel était le plus haut point de liberté où la constitution d'un État peut être portée [61]. Mais on peut dire de lui qu'il n'a cherché cette liberté qu'après l'avoir méconnue [62], et qu'il a bâti Chalcédoine, ayant le rivage de Byzance devant les yeux [63].

---

e. *De minoribus rebus principes consultant, de majoribus omnes ; ita tamen ut ea quoque quorum penes plebem arbitrium est apud principes pertractentur* [64].

---

I. James Harrington (1611-1677) fait dans *Oceana* (1656) une présentation utopique d'une constitution républicaine. Voir *EL*, XXIX, 19.

## CHAPITRE 7

### Des monarchies que nous connaissons

Les monarchies que nous connaissons[1] n'ont pas, comme celle dont nous venons de parler, la liberté pour leur objet direct ; elles ne tendent qu'à la gloire des citoyens, de l'État et du prince. Mais de cette gloire il résulte un esprit de liberté qui, dans ces États, peut faire d'aussi grandes choses, et peut-être contribuer autant au bonheur que la liberté même[65].

Les trois pouvoirs n'y sont point distribués et fondus[II] sur le modèle de la constitution dont nous avons parlé. Ils ont chacun une distribution particulière, selon laquelle ils approchent plus ou moins de la liberté politique ; et, s'ils n'en approchaient pas, la monarchie dégénérerait en despotisme[66].

## CHAPITRE 20

### Fin de ce livre

Je voudrais rechercher, dans tous les gouvernements modérés que nous connaissons, quelle est la distribution des trois pouvoirs, et calculer par là les degrés de liberté dont chacun d'eux peut jouir[67]. Mais il ne faut pas toujours tellement épuiser un sujet, qu'on ne laisse rien à faire au lecteur. Il ne s'agit pas de faire lire, mais de faire penser.

---

I. Les monarchies modernes européennes, et notamment la France, au regard de ce qui suit.

II. La distribution n'est pas une « séparation ».

# LIVRE XV

# Comment les lois de l'esclavage civil ont du rapport avec la nature du climat

Les livres XV, XVI et XVII examinent les rapports de l'esclavage civil, domestique et politique avec les différents climats et les différents types de gouvernements. Si la condition des esclaves à proprement parler, celle des femmes et celle des sujets ne se recouvrent pas exactement, elles posent des problèmes du même ordre : l'esclavage, le sérail et le despotisme semblent naturalisés en Asie. L'approche typologique commence par exclure l'esclavage des monarchies et des républiques (XV, 1). Montesquieu examine alors les justifications de la servitude (XV, 2-5). L'approche se fait juridique : il entend réfuter les faux fondements de l'esclavage (par le droit de guerre, l'aliénation volontaire et contractuelle, la naissance) en examinant les discours qui portent sur l'origine du droit de l'esclavage.

Montesquieu s'attaque d'abord aux théories des « jurisconsultes romains » (XV, 2), qui entendent fonder le droit d'esclavage et dont héritent les doctrines modernes du droit naturel. Celles-ci, tout en reconnaissant les principes d'une égalité et d'une liberté naturelles, prétendent justifier un esclavage fondé sur le consentement libre (lorsqu'un homme renonce volontairement à sa liberté pour assurer sa subsistance) ou le consentement forcé (lorsqu'un prisonnier se soumet, expressément ou tacitement, pour sauver sa vie). Montesquieu s'attache donc à retourner les faux raisonnements de ceux qui, comme Grotius ou Pufendorf, admettent un « droit de conquête » justifiant l'esclavage ; il remet en cause l'idée d'un contrat, au nom même de l'utilité qui y présiderait. Il se penche ensuite sur les justifications historiques que l'on a pu donner de l'esclavage sous sa forme moderne : on invoque une guerre juste contre des nations barbares (XV, 3), on prétexte l'objectif de la conversion des populations (XV, 4). Pieuses intentions et beaux discours ne font que donner à la violence des faits l'apparence du droit : voilà ce qu'il en est de la

politique esclavagiste des nations chrétiennes qui oublient que
« le christianisme rend tous les hommes égaux » (*LP*, 73 [75]). Il
dévoile par l'ironie les vrais motifs économiques des esclavagistes
qui jouent sur les préjugés de leurs contemporains (XV, 5).

Après avoir dénoncé les fausses origines de ce « droit », Montesquieu en révèle les raisons véritables (XV, 6-7) qui vont justifier
la nécessité de limiter sa pratique (XV, 8-9). Il s'oppose radicale-
ment à toute légitimation de l'esclavage fondée sur la force, ne
ménageant la justification de cette institution que pour la protection des plus faibles (XV, 6) – ce qui n'a rien à voir avec l'idée que
l'on se fait en Europe de l'esclavage –, et renversant l'argument
selon lequel la force du climat l'exige parfois (XV, 7) : les « raisons
naturelles » – c'est-à-dire les causes physiques qui expliquent
l'existence de l'esclavage dans certains pays – sont en fait « contre
la nature » : aucun climat ne justifie l'esclavage. C'est seulement
une cause morale, l'institution du despotisme, qui, en faisant
régner la contrainte et la terreur, a fait prendre l'intérêt des plus
puissants pour une raison naturelle. L'approche empirique permet
de confirmer la faiblesse des théories esclavagistes : « On peut
tout faire avec des hommes libres » (XV, 8), comme le répète
encore le chapitre 9, ajouté dans l'édition de 1757 pour répondre
à un contradicteur, Pierre Jean Grosley (1718-1785). Le critère
d'utilité (l'esclavage « serait bon » parmi nous) ne vaut rien face
au critère suprême : l'esclavage est « intolérable dans l'état civil »
(lettre à Grosley, avril 1750). Telle est la pensée ferme et sans
ambiguïté aucune de Montesquieu sur un sujet hautement
conflictuel à son époque, comme le rappelle l'attaque du chapitre 9, particulièrement intéressante au moment qui précède
l'expansion commerciale de Bordeaux, fondée sur la traite des
Noirs. Seule une discrète note du chapitre 2 (note c) établit une
équivalence entre l'esclavage antique et celui que pratique aux
Antilles la France de Louis XV : elle suffit à montrer que la leçon
du livre, bien qu'appuyée sur les jurisconsultes anciens et
modernes, ne peut être plus actuelle.

Le fin mot du droit étant donné dans ces neuf premiers chapitres, Montesquieu examine ensuite les diverses formes d'esclavage, telles qu'elles existent ou ont existé (*EL*, XV, 10-19). Le cadre
typologique guide l'examen de la condition de l'esclave, et la
nécessité de réguler juridiquement les abus et les dangers de
l'esclavage est examinée circonstanciellement. Le XVIII<sup>e</sup> siècle
comprend sous le terme « servitude » l'esclavage et le servage ;
ce sont donc toutes ces formes qu'envisage la fin du livre, à

travers l'espace et le temps, sans jamais évoquer les colonies françaises ou le Code noir instauré sous Colbert : il n'en est pas
besoin, après la condamnation sans appel des premiers chapitres.

## CHAPITRE PREMIER
### De l'esclavage civil

L'esclavage, proprement dit, est l'établissement d'un
droit qui rend un homme tellement propre à un autre
homme, qu'il est le maître absolu de sa vie et de ses
biens [1]. Il n'est pas bon par sa nature [2] : il n'est utile ni
au maître ni à l'esclave ; à celui-ci, parce qu'il ne peut
rien faire par vertu ; à celui-là, parce qu'il contracte avec
ses esclaves toutes sortes de mauvaises habitudes [3], qu'il
s'accoutume insensiblement à manquer à toutes les
vertus morales, qu'il devient fier, prompt, dur, colère,
voluptueux [I], cruel.

Dans les pays despotiques, où l'on est déjà sous l'esclavage politique, l'esclavage civil est plus tolérable
qu'ailleurs [4]. Chacun y doit être assez content d'y avoir
sa subsistance et la vie. Ainsi la condition de l'esclave n'y
est guère plus à charge que la condition du sujet.

Mais, dans le gouvernement monarchique, où il est
souverainement important de ne point abattre ou avilir
la nature humaine [5], il ne faut point d'esclaves. Dans la
démocratie où tout le monde est égal [6], et dans l'aristocratie, où les lois doivent faire leurs efforts pour que tout
le monde soit aussi égal que la nature du gouvernement
peut le permettre [7], des esclaves sont contre l'esprit de la
constitution [II] ; ils ne servent qu'à donner aux citoyens
une puissance et un luxe [8] qu'ils ne doivent point avoir.

---

I. Qui recherche les plaisirs des sens.
II. Le mot n'a pas chez Montesquieu son sens moderne, exclusivement politique (texte fondateur d'un État) ; il renvoie au corps que
forme l'État, à son ordre ou à l'arrangement de ses parties.

## CHAPITRE 2
### Origine du droit de l'esclavage
### chez les jurisconsultes romains [9]

On ne croirait jamais que c'eût été la pitié qui eût établi l'esclavage, et que pour cela elle s'y fût prise de trois manières [a].

Le droit des gens a voulu que les prisonniers fussent esclaves, pour qu'on ne les tuât pas. Le droit civil des Romains permit à des débiteurs que leurs créanciers pouvaient maltraiter [10], de se vendre eux-mêmes [11] ; et le droit naturel a voulu que des enfants, qu'un père esclave ne pouvait plus nourrir, fussent dans l'esclavage comme leur père [12].

Ces raisons des jurisconsultes ne sont point sensées [13]. Il est faux qu'il soit permis de tuer dans la guerre autrement que dans le cas de nécessité ; mais, dès qu'un homme en a fait un autre esclave, on ne peut pas dire qu'il ait été dans la nécessité de le tuer, puisqu'il ne l'a pas fait [14]. Tout le droit que la guerre peut donner sur les captifs est de s'assurer tellement de leur personne qu'ils ne puissent plus nuire [15]. Les homicides faits de sang-froid par les soldats, et après la chaleur de l'action, sont rejetés de toutes les nations [b] du monde.

2° Il n'est pas vrai qu'un homme libre puisse se vendre [16]. La vente suppose un prix : l'esclave se vendant, tous ses biens entreraient dans la propriété du maître ; le maître ne donnerait donc rien, et l'esclave ne recevrait rien. Il aurait un *pécule* [17], dira-t-on ; mais le pécule est accessoire à la personne. S'il n'est pas permis de se tuer, parce qu'on se dérobe à sa patrie, il n'est pas plus permis de se vendre. La liberté de chaque citoyen est une partie de la liberté publique [18]. Cette qualité, dans l'État popu-

---

a. *Instit.* de Justinien, liv. I [titre III] [19].
b. Si l'on ne veut citer celles qui mangent leurs prisonniers.

laire, est même une partie de la souveraineté. Vendre sa qualité de citoyen est un acte[c] d'une telle extravagance, qu'on ne peut pas la supposer dans un homme[20]. Si la liberté a un prix pour celui qui l'achète, elle est sans prix pour celui qui la vend[21]. La loi civile, qui a permis aux hommes le partage des biens, n'a pu mettre au nombre des biens une partie des hommes qui devaient faire ce partage. La loi civile, qui restitue sur les contrats qui contiennent quelque lésion[I], ne peut s'empêcher de restituer contre un accord qui contient la lésion la plus énorme de toutes.

La troisième manière, c'est la naissance. Celle-ci tombe avec les deux autres. Car, si un homme n'a pu se vendre, encore moins a-t-il pu vendre son fils qui n'était pas né. Si un prisonnier de guerre ne peut être réduit en servitude, encore moins ses enfants[22].

Ce qui fait que la mort d'un criminel est une chose licite, c'est que la loi qui le punit a été faite en sa faveur[23]. Un meurtrier, par exemple, a joui de la loi qui le condamne ; elle lui a conservé la vie à tous les instants, il ne peut donc pas réclamer contre elle. Il n'en est pas de même de l'esclavage : la loi de l'esclavage n'a jamais pu lui être utile[24] ; elle est dans tous les cas contre lui, sans jamais être pour lui ; ce qui est contraire au principe fondamental de toutes les sociétés[25].

On dira qu'elle a pu lui être utile, parce que le maître lui a donné la nourriture[26]. Il faudrait donc réduire l'esclavage aux personnes incapables de gagner leur vie. Mais on ne veut pas de ces esclaves-là. Quant aux enfants, la nature qui a donné du lait aux mères a pourvu à leur nourriture ; et le reste de leur enfance est si près de l'âge où est en eux la plus grande capacité de se rendre

c. Je parle de l'esclavage pris à la rigueur, tel qu'il était chez les Romains, et qu'il est établi dans nos colonies.

---

I. Tort que l'on subit dans une transaction.

utiles, qu'on ne pourrait pas dire que celui qui les nourrirait [27], pour être leur maître, donnât rien.

L'esclavage est d'ailleurs aussi opposé au droit civil qu'au droit naturel [28]. Quelle loi civile pourrait empêcher un esclave de fuir, lui qui n'est point dans la société [29], et que par conséquent aucunes lois civiles ne concernent ? Il ne peut être retenu que par une loi de famille [I], c'est-à-dire par la loi du maître.

## Chapitre 3
### Autre origine du droit de l'esclavage

J'aimerais autant dire que le droit de l'esclavage vient du mépris qu'une nation conçoit pour une autre, fondé sur la différence des coutumes [30].

Lopès de Gamar [a] dit « que les Espagnols trouvèrent, près de Sainte-Marthe [II], des paniers où les habitants avaient des denrées : c'étaient des cancres, des limaçons, des cigales, des sauterelles. Les vainqueurs en firent un crime aux vaincus ». L'auteur avoue que c'est là-dessus qu'on fonda le droit qui rendait les Américains esclaves des Espagnols ; outre qu'ils fumaient du tabac, et qu'ils ne se faisaient pas la barbe à l'espagnole [31].

Les connaissances rendent les hommes doux ; la raison porte à l'humanité : il n'y a que les préjugés [32] qui y fassent renoncer.

a. *Biblioth. angl.* [*Bibliothèque anglaise*], t. XIII, deuxième partie, art. 3 [p. 425-426] [33].

---

I. « Toutes les personnes qui vivent dans une même maison, sous un même chef » (*Académie*). L'*oïkos* (*domus* en latin) est régie par la loi du maître (*despotes*).

II. Ville de Colombie, sur la mer des Antilles.

## CHAPITRE 4

### Autre origine du droit de l'esclavage

J'aimerais autant dire que la religion donne à ceux qui la professent un droit de réduire en servitude ceux qui ne la professent pas, pour travailler plus aisément à sa propagation.

Ce fut cette manière de penser qui encouragea les destructeurs de l'Amérique dans leurs crimes[a]. C'est sur cette idée qu'ils fondèrent le droit de rendre tant de peuples esclaves ; car ces brigands, qui voulaient absolument être brigands et chrétiens, étaient très dévots[34].

Louis XIII[b] se fit une peine extrême de la loi qui rendait esclaves les nègres de ses colonies ; mais quand on lui eut bien mis dans l'esprit que c'était la voie la plus sûre pour les convertir, il y consentit.

## CHAPITRE 5

### De l'esclavage des nègres

Si j'avais à soutenir le droit que nous avons eu de rendre les nègres esclaves, voici ce que je dirais :

Les peuples d'Europe ayant exterminé ceux de l'Amérique, ils ont dû mettre en esclavage ceux de l'Afrique, pour s'en servir à défricher tant de terres[35].

Le sucre serait trop cher, si l'on ne faisait travailler la plante qui le produit par des esclaves.

a. Voyez l'*Histoire de la conquête du Mexique*, par SOLIS [I, 4, Paris, 1691, p. 14], et celle du *Pérou*, par Garcilasso de la VEGA[36].

b. Le père LABAT, *Nouveau Voyage aux îles de l'Amérique*, t. IV, p. 114, 1722, in-12[37].

Ceux dont il s'agit sont noirs depuis les pieds jusqu'à la tête [38] ; et ils ont le nez si écrasé qu'il est presque impossible de les plaindre.

On ne peut se mettre dans l'esprit que Dieu, qui est un être très sage, ait mis une âme, surtout une âme bonne, dans un corps tout noir [39].

Il est si naturel de penser que c'est la couleur qui constitue l'essence de l'humanité, que les peuples d'Asie, qui font des eunuques, privent toujours les noirs du rapport qu'ils ont avec nous d'une façon plus marquée [40].

On peut juger de la couleur de la peau par celle des cheveux, qui chez les Égyptiens, les meilleurs philosophes du monde [41], était d'une si grande conséquence [I], qu'ils faisaient mourir tous les hommes roux qui leur tombaient entre les mains [42].

Une preuve que les nègres n'ont pas le sens commun [II], c'est qu'ils font plus de cas d'un collier de verre que de l'or, qui, chez des nations policées [III], est d'une si grande conséquence.

Il est impossible que nous supposions que ces gens-là soient des hommes ; parce que, si nous les supposions des hommes, on commencerait à croire que nous ne sommes pas nous-mêmes chrétiens [43].

De petits esprits exagèrent trop l'injustice que l'on fait aux Africains. Car, si elle était telle qu'ils le disent, ne serait-il pas venu dans la tête des princes d'Europe, qui font entre eux tant de conventions inutiles, d'en faire une générale en faveur de la miséricorde et de la pitié ?

---

I. Importance.
II. Capacité à juger raisonnablement.
III. Par opposition aux nations sauvages.

# CHAPITRE 6

## Véritable origine du droit de l'esclavage

Il est temps de chercher la vraie origine du droit de l'esclavage. Il doit être fondé sur la nature des choses : voyons s'il y a des cas où il en dérive.

Dans tout gouvernement despotique, on a une grande facilité à se vendre : l'esclavage politique y anéantit en quelque façon la liberté civile [44].

M. Perry [a] dit que les Moscovites se vendent très aisément. J'en sais bien la raison : c'est que leur liberté ne vaut rien.

À Achim [1], tout le monde cherche à se vendre. Quelques-uns des principaux seigneurs [b] n'ont pas moins de mille esclaves, qui sont des principaux marchands, qui ont aussi beaucoup d'esclaves sous eux, et ceux-ci beaucoup d'autres ; on en hérite et on les fait trafiquer. Dans ces États, les hommes libres, trop faibles contre le gouvernement, cherchent à devenir les esclaves de ceux qui tyrannisent le gouvernement.

C'est là l'origine juste et conforme à la raison de ce droit d'esclavage très doux que l'on trouve dans quelques pays ; et il doit être doux parce qu'il est fondé sur le choix libre qu'un homme, pour son utilité, se fait d'un maître ; ce qui forme une convention réciproque entre les deux parties [45].

a. *État présent de la grande Russie*, par Jean PERRY [46].
b. *Nouveau Voyage autour du monde,* par Guillaume DAMPIERRE, t. III, Amsterdam, 1711 [p. 155-156].

I. Ou Achem, ancien royaume dans l'île de Sumatra.

## CHAPITRE 7

### Autre origine du droit de l'esclavage

Voici une autre origine du droit de l'esclavage, et même de cet esclavage cruel [47] que l'on voit parmi les hommes.

Il y a des pays où la chaleur énerve le corps, et affaiblit si fort le courage [48], que les hommes ne sont portés à un devoir pénible que par la crainte du châtiment : l'esclavage y choque donc moins la raison ; et le maître y étant aussi lâche à l'égard de son prince, que son esclave l'est à son égard, l'esclavage civil y est encore accompagné de l'esclavage politique.

Aristote [a] veut prouver qu'il y a des esclaves par nature, et ce qu'il dit ne le prouve guère. Je crois que, s'il y en a de tels, ce sont ceux dont je viens de parler.

Mais, comme tous les hommes naissent égaux, il faut dire que l'esclavage est contre la nature [49], quoique dans certains pays il soit fondé sur une raison naturelle ; et il faut bien distinguer ces pays d'avec ceux où les raisons naturelles mêmes les rejettent, comme les pays d'Europe où il a été si heureusement aboli.

Plutarque nous dit, dans la vie de Numa [50], que du temps de Saturne il n'y avait ni maître, ni esclave. Dans nos climats, le christianisme a ramené cet âge [51].

## CHAPITRE 8

### Inutilité de l'esclavage parmi nous

Il faut donc borner la servitude naturelle à de certains pays particuliers de la terre. Dans tous les autres, il me semble que, quelque pénibles que soient les travaux que

a. *Politique*, liv. I, chap. 5 [1254b].

la société y exige, on peut tout faire avec des hommes libres.

Ce qui me fait penser ainsi, c'est qu'avant que le christianisme eût aboli en Europe la servitude civile, on regardait les travaux des mines comme si pénibles [52], qu'on croyait qu'ils ne pouvaient être faits que par des esclaves ou par des criminels [53]. Mais on sait qu'aujourd'hui les hommes qui y sont employés vivent heureux [a]. On a, par de petits privilèges, encouragé cette profession ; on a joint, à l'augmentation du travail, celle du gain ; et on est parvenu à leur faire aimer leur condition plus que toute autre qu'ils eussent pu prendre.

Il n'y a point de travail si pénible qu'on ne puisse proportionner à la force de celui qui le fait, pourvu que ce soit la raison, et non pas l'avarice, qui le règle. On peut, par la commodité des machines [54] que l'art invente ou applique, suppléer au travail forcé qu'ailleurs on fait faire aux esclaves. Les mines des Turcs, dans le banat [I] de Témeswar [II], étaient plus riches que celles de Hongrie, et elles ne produisaient pas tant, parce qu'ils n'imaginaient jamais que les bras de leurs esclaves [55].

Je ne sais si c'est l'esprit ou le cœur qui me dicte cet article-ci. Il n'y a peut-être pas de climat sur la terre où l'on ne pût engager au travail des hommes libres. Parce que les lois étaient mal faites, on a trouvé des hommes paresseux [56] : parce que ces hommes étaient paresseux, on les a mis dans l'esclavage.

---

a. On peut se faire instruire de ce qui se passe, à cet égard, dans les mines du Hartz dans la basse Allemagne, et dans celles de Hongrie [57].

I. Territoire administré par un ban, un maître.
II. Ville du sud de la Hongrie tombée aux mains des Turcs en 1552.

## CHAPITRE 9

### Des nations chez lesquelles la liberté civile est généralement établie [58]

On entend dire tous les jours qu'il serait bon que parmi nous il y eût des esclaves [59].

Mais, pour bien juger de ceci, il ne faut pas examiner s'ils seraient utiles à la petite partie riche et voluptueuse de chaque nation ; sans doute qu'ils lui seraient utiles ; mais, prenant un autre point de vue, je ne crois pas qu'aucun de ceux qui la composent voulût tirer au sort pour savoir qui devrait former la partie de la nation qui serait libre, et celle qui serait esclave. Ceux qui parlent le plus pour l'esclavage l'auraient le plus en horreur, et les hommes les plus misérables en auraient horreur de même. Le cri pour l'esclavage est donc le cri du luxe [60] et de la volupté, et non pas celui de l'amour de la félicité publique [61]. Qui peut douter que chaque homme, en particulier, ne fût très content d'être le maître des biens, de l'honneur et de la vie des autres ; et que toutes ses passions ne se réveillassent d'abord à cette idée ? Dans ces choses, voulez-vous savoir si les désirs de chacun sont légitimes, examinez les désirs de tous [62].

# LIVRE XVI

## Comment les lois
## de l'esclavage domestique
## ont du rapport avec la nature du climat

Montesquieu réinvestit dans le livre XVI les matériaux d'une *Histoire de la jalousie*, devenue *Réflexions sur la jalousie*, dont on trouve trace dans les *Pensées* (nos 483-509, 719, 757, 1622, 1630, 1726). Ces fragments témoignent de l'attention qu'il accorde aux variations de la condition des femmes selon les temps et les lieux, et certains d'entre eux permettent d'éclairer la « servitude domestique » (*Pensées*, nº 1726). Celle-ci, dans la variante asiatique qui intéresse Montesquieu, comporte deux aspects : la polygamie – qui suppose une inégalité et une dépendance à l'égard du mari – et l'enfermement des femmes dans une maison ou un sérail. Dans la première partie de *L'Esprit des lois*, cette servitude apparaît comme l'un des effets du régime despotique, où le prince abuse de tout (*EL*, V, 14). Elle est ici examinée dans la perspective climatique ouverte au livre XIV, et Montesquieu donne d'abord les raisons naturelles qui permettent de rendre compte de la polygamie : la nubilité et le vieillissement précoces des femmes dans les pays chauds (XVI, 2), les moindres besoins qui rendent supportable le coût économique de l'entretien de plusieurs femmes (XVI, 3), et enfin la proportion qui existe entre les hommes et les femmes, qui fait que l'institution du mariage devient une « affaire de calcul » (XVI, 4). De ce point de vue, la même raison permet d'expliquer la polyandrie, lorsque le rapport des naissances s'inverse à la faveur des femmes. Cependant, s'il apparaît que la polygamie convient aux nations orientales, Montesquieu la réprouve sans ambiguïté : elle « n'est point utile au genre humain » (XVI, 6). Contraire aux sentiments naturels qui doivent lier les membres d'une famille, elle favorise encore une sexualité débridée, jusqu'à conduire parfois à l'amour « contre nature ».

Les choses se compliquent encore lorsqu'il s'agit de rendre compte des institutions d'enfermement qu'implique ce grand nombre de femmes. Les raisons naturelles, liées aux circonstances climatiques, jouent avec des raisons politiques : il faut constater la corrélation entre l'institution despotique et celle du sérail. Le livre XVII, rapportant le despotisme à des raisons climatiques (XVII, 2), montre comment le climat détermine aussi, indirectement, la servitude dans le gouvernement domestique (XVI, 9). On peut encore dire que les effets du climat sur l'appétit sexuel des hommes (XVI, 8) comme des femmes (XVI, 10) induit une séparation des femmes d'avec les hommes, et des femmes entre elles, séparation qui s'accorde avec le despotisme, où les citoyens vivent également séparés. Après avoir ainsi rendu raison de la polygamie en examinant ses causes physiques et morales, Montesquieu rend raison de la clôture des femmes en manifestant la finalité du sérail. Conséquence de la polygamie, le sérail doit prévenir les tentations des mâles (XVI, 8), mais aussi l'éclatement familial induit par la pluralité des épouses, et leur préserver des « mœurs plus pures » (XVI, 10).

Indépendamment de la polygamie, la chaleur du climat conduit à une véritable dépravation du tempérament des femmes : la fonction répressive du sérail apparaît clairement (XVI, 11). La causalité physique, intriquée aux causes morales, est donc à effets multiples, et si la polygamie en elle-même ne peut être évitée dans certaines nations, la servitude domestique doit l'accompagner pour prévenir l'intempérance sexuelle des femmes qui est un de ces effets. C'est au nom de la morale naturelle que Montesquieu affirme qu'il faut forcer la « nature du climat » (XVI, 12), au moins pour préserver la « pudeur naturelle ». Si l'économie du sérail semble ainsi justifiée pour réguler la libido féminine en régime asiatique, il faut aussi constater que les mêmes présupposés sur la « loi naturelle des deux sexes » conduit à reconnaître un droit naturel de défendre son intégrité spécifique aux femmes (EL, XV, 12). C'est une étude différenciée des situations qui permet d'être justement attentif à la condition effective des femmes. Si la justification de la clôture ne doit pas faire oublier la condamnation de la polygamie, il faut remarquer qu'il pourrait être dangereux d'imposer la monogamie dans un pays polygame, comme cherchent à le faire les missionnaires catholiques, si ce changement ne va pas avec la reconnaissance d'un état civil pour les nouvelles converties. Sans cela, leur condition nouvelle risquerait d'être pire que la précédente (EL, XXVI, 10). De la même façon, l'examen des raisons qui manifestent la nécessité de la clôture va avec l'examen des modalités d'un droit de répudiation et des avantages qu'il peut apporter (XVI, 12). Montesquieu ne condamne pas l'institution, mais conduit le lecteur à reconnaître qu'elle est contraire à la nature et que rien n'est plus défavorable au bonheur des hommes.

## CHAPITRE PREMIER
## De la servitude domestique

Les esclaves sont plutôt établis pour la famille qu'ils ne sont dans la famille [1]. Ainsi, je distinguerai leur servitude de celle où sont les femmes dans quelques pays, et que j'appellerai proprement la servitude domestique [2].

## CHAPITRE 2
## Que dans les pays du Midi il y a dans les deux sexes une inégalité naturelle

Les femmes sont nubiles [I] dans les climats chauds, à huit, neuf et dix ans [3] : ainsi l'enfance et le mariage y vont presque toujours ensemble [a]. Elles sont vieilles à vingt : la raison ne se trouve donc jamais chez elles avec la beauté. Quand la beauté demande l'empire [II], la raison le fait

a. Mahomet épousa Cadhisja à cinq ans, coucha avec elle à huit. Dans les pays chauds d'Arabie et des Indes, les filles sont nubiles à huit ans, et accouchent l'année d'après. PRIDEAUX, *Vie de Mahomet* [Amsterdam, 1698]. On voit des femmes, dans les royaumes d'Alger, enfanter à neuf, dix et onze ans. LOGIER DE TASSIS [Laugier de Tassy], *Histoire du royaume d'Alger* [Amsterdam, 1725], p. 61 [4].

I. En âge de se marier.
II. La domination.

refuser ; quand la raison pourrait l'obtenir, la beauté n'est plus [5]. Les femmes doivent être dans la dépendance ; car la raison ne peut leur procurer dans leur vieillesse un empire que la beauté ne leur avait pas donné dans la jeunesse même. Il est donc très simple qu'un homme, lorsque la religion ne s'y oppose pas, quitte sa femme pour en prendre une autre, et que la polygamie s'introduise [6].

Dans les pays tempérés, où les agréments des femmes se conservent mieux, où elles sont plus tard nubiles [7], et où elles ont des enfants dans un âge plus avancé, la vieillesse de leur mari suit en quelque façon la leur ; et, comme elles y ont plus de raison et de connaissances quand elles se marient, ne fût-ce que parce qu'elles ont plus longtemps vécu, il a dû naturellement s'introduire une espèce d'égalité dans les deux sexes, et par conséquent la loi d'une seule femme.

Dans les pays froids, l'usage presque nécessaire des boissons fortes établit l'intempérance [I] parmi les hommes [8]. Les femmes, qui ont à cet égard une retenue naturelle, parce qu'elles ont toujours à se défendre, ont donc encore l'avantage de la raison sur eux.

La nature, qui a distingué les hommes par la force et par la raison, n'a mis à leur pouvoir de terme que celui de cette force et de cette raison. Elle a donné aux femmes les agréments, et a voulu que leur ascendant finît avec ces agréments [9] ; mais dans les pays chauds, ils ne se trouvent que dans les commencements, et jamais dans le cours de leur vie.

Ainsi la loi qui ne permet qu'une femme se rapporte plus au physique du climat de l'Europe qu'au physique du climat de l'Asie [10]. C'est une des raisons qui a fait que le mahométisme [II] a trouvé tant de facilité à s'établir en Asie, et tant de difficulté à s'étendre en Europe ; que le christianisme s'est maintenu en Europe, et a été détruit

---

I. Manque de retenue, goût excessif pour les plaisirs.
II. L'islam, la religion de Mahomet, sans nuance péjorative.

en Asie ; et qu'enfin les mahométans font tant de progrès
à la Chine, et les chrétiens si peu [11]. Les raisons humaines
sont toujours subordonnées à cette cause suprême, qui
fait tout ce qu'elle veut, et se sert de tout ce qu'elle
veut [12].

Quelques raisons particulières à Valentinien [b][I] lui
firent permettre la polygamie dans l'empire. Cette loi,
violente pour nos climats fut ôtée [c] par Théodose, Arcadius et Honorius [13].

## CHAPITRE 3
### Que la pluralité des femmes dépend beaucoup
### de leur entretien

Quoique dans les pays où la polygamie est une fois
établie, le grand nombre des femmes dépende beaucoup
des richesses du mari, cependant on ne peut pas dire que
ce soient les richesses qui fassent établir dans un État la
polygamie : la pauvreté peut faire le même effet, comme
je le dirai en parlant des sauvages [14].

La polygamie est moins un luxe, que l'occasion d'un
grand luxe chez des nations puissantes [15]. Dans les climats chauds, on a moins de besoins [a] ; il en coûte moins
pour entretenir une femme et des enfants [16]. On y peut
donc avoir un plus grand nombre de femmes.

---

b. Voyez JORNANDÈS [Jordanès], *De regno. et tempor. succes.* [XIV]
et les historiens ecclésiastiques.

c. Voyez la loi VII [*Corpus Juris Civilis*] au code *De Judæis et cælico-
lis* ; et la Novelle 18, chap. 5.

a. À Ceylan, un homme vit pour dix sols par mois : on n'y mange
que du riz et du poisson. *Recueil des voyages qui ont servi à l'établissement de la compagnie des Indes,* t. II, première partie.

---

I. Valentinien, empereur romain de 364 à 375.

# CHAPITRE 4
## De la polygamie.
## Ses diverses circonstances [17]

Suivant les calculs [18] que l'on fait en divers endroits de l'Europe, il y naît plus de garçons que de filles[a] : au contraire, les relations [I] de l'Asie[b] et de l'Afrique[c] nous disent qu'il y naît beaucoup plus de filles que de garçons. La loi d'une seule femme en Europe, et celle qui en permet plusieurs en Asie et en Afrique, ont donc un certain rapport au climat.

Dans les climats froids de l'Asie, il naît, comme en Europe, plus de garçons que de filles. C'est, disent les Lamas[d], la raison de la loi qui, chez eux, permet à une femme d'avoir plusieurs maris[e].

Mais je ne crois pas qu'il y ait beaucoup de pays où la disproportion soit assez grande pour qu'elle exige qu'on y introduise la loi de plusieurs femmes, ou la loi de plusieurs maris. Cela veut dire seulement que la pluralité des femmes, ou même la pluralité des hommes, s'éloigne moins de la nature dans de certains pays que dans d'autres.

a. M. Arbuthnot trouve qu'en Angleterre le nombre des garçons excède celui des filles : on a eu tort d'en conclure que ce fût la même chose dans tous les climats [19].

b. Voyez Kempfer [*Historia imperii japonici*, Londres, 1727], qui nous rapporte un dénombrement de Méaco, où l'on trouve 182 072 mâles et 223 573 femelles [I, 5, p. 308].

c. Voyez le *Voyage de Guinée*, de M. Smith, partie seconde, sur le pays d'Anté [Paris, 1751, t. II, p. 197].

d. DU HALDE, *Mémoires de la Chine*, t. IV, p. 461 [20].

e. Albuzéir-el-Hassen, un des deux mahométans arabes qui allèrent aux Indes et à la Chine au IXe siècle, prend cet usage pour une prostitution. C'est que rien ne choquait tant les idées mahométanes [21].

I. Récits de voyage.

J'avoue que si ce que les relations nous disent était vrai, qu'à Bantam [f I] il y a dix femmes pour un homme, ce serait un cas bien particulier de la polygamie.

Dans tout ceci je ne justifie pas les usages, mais j'en rends les raisons [22].

## CHAPITRE 6
### De la polygamie en elle-même [23]

À regarder la polygamie en général, indépendamment des circonstances qui peuvent la faire un peu tolérer, elle n'est point utile au genre humain [24], ni à aucun des deux sexes, soit à celui qui abuse, soit à celui dont on abuse. Elle n'est pas non plus utile aux enfants ; et un de ses grands inconvénients est que le père et la mère ne peuvent avoir la même affection pour leurs enfants ; un père ne peut pas aimer vingt enfants, comme une mère en aime deux [25]. C'est bien pis quand une femme a plusieurs maris ; car pour lors, l'amour paternel ne tient plus qu'à cette opinion, qu'un père peut croire, s'il veut, ou que les autres peuvent croire, que de certains enfants lui appartiennent.

On dit que le roi de Maroc a dans son sérail des femmes blanches, des femmes noires, des femmes jaunes. Le malheureux ! à peine a-t-il besoin d'une couleur [26].

La possession de beaucoup de femmes ne prévient pas toujours les désirs [a] pour celle d'un autre ; il en est de la luxure comme de l'avarice : elle augmente sa soif par l'acquisition des trésors.

f. *Recueil des voyages qui ont servi à l'établissement de la compagnie des Indes*, t. I [Rouen, 1725, t. II, p. 22].
a. C'est ce qui fait que l'on cache avec tant de soin les femmes en Orient [27].

I. Province et ville de l'île de Java. Voir *EL*, XXIII, 12.

Du temps de Justinien, plusieurs philosophes, gênés par le christianisme, se retirèrent en Perse auprès de Cosroës [I]. Ce qui les frappa le plus, dit Agathias [b], ce fut que la polygamie était permise à des gens qui ne s'abstenaient pas même de l'adultère.

La pluralité des femmes, qui le dirait ! mène à cet amour que la nature désavoue [28] : c'est qu'une dissolution en entraîne toujours une autre. À la révolution qui arriva à Constantinople, lorsqu'on déposa le sultan Achmet [29], les relations disaient que le peuple ayant pillé la maison du chiaya, on n'y avait pas trouvé une seule femme. On dit qu'à Alger [c] on est parvenu à ce point, qu'on n'en a pas dans la plupart des sérails.

## Chapitre 8
### De la séparation des femmes d'avec les hommes

C'est une conséquence de la polygamie, que, dans les nations voluptueuses [II] et riches, on ait un très grand nombre de femmes. Leur séparation d'avec les hommes, et leur clôture, suivent naturellement de ce grand nombre. L'ordre domestique le demande ainsi : un débiteur insolvable cherche à se mettre à couvert des poursuites de ses créanciers [30]. Il y a de tels climats où le physique a une telle force que la morale n'y peut presque rien. Laissez un homme avec une femme ; les tentations seront des chutes, l'attaque sûre, la résistance nulle. Dans ces pays, au lieu de préceptes, il faut des verrous.

b. *De la vie et des actions de Justinien*, p. 403 [*Histoires*, II, 30 D].
c. LOGIER DE TASSIS [Laugier de Tassy], *Histoire d'Alger* [*Histoire du royaume d'Alger avec l'état présent de son gouvernement*, p. 80].

I. Roi de Perse, parfois orthographié Cosroès.
II. Où l'on aime et recherche les plaisirs des sens.

Un livre classique [a] de la Chine regarde comme un pro-
dige de vertu de se trouver seul dans un appartement
reculé avec une femme, sans lui faire violence.

## CHAPITRE 9
### Liaison du gouvernement domestique
### avec le politique

Dans une république, la condition des citoyens est
bornée, égale, douce, modérée ; tout s'y ressent de la
liberté publique [31]. L'empire sur les femmes n'y pourrait
pas être si bien exercé ; et, lorsque le climat a demandé
cet empire, le gouvernement d'un seul a été le plus convenable. Voilà une des raisons qui a fait que le gouvernement populaire a toujours été difficile à établir en Orient.

Au contraire, la servitude des femmes est très
conforme au génie du gouvernement despotique, qui
aime à abuser de tout. Aussi a-t-on vu, dans tous les
temps, en Asie, marcher d'un pas égal la servitude
domestique et le gouvernement despotique [32].

Dans un gouvernement où l'on demande surtout la
tranquillité, et où la subordination extrême s'appelle la
paix, il faut enfermer les femmes ; leurs intrigues seraient
fatales au mari. Un gouvernement qui n'a pas le temps
d'examiner la conduite des sujets, la tient pour suspecte,
par cela seul qu'elle paraît et qu'elle se fait sentir.

Supposons un moment que la légèreté d'esprit et les
indiscrétions, les goûts et les dégoûts de nos femmes,
leurs passions grandes et petites, se trouvassent transpor-

---

a. « Trouver à l'écart un trésor dont on soit le maître, ou une belle
femme seule dans un appartement reculé ; entendre la voix de son
ennemi qui va périr, si on ne le secourt : admirable pierre de touche. »
Traduction d'un ouvrage chinois sur la morale, dans le père Du Halde,
t. III, p. 151 [33].

tées dans un gouvernement d'Orient, dans l'activité et dans cette liberté où elles sont parmi nous ; quel est le père de famille qui pourrait être un moment tranquille ? Partout des gens suspects, partout des ennemis ; l'État serait ébranlé, on verrait couler des flots de sang.

## Chapitre 10
### Principe de la morale d'Orient

Dans le cas de la multiplicité des femmes, plus la famille cesse d'être une, plus les lois doivent réunir à un centre ces parties détachées ; et plus les intérêts sont divers, plus il est bon que les lois les ramènent à un intérêt.

Cela se fait surtout par la clôture. Les femmes ne doivent pas seulement être séparées des hommes par la clôture de la maison, mais elles en doivent encore être séparées dans cette même clôture, en sorte qu'elles y fassent comme une famille particulière dans la famille. De là dérive pour les femmes toute la pratique de la morale : la pudeur, la chasteté, la retenue, le silence, la paix, la dépendance, le respect, l'amour, enfin une direction générale de sentiments à la chose du monde la meilleure par sa nature, qui est l'attachement unique à sa famille.

Les femmes ont naturellement à remplir tant de devoirs qui leur sont propres, qu'on ne peut assez les séparer de tout ce qui pourrait leur donner d'autres idées, de tout ce qu'on traite d'amusements et de tout ce qu'on appelle des affaires.

On trouve des mœurs plus pures dans les divers États d'Orient, à proportion que la clôture des femmes y est plus exacte. Dans les grands États, il y a nécessairement des grands seigneurs. Plus ils ont de grands moyens, plus ils sont en état de tenir les femmes dans une exacte

clôture, et de les empêcher de rentrer dans la société.
C'est pour cela que, dans les empires du Turc, de Perse,
du Mogol, de la Chine et du Japon, les mœurs des
femmes sont admirables.

On ne peut pas dire la même chose des Indes, que le
nombre infini d'îles et la situation du terrain ont divisées
en une infinité de petits États, que le grand nombre des
causes, que je n'ai pas le temps de rapporter ici, rendent
despotiques.

Là, il n'y a que des misérables qui pillent, et des misérables qui sont pillés. Ceux qu'on appelle des grands
n'ont que de très petits moyens ; ceux que l'on appelle
des gens riches n'ont guère que leur subsistance. La clôture des femmes n'y peut être aussi exacte ; l'on n'y peut
pas prendre d'aussi grandes précautions pour les contenir ; la corruption de leurs mœurs y est inconcevable [34].

C'est là qu'on voit jusqu'à quel point les vices du
climat, laissés dans une grande liberté, peuvent porter le
désordre. C'est là que la nature a une force, et la pudeur
une faiblesse qu'on ne peut comprendre. À Patane [a][I], la
lubricité [b] des femmes est si grande, que les hommes sont
contraints de se faire de certaines garnitures pour se
mettre à l'abri de leurs entreprises. Selon M. Smith [c], les
choses ne vont pas mieux dans les petits royaumes de

a. *Recueil des voyages qui ont servi à l'établissement de la compagnie
des Indes*, t. II, partie II, p. 196 [t. III, p. 257].
b. Aux Maldives, les pères marient leurs filles à dix et onze ans, parce
que c'est un grand péché, disent-ils, de leur laisser endurer nécessité
d'hommes. *Voyages* de François Pyrard, chap. 12 [t. I, p. 114]. À
Bantam, sitôt qu'une fille a treize ou quatorze ans, il faut la marier, si
l'on ne veut qu'elle mène une vie débordée. *Recueil des voyages qui ont
servi à l'établissement de la compagnie des Indes* [t. I], p. 348 [t. II, p. 23].
c. *Voyage de Guinée*, seconde partie, p. 192 de la traduction :
« Quand les femmes, dit-il, rencontrent un homme, elles le saisissent et
le menacent de le dénoncer à leur mari, s'il les méprise. Elles se glissent
dans le lit d'un homme, elles le réveillent, et s'il les refuse, elles le
menacent de se laisser prendre sur le fait. »

I. Région attenante au Siam.

Guinée. Il semble que, dans ces pays-là, les deux sexes
perdent jusqu'à leurs propres lois.


## Chapitre 11
### De la servitude domestique indépendante
### de la polygamie

Ce n'est pas seulement la pluralité des femmes qui
exige leur clôture dans de certains lieux d'Orient ; c'est
le climat. Ceux qui liront les horreurs, les crimes, les per-
fidies, les noirceurs, les poisons, les assassinats, que la
liberté des femmes fait faire à Goa et dans les établissements des Portugais dans les Indes, où la religion ne
permet qu'une femme, et qui les compareront à l'innocence et à la pureté des mœurs des femmes de Turquie,
de Perse, du Mogol, de la Chine et du Japon, verront
bien qu'il est souvent aussi nécessaire de les séparer des
hommes, lorsqu'on n'en a qu'une, que quand on en a
plusieurs.

C'est le climat qui doit décider de ces choses. Que ser-
virait d'enfermer les femmes dans nos pays du Nord, où
leurs mœurs sont naturellement bonnes ; où toutes leurs
passions sont calmes, peu actives, peu raffinées ; où
l'amour a sur le cœur un empire si réglé, que la moindre
police [1] suffit pour les conduire ?

Il est heureux de vivre dans ces climats qui permettent
qu'on se communique [35] ; où le sexe qui a le plus d'agréments semble parer la société ; et où les femmes, se réservant aux plaisirs d'un seul, servent encore à l'amusement
de tous.

--------

I. Le moindre règlement.

## Chapitre 12
### De la pudeur naturelle

Toutes les nations se sont également accordées à attacher du mépris à l'incontinence[I] des femmes : c'est que la nature a parlé à toutes les nations[36]. Elle a établi la défense, elle a établi l'attaque ; et, ayant mis des deux côtés des désirs, elle a placé dans l'un la témérité, et dans l'autre la honte. Elle a donné aux individus, pour se conserver, de longs espaces de temps, et ne leur a donné, pour se perpétuer, que des moments.

Il n'est donc pas vrai que l'incontinence suive les lois de la nature ; elle les viole au contraire. C'est la modestie et la retenue qui suivent ces lois[37].

D'ailleurs il est de la nature des êtres intelligents de sentir leurs imperfections : la nature a donc mis en nous la pudeur, c'est-à-dire la honte de nos imperfections[38].

Quand donc la puissance physique de certains climats viole la loi naturelle des deux sexes et celle des êtres intelligents, c'est au législateur à faire des lois civiles qui forcent la nature du climat et rétablissent les lois primitives[39].

## Chapitre 15
### Du divorce et de la répudiation[II]

Il y a cette différence entre le divorce et la répudiation, que le divorce se fait par un consentement mutuel à l'occasion d'une incompatibilité mutuelle[40] ; au lieu que la répudiation se fait par la volonté et pour l'avantage

---

I. Débauche, par opposition à la chasteté.
II. Le fait de renvoyer sa femme.

d'une des deux parties, indépendamment de la volonté et de l'avantage de l'autre.

Il est quelquefois si nécessaire aux femmes de répudier, et il leur est toujours si fâcheux de le faire, que la loi est dure, qui donne ce droit aux hommes sans le donner aux femmes. Un mari est le maître de la maison ; il a mille moyens de tenir ou de remettre ses femmes dans le devoir ; et il semble que, dans ses mains, la répudiation ne soit qu'un nouvel abus de sa puissance. Mais une femme qui répudie, n'exerce qu'un triste remède. C'est toujours un grand malheur pour elle d'être contrainte d'aller chercher un second mari, lorsqu'elle a perdu la plupart de ses agréments chez un autre. C'est un des avantages des charmes de la jeunesse dans les femmes, que, dans un âge avancé, un mari se porte à la bienveillance par le souvenir de ses plaisirs.

C'est donc une règle générale que, dans tous les pays où la loi accorde aux hommes la faculté de répudier, elle doit aussi l'accorder aux femmes. Il y a plus : dans les climats où les femmes vivent sous un esclavage domestique, il semble que la loi doive permettre aux femmes la répudiation, et aux maris seulement le divorce.

Lorsque les femmes sont dans un sérail, le mari ne peut répudier pour cause d'incompatibilité de mœurs : c'est la faute du mari, si les mœurs sont incompatibles.

La répudiation pour raison de la stérilité de la femme ne saurait avoir lieu que dans le cas d'une femme unique [a] : lorsque l'on a plusieurs femmes, cette raison n'est, pour le mari, d'aucune importance.

La loi des Maldives [b] permet de reprendre une femme qu'on a répudiée. La loi du Mexique [c] défendait de se réunir, sous peine de la vie. La loi du Mexique était plus

---

a. Cela ne signifie pas que la répudiation, pour raison de stérilité, soit permise dans le christianisme.

b. *Voyages* de François Pyrard [t. I, p. 173-174]. On la reprend plutôt qu'une autre, parce que, dans ce cas, il faut moins de dépenses.

c. *Histoire de sa conquête*, par SOLIS, p. 499 [p. 304].

sensée que celle des Maldives ; dans le temps même de la dissolution, elle songeait à l'éternité du mariage : au lieu que la loi des Maldives semble se jouer également du mariage et de la répudiation.

La loi du Mexique n'accordait que le divorce. C'était une nouvelle raison pour ne point permettre à des gens, qui s'étaient volontairement séparés, de se réunir. La répudiation semble plutôt tenir à la promptitude de l'esprit et à quelque passion de l'âme ; le divorce semble être une affaire de conseil.

Le divorce a ordinairement une grande utilité politique [41] ; et quant à l'utilité civile, il est établi pour le mari et pour la femme, et n'est pas toujours favorable aux enfants.

# LIVRE XVII

## Comment les lois
## de la servitude politique
## ont du rapport avec la nature du climat

Dernier livre consacré à l'examen de la servitude en rapport avec la perspective climatique ouverte au livre XIV, le livre XVII s'intéresse à la réalité des conquêtes et à la servitude des peuples conquis qui en découle. S'il peut y avoir un lien entre la conquête, lorsqu'elle est « immense », et le despotisme (*EL*, X, 17), ce n'est pas par ce biais que Montesquieu place ici son questionnement. L'essentiel est pour lui de présenter les caractéristiques de l'espace européen, pour voir en quoi il ne s'accorde pas avec la constitution d'un « empire » – ce qui s'oppose à l'esprit de conquête que pourraient nourrir certains princes. Des États « d'une étendue médiocre, dans lesquels le gouvernement des lois n'est pas incompatible avec le maintien de l'État » (XVII, 6), peuvent coexister. Les conditions climatiques de la modération – ce qui s'entend aussi bien du point de vue spatial que pour la forme des gouvernements – doivent être mises au jour.

Montesquieu commence par préciser la « différence des peuples par rapport au courage » (*EL*, XVII, 2) en rappelant la base physiologique (XIV, 2) qui justifie ces distinctions ethnologiques. Un long examen du climat d'Asie (XVII, 3) permet de préciser la nature de l'opposition entre l'Asie et l'Europe : l'existence d'une zone tempérée très étendue fait qu'il y a moins de différences entre les caractères des peuples qui vivent dans des zones voisines. La situation asiatique favorise l'existence de peuples belliqueux proches d'autres qui manquent de courage : « Il faut donc que l'un soit conquis, et l'autre conquérant. » L'opposition de l'Europe et de l'Asie, lieu commun depuis Aristote, est renouvelée par cette approche qui distingue, dans les deux ensembles, des zones climatiques diverses. On mesurera vraiment cette différence en examinant les conséquences sur le nombre des conquêtes

(XVII, 4) et leurs effets : « Les Tartares détruisant l'empire grec
établirent dans les pays conquis la servitude et le despotisme ; les
Goths conquérant l'empire romain fondèrent partout la monarchie
et la liberté » (XVII, 5 ; voir aussi *LP*, 125 [131]). La « nouvelle cause
physique de la servitude de l'Asie et de la liberté de l'Europe »
(XVII, 6) révèle une convenance spatiale avec un partage des territoires en Europe, alors que les grandes plaines d'Asie s'accordent
aux empires, ce qui conduit à mettre en avant la « nature du terrain », étudiée spécifiquement dans le livre XVIII. Pour rendre
compte des invasions, il ne suffit pas de renvoyer au naturel d'un
peuple, encore moins à la psychologie du chef conquérant. Il y a
des causes structurelles qu'il faut découvrir pour interroger le
devenir historique, et aussi différencier les « conquêtes », car il est
des conquêtes qui produisent de véritables changements dans les
mœurs et les institutions (comme en Europe) et d'autres qui ne
changent rien et renouvellent la servitude (comme en Asie).

Aussi cette théorie des causes participe-t-elle, finalement,
d'une visée normative : si l'Europe apparaît comme la terre des
possibles, c'est-à-dire le lieu propre à la modération, il reste
qu'elle doit être préservée de toute forme de servitude (c'est bien
la conclusion de l'ensemble des livres XV, XVI et XVII) ; car le caractère tempéré des climats européens, et donc sa relative indétermi-
nation, n'entraîne pas nécessairement la liberté, même s'il le rend
possible (VIII, 8). Puisque alors le sort de la liberté dépend de la
bonté des lois, il importe au plus haut point d'éclairer la raison législatrice en examinant les conditions de son exercice.

## CHAPITRE 3
## Du climat de l'Asie

Les relations nous disent [a] « que le nord de l'Asie [1], ce
vaste continent qui va du quarantième degré, ou environ,
jusqu'au pôle, et des frontières de la Moscovie jusqu'à la

a. Voyez les *Voyages du Nord*, t. VIII ; l'*Histoire des Tattars* ; et le
quatrième volume de la *Chine* du père Du Halde [1].

I. La Sibérie.

mer Orientale, est dans un climat très froid ; que ce terrain immense est divisé de l'ouest à l'est par une chaîne de montagnes qui laissent au nord la Sibérie, et au midi la grande Tartarie [I] ; que le climat de la Sibérie est si froid, qu'à la réserve de quelques endroits, elle ne peut être cultivée ; et que, quoique les Russes aient des établissements tout le long de l'Irtis [II], ils n'y cultivent rien ; qu'il ne vient dans ce pays que quelques petits sapins et arbrisseaux ; que les naturels [III] du pays sont divisés en de misérables peuplades, qui sont comme celles du Canada ; que la raison de cette froidure vient, d'un côté, de la hauteur du terrain, et de l'autre, de ce qu'à mesure que l'on va du midi au nord, les montagnes s'aplanissent, de sorte que le vent du nord souffle partout sans trouver d'obstacles ; que ce vent, qui rend la Nouvelle-Zemble [IV] inhabitable, soufflant dans la Sibérie, la rend inculte ; qu'en Europe, au contraire, les montagnes de Norvège et de Laponie sont des boulevards admirables qui couvrent de ce vent les pays du nord ; que cela fait qu'à Stockholm, qui est à cinquante-neuf degrés de latitude ou environ, le terrain produit des fruits, des grains, des plantes ; et qu'autour d'Abo [V], qui est au soixante et unième degré, de même que vers les soixante-trois et soixante-quatre, il y a des mines d'argent, et que le terrain est assez fertile ».

Nous voyons encore dans les relations « que la grande Tartarie, qui est au midi de la Sibérie, est aussi très froide ; que le pays ne se cultive point ; qu'on n'y trouve que des pâturages pour les troupeaux ; qu'il n'y croît point d'arbres, mais quelques broussailles, comme en Islande ; qu'il y a, auprès de la Chine et du Mogol,

I. Mongolie et Mandchourie.
II. Fleuve de Sibérie que Pierre le Grand trouvait avantageux pour le commerce avec les pays d'Orient.
III. Ceux qui sont nés dans ce pays.
IV. Ou Novala Zemblia, « Nouvelle-Terre », archipel de l'océan Arctique.
V. Turku (Åbo en suédois), en Finlande.

quelques pays où il croît une espèce de millet, mais que
le blé ni le riz n'y peuvent mûrir ; qu'il n'y a guère
d'endroits dans la Tartarie chinoise, aux 43e, 44e et
45e degrés, où il ne gèle sept ou huit mois de l'année ; de
sorte qu'elle est aussi froide que l'Islande, quoiqu'elle dût
être plus chaude que le midi de la France ; qu'il n'y a
point de villes, excepté quatre ou cinq vers la mer Orientale, et quelques-unes que les Chinois, par des raisons de
politique, ont bâties près de la Chine ; que dans le reste
de la grande Tartarie, il n'y en a que quelques-unes placées dans les Boucharies, Turkestan et Charisme[I] ; que
la raison de cette extrême froidure vient de la nature du
terrain nitreux, plein de salpêtre, et sablonneux, et de
plus, de la hauteur du terrain. Le père Verbiest avait
trouvé qu'un certain endroit à quatre-vingt lieues au
nord de la grande muraille, vers la source de Kavam-
huram[II], excédait la hauteur du rivage de la mer, près de
Pékin, de trois mille pas géométriques ; que cette hauteur[b] est cause que, quoique quasi toutes les grandes
rivières de l'Asie aient leur source dans le pays, il manque
cependant d'eau, de façon qu'il ne peut être habité qu'auprès des rivières et des lacs ».

Ces faits posés, je raisonne ainsi : l'Asie n'a point proprement de zone tempérée[2] ; et les lieux situés dans un
climat très froid y touchent immédiatement ceux qui sont
dans un climat très chaud, c'est-à-dire la Turquie, la
Perse, le Mogol, la Chine, la Corée, et le Japon.

En Europe, au contraire, la zone tempérée est très
étendue, quoiqu'elle soit située dans des climats très différents entre eux, n'y ayant point de rapport entre les
climats d'Espagne et d'Italie, et ceux de Norvège et de
Suède. Mais, comme le climat y devient insensiblement

---

b. La Tartarie est donc comme une espèce de montagne plate.

---

I. Trois régions situées à l'est de la mer Caspienne.
II. La rivière Cara-Muran prend sa source au nord de la grande
muraille (voir *Geographica*, *OC*, t. XVI, p. 299).

froid en allant du midi au nord, à peu près à proportion de la latitude de chaque pays, il y arrive que chaque pays est à peu près semblable à celui qui en est voisin ; qu'il n'y a pas une notable différence ; et que, comme je viens de le dire, la zone tempérée y est très étendue.

De là il suit qu'en Asie, les nations sont opposées aux nations du fort au faible [3] ; les peuples guerriers, braves et actifs touchent immédiatement des peuples efféminés, paresseux, timides : il faut donc que l'un soit conquis, et l'autre conquérant [4]. En Europe, au contraire, les nations sont opposées du fort au fort ; celles qui se touchent ont, à peu près, le même courage. C'est la grande raison de la faiblesse de l'Asie et de la force de l'Europe, de la liberté de l'Europe et de la servitude de l'Asie : cause que je ne sache pas que l'on ait encore remarquée [5]. C'est ce qui fait qu'en Asie il n'arrive jamais que la liberté augmente ; au lieu qu'en Europe elle augmente ou diminue selon les circonstances.

Que la noblesse moscovite ait été réduite en servitude par un de ses princes [6], on y verra toujours des traits d'impatience que les climats du midi ne donnent point. N'y avons-nous pas vu le gouvernement aristocratique établi pendant quelques jours ? Qu'un autre royaume du Nord [7] ait perdu ses lois, on peut s'en fier au climat, il ne les a pas perdues d'une manière irrévocable.

## CHAPITRE 4
### Conséquence de ceci

Ce que nous venons de dire s'accorde avec les événements de l'histoire [8]. L'Asie a été subjuguée treize fois ; onze fois par les peuples du Nord, deux fois par ceux du Midi. Dans les temps reculés, les Scythes la conquirent trois fois ; ensuite les Mèdes et les Perses chacun une ; les Grecs, les Arabes, les Mogols, les Turcs, les Tartares, les

Persans et les Aguans [9]. Je ne parle que de la haute Asie, et je ne dis rien des invasions faites dans le reste du midi de cette partie du monde, qui a continuellement souffert de très grandes révolutions [1].

En Europe, au contraire, nous ne connaissons, depuis l'établissement des colonies grecques et phéniciennes, que quatre grands changements : le premier causé par les conquêtes des Romains ; le second, par les inondations des Barbares qui détruisirent ces mêmes Romains ; le troisième, par les victoires de Charlemagne ; et le dernier, par les invasions des Normands [10]. Et si l'on examine bien ceci, on trouvera, dans ces changements mêmes, une force générale répandue dans toutes les parties de l'Europe. On sait la difficulté que les Romains trouvèrent à conquérir en Europe, et la facilité qu'ils eurent à envahir l'Asie [11]. On connaît les peines que les peuples du Nord eurent à renverser l'Empire romain, les guerres et les travaux de Charlemagne, les diverses entreprises des Normands. Les destructeurs étaient sans cesse détruits.

CHAPITRE 5

Que, quand les peuples du nord de l'Asie
et ceux du nord de l'Europe ont conquis,
les effets de la conquête
n'étaient pas les mêmes

Les peuples du nord de l'Europe l'ont conquise en hommes libres [12] ; les peuples du nord de l'Asie l'ont conquise en esclaves, et n'ont vaincu que pour un maître.

La raison en est que le peuple tartare, conquérant naturel de l'Asie [13], est devenu esclave lui-même. Il conquiert sans cesse dans le midi de l'Asie, il forme des empires ; mais la partie de la nation qui reste dans le pays

---

1. « Changement qui arrive dans les affaires publiques » (*Académie*).

se trouve soumise à un grand maître [14] qui, despotique dans le midi, veut encore l'être dans le nord ; et, avec un pouvoir arbitraire sur les sujets conquis, le prétend encore sur les sujets conquérants. Cela se voit bien aujourd'hui dans ce vaste pays qu'on appelle la Tartarie chinoise, que l'empereur gouverne presque aussi despotiquement que la Chine même [15], et qu'il étend tous les jours par ses conquêtes.

On peut voir encore dans l'histoire de la Chine que les empereurs [a] ont envoyé des colonies chinoises dans la Tartarie. Ces Chinois sont devenus Tartares et mortels ennemis de la Chine ; mais cela n'empêche pas qu'ils n'aient porté dans la Tartarie l'esprit du gouvernement chinois [16].

Souvent une partie de la nation tartare qui a conquis, est chassée elle-même ; et elle rapporte dans ses déserts un esprit de servitude qu'elle a acquis dans le climat de l'esclavage. L'histoire de la Chine nous en fournit de grands exemples, et notre histoire ancienne aussi [b].

C'est ce qui a fait que le génie de la nation tartare ou gétique a toujours été semblable à celui des empires de l'Asie. Les peuples, dans ceux-ci, sont gouvernés par le bâton [17] ; les peuples tartares, par les longs fouets. L'esprit de l'Europe a toujours été contraire à ces mœurs : et, dans tous les temps, ce que les peuples d'Asie ont appelé punition, les peuples d'Europe l'ont appelé outrage [c].

Les Tartares détruisant l'empire grec établirent dans les pays conquis la servitude et le despotisme ; les Goths conquérant l'empire romain fondèrent partout la monarchie et la liberté [18].

a. Comme Venti, cinquième empereur de la cinquième dynastie [19].

b. Les Scythes conquièrent trois fois l'Asie, et en furent trois fois chassés. Justin, [*Histoire universelle*] liv. II [3].

c. Ceci n'est point contraire à ce que je dirai au liv. XXIII, chap. 20, sur la manière de penser des peuples germains sur le bâton. Quelque instrument que ce fût, ils regardèrent toujours comme un affront le pouvoir ou l'action arbitraire de battre [ajout de 1749].

Je ne sais si le fameux Rudbeck, qui, dans son Atlantique, a tant loué la Scandinavie [I], a parlé de cette grande prérogative [II] qui doit mettre les nations qui l'habitent au-dessus de tous les peuples du monde ; c'est qu'elles ont été la source de la liberté de l'Europe, c'est-à-dire de presque toute celle qui est aujourd'hui parmi les hommes.

Le Goth Jornandès a appelé le nord de l'Europe la fabrique du genre humain [d]. Je l'appellerai plutôt la fabrique des instruments qui brisent les fers forgés au Midi. C'est là que se forment ces nations vaillantes, qui sortent de leur pays pour détruire les tyrans et les esclaves, et apprendre aux hommes que, la nature les ayant faits égaux, la raison n'a pu les rendre dépendants que pour leur bonheur.

## Chapitre 6
### Nouvelle cause physique de la servitude de l'Asie et de la liberté de l'Europe

En Asie, on a toujours vu de grands empires ; en Europe, ils n'ont jamais pu subsister. C'est que l'Asie que nous connaissons a de plus grandes plaines ; elle est coupée en plus grands morceaux par les mers ; et, comme elle est plus au midi, les sources y sont plus aisément taries, les montagnes y sont moins couvertes de neiges, et les fleuves [a] moins grossis y forment de moindres barrières [20].

d. *Humani generis officinam* [21].
a. Les eaux se perdent ou s'évaporent avant de se ramasser, ou après s'être ramassées.

I. Olof Rudbeck (1630-1702), naturaliste suédois, identifiait la légendaire Atlantide et son pays.
II. Avantage.

La puissance doit donc être toujours despotique en Asie[22]. Car, si la servitude n'y était pas extrême, il se ferait d'abord un partage que la nature du pays ne peut pas souffrir[1].

En Europe, le partage naturel forme plusieurs États d'une étendue médiocre[23], dans lesquels le gouvernement des lois n'est pas incompatible avec le maintien de l'État : au contraire, il y est si favorable que, sans elles, cet État tombe dans la décadence, et devient inférieur à tous les autres.

C'est ce qui y a formé un génie de liberté, qui rend chaque partie très difficile à être subjuguée et soumise à une force étrangère, autrement que par les lois et l'utilité de son commerce.

Au contraire, il règne en Asie un esprit de servitude qui ne l'a jamais quittée ; et, dans toutes les histoires de ce pays, il n'est pas possible de trouver un seul trait qui marque une âme libre[24] : on n'y verra jamais que l'héroïsme de la servitude.

---

1. Supporter, tolérer.

# V

# La justice

# Conséquences des principes des divers gouvernements par rapport à la simplicité des lois civiles et criminelles, la forme des jugements et l'établissement des peines

La question de la justice est abordée dans deux livres de *L'Esprit des lois*, les livres VI et XII, où Montesquieu propose ses réflexions sur les « lois criminelles ». Pourquoi traiter ces questions dans deux livres distants qui n'engagent pas exactement la réflexion selon le même angle d'attaque ? Il faut d'abord remarquer que ces livres renvoient nécessairement l'un à l'autre : pour « proposer des changements » (préface) en matière de législation pénale, il faut réfléchir au problème de l'échelle des peines (ce qu'aborde le livre VI, opposant les peines sévères et douces et mettant en évidence l'idée de proportion), mais aussi articuler ces peines à une requalification des crimes (ce que se propose de faire le livre XII, insistant sur le crime de lèse-majesté). Si ces deux aspects ne sauraient être séparés, qu'apporte leur traitement en deux temps distincts ?

L'angle d'attaque du livre VI s'inscrit dans le cadre de la typologie posée au livre II, dont l'originalité repose sur la mise en évidence des « principes des gouvernements ». Cela signifie que la question des lois criminelles et des peines est indissociable de celle du régime politique (« les peines tiennent à la nature du gouvernement », *EL*, VI, 15) et de celle du régime général d'obéissance. Le problème doit se poser en termes de convenance, et dans le cadre de l'opposition des régimes modérés au despotisme. Si l'esprit de modération de la législation consiste à prévenir les crimes, il est essentiel de rapporter les peines aux motifs passionnels qui déterminent les actions des sujets et qui participent de la perception subjective qu'ils ont de leur condition.

Le livre XII se place quant à lui dans la logique de la deuxième partie de l'ouvrage. Une fois établi que les lois politiques et civiles doivent se rapporter aux différents gouvernements, il reste à examiner les rapports qui conditionnent et expriment la modération. Montesquieu le fait en interrogeant les attributs de la souveraineté : faire la guerre (livres IX et X), instituer les lois (livre XI), rendre la justice (livre XII), lever les impôts (livre XIII). C'est toute la problématique des fondements qui se trouve infléchie : les fondements de la liberté n'apparaissent que dans les modalités particulières qui la mettent en œuvre, autrement dit, ils ne peuvent être envisagés indépendamment d'un examen des situations historiques. Telle est la leçon du livre XI : l'Angleterre et Rome fournissent les miroirs nécessaires pour penser les degrés de liberté qu'une constitution peut supporter, ce qui suppose de porter son attention sur la distribution des pouvoirs et sur les rapports réciproques qui règlent leur exercice. Dans cette perspective, l'enjeu du livre XII n'est pas tant de penser abstraitement la légitimité d'un droit de punir que d'éclairer l'économie du pouvoir de punir pour révéler les conditions d'un exercice modéré s'opposant aux voies extrêmes du despotisme. La requalification des crimes que propose Montesquieu remet en cause l'idée que le crime, outre sa victime immédiate, attaque le souverain, et que celui-ci doit manifester sa puissance en l'exerçant sans mesure : tout crime n'est pas un crime de lèse-majesté, et cette dernière catégorie de crime mérite d'être restreinte de sorte que le citoyen ne puisse être exposé injustement aux foudres du pouvoir.

Montesquieu, qui a été président au parlement de Bordeaux (voir *DEM*, art. « Parlements »), connaît bien le système inquisitoire français. Même s'il s'abstient de dénoncer dans *L'Esprit des lois* un certain nombre de règles de procédure françaises (par exemple le secret de la procédure ou les verdicts de « plus ample informé », qui maintenaient les accusés relaxés sous le coup de nouvelles poursuites en cas de preuves supplémentaires, en les soumettant à une « mort civile » – interdiction d'exercer certaines fonctions, de témoigner ou de faire un testament), Montesquieu, lorsqu'il rédige ces livres, a manifestement à l'esprit l'ordonnance de 1670, qui réglemente la procédure criminelle en France. S'attaquer aux peines sans mesure (livre VI), se focaliser sur le crime de lèse-majesté (livre XII) : ce qui est en ligne de mire, c'est à la fois une pratique de la justice et la théorie de la souveraineté qui la justifie. Cependant, il ne faut pas croire qu'il suffirait d'adoucir les peines et d'en appeler à l'humanité du prince. En posant ces jalons, Montesquieu entend interroger autrement la législation en matière pénale. Le point central est l'évaluation des peines en fonction du dommage social causé par le criminel. Il s'agit de défendre la société contre ceux qui sont capables de lui nuire, et qui peuvent être aussi bien les individus portant atteinte à d'autres citoyens ou au souverain que le souverain lui-même, susceptible d'abuser de son pouvoir et de priver les citoyens des bénéfices qu'ils peuvent espérer tirer du fait de vivre en société. S'il faut prévenir les crimes des particuliers, il faut bien voir aussi que la sévérité des peines et l'arbitraire de la justice produisent des désordres politiques et sociaux. La modération en matière pénale consiste donc d'abord dans une mesure des effets.

Cela présuppose que l'individu est capable d'anticiper les effets de ses actes, et qu'il oriente son action en fonction des bénéfices qu'il peut espérer en retirer : « Les hommes peuvent faire des injustices, parce qu'ils ont intérêt de les commettre, et qu'ils préfèrent leur propre satisfaction à celle des autres. C'est toujours par un retour sur eux-mêmes qu'ils agissent : nul n'est mauvais gratuitement. Il faut qu'il y ait une raison qui détermine, et cette raison est toujours une raison d'intérêt » (*LP*, 81 [83]). Les peines doivent donc se rapporter à cette raison d'intérêt et aux calculs qui éclairent l'action. Mais pour rappeler efficacement combien il est avantageux d'être en société et de ne pas s'écarter de ses devoirs, il faut que les peines soient différenciées et qu'elles s'accordent avec la « nature des choses ». En ce sens, la peine doit essentiellement consister dans la privation des bénéfices sociaux. Le bon législateur doit donc anticiper la logique intéressée des individus lorsqu'ils réfléchissent aux effets de leurs actes.

Cette prise en compte des motifs individuels de l'action doit être circonstanciée, dans la mesure où c'est dans une société particulière qu'ils agissent : c'est en fonction de motifs passionnels propres au gouvernement – les principes – mais aussi en fonction des particularités locales – l'esprit général du peuple – que se forment les caractères des individus. Il faut tenir compte des rapports constitutifs de la situation pour mesurer l'utilité sociale de la peine, c'est-à-dire sa nécessité. Toute législation n'est pas justifiée, car le repoussoir despotique donne négativement à penser ce qui est contraire à toute société, et il s'agit de concevoir les normes positives de la justice dans des situations historiques qui sont différenciées : l'objet de *L'Esprit des lois* est immense, et les recherches de Montesquieu sont utiles « puisque l'auteur distingue ces institutions ; qu'il examine celles qui conviennent le plus à la société, et à chaque société ; qu'il en cherche l'origine ; qu'il en découvre les causes physiques et morales ; qu'il examine

celles qui ont un degré de bonté par elles-mêmes et celles qui
n'en ont aucun ; que de deux pratiques pernicieuses, il cherche
celle qui l'est plus et celle qui l'est moins ; qu'il y discute celles
qui peuvent avoir de bons effets à un certain égard, et de mauvais
dans un autre » (*DEL*, seconde partie, « Idée générale », p. 436).

La prudence législative est ce savoir des nuances qui permet à
la fois d'entretenir l'obéissance des sujets et de prévenir un exercice despotique du pouvoir (*EL*, XV, 16). Les connaissances pratiques (XII, 2) que manifestent les lois criminelles et les procédures
de certains États permettent de réfléchir aux principes qui intéressent tous les gouvernements modérés. Il ne s'agit pas d'appliquer simplement un modèle extérieur (par exemple celui des jurys
en Angleterre), mais de se fixer une règle qui permette de produire les changements opportuns sur la manière de rendre les
jugements criminels. Son approche permet de tenir ensemble les
points de vue du citoyen (car la liberté se définit subjectivement
comme « opinion qu'il a de sa sûreté », XII, 2) et du prince (le fait
de rendre la justice étant un attribut essentiel du souverain). C'est
en se focalisant sur ce que doit voir le législateur que l'on peut
penser véritablement un statut du citoyen (qui tienne compte de
la perception subjective qu'il a de ses attachements, mais qui se
rapporte aussi aux dispositions légales qui permettent de garantir
objectivement sa liberté) et que l'on peut mesurer les modalités
de l'intervention législatrice ainsi que les effets de cette intervention sur l'ordre d'ensemble de la société.

De ce point de vue, justement, l'importance accordée à « la
tête du moindre citoyen » (VI, 2) ne contredit pas les intérêts du
prince. Car il apparaît que la puissance du souverain s'accorde
avec l'exigence de justice, dès lors que l'on comprend comment
l'autorité sort renforcée lorsqu'elle modère son exercice. Les
livres VI et XII réalisent bien le projet pratique de *L'Esprit des lois*,
qui consiste à éclairer ensemble l'exercice de la puissance et les
motifs de l'obéissance, à susciter ensemble les bons changements
en matière de législation et l'amour des lois (préface).

La modération apparaît d'abord dans les procédures judiciaires.
Avant d'examiner la façon dont les jugements sont rendus, Montesquieu constate que les « formalités de la justice » (VI, 2) se rapportent au statut qui est accordé au citoyen. Leur simplicité dans
le despotisme va avec le peu de cas que l'on fait des sujets. Les
gouvernements modérés se caractérisent par les moyens qui sont
accordés au citoyen pour assurer sa défense, ce qui multiplie les
formalités. L'esprit de modération vise à se tenir « entre deux

limites » (*EL*, XXIX, 1), sans trop de formalités ni trop peu. C'est encore l'opposition des gouvernements modérés au despotisme qui structure l'examen de la sévérité des peines (VI, 9). Si les peines sévères et les supplices brutaux conviennent mieux au despotisme, dont le ressort est la crainte, il y a d'autres motifs réprimants dans les régimes modérés.

La question de la sévérité des peines se double de celle de la « puissance des peines » (VI, 12) : il est essentiel d'établir par l'expérience la moindre efficacité des peines dures, l'accoutumance atténuant la force dissuasive. Le despotisme apparaît comme un gouvernement violent, qui se caractérise paradoxalement par l'« impuissance » de ses lois, comme le manifeste le cas du Japon (VI, 13). C'est l'occasion pour Montesquieu de montrer comment doit intervenir un bon législateur, d'une façon insensible et en se servant des mœurs. Il faut introduire des différences entre les peines, pour orienter plus efficacement les réactions des sujets et les rendre sensibles aux bienfaits de leur société. On peut alors susciter de nouveaux attachements et favoriser en retour l'autorité du souverain : Montesquieu oppose ainsi les désordres qui découlent de la disproportion des peines aux « admirables effets » des lettres de grâce (VI, 16). Dans cette optique, rien ne semble pouvoir justifier la torture (VI, 17), même si cette pratique convient au despotisme parce qu'elle entretient la crainte qui en est le ressort.

## Chapitre 2
### De la simplicité des lois criminelles dans les divers gouvernements

On entend dire sans cesse qu'il faudrait que la justice fût rendue partout comme en Turquie [1]. Il n'y aura donc que les plus ignorants de tous les peuples qui auront vu clair dans la chose du monde qu'il importe le plus aux hommes de savoir [2] ?

Si vous examinez les formalités de la justice par rapport à la peine qu'a un citoyen à se faire rendre son bien, ou à obtenir satisfaction de quelque outrage, vous en trouverez sans doute trop[3]. Si vous les regardez dans le rapport qu'elles ont avec la liberté et la sûreté des citoyens, vous en trouverez souvent trop peu ; et vous verrez que les peines, les dépenses, les longueurs, les dangers même de la justice, sont le prix que chaque citoyen donne pour sa liberté[4].

En Turquie, où l'on fait très peu d'attention à la fortune, à la vie, à l'honneur des sujets[I], on termine promptement, d'une façon ou d'une autre, toutes les disputes. La manière de les finir est indifférente, pourvu qu'on finisse. Le bacha[II], d'abord éclairci, fait distribuer, à sa fantaisie, des coups de bâton sur la plante des pieds des plaideurs, et les renvoie chez eux[5].

Et il serait bien dangereux que l'on y eût les passions des plaideurs : elles supposent un désir ardent de se faire rendre justice, une haine, une action dans l'esprit, une constance à poursuivre. Tout cela doit être évité dans un gouvernement où il ne faut avoir d'autre sentiment que la crainte, et où tout mène tout à coup, et sans qu'on le puisse prévoir, à des révolutions[6]. Chacun doit connaître qu'il ne faut point que le magistrat entende parler de lui, et qu'il ne tient sa sûreté que de son anéantissement.

Mais, dans les États modérés, où la tête du moindre citoyen est considérable, on ne lui ôte son honneur et ses biens qu'après un long examen : on ne le prive de la vie que lorsque la patrie elle-même l'attaque[7] ; et elle ne l'attaque qu'en lui laissant tous les moyens possibles de la défendre.

Aussi, lorsqu'un homme se rend plus absolu[a], songe-t-il d'abord à simplifier les lois. On commence, dans cet État, à être plus frappé des inconvénients particuliers,

a. César, Cromwell, et tant d'autres.

I. Sujet : qui est soumis à l'autorité politique.
II. Pacha : en Turquie, officier qui a le commandement dans une province.

que de la liberté des sujets dont on ne se soucie point du tout.

On voit que dans les républiques il faut pour le moins autant de formalités que dans les monarchies. Dans l'un et dans l'autre gouvernement, elles augmentent en raison du cas que l'on y fait de l'honneur, de la fortune, de la vie, de la liberté des citoyens.

Les hommes sont tous égaux dans le gouvernement républicain ; ils sont égaux dans le gouvernement despotique [8] : dans le premier, c'est parce qu'ils sont tout ; dans le second, c'est parce qu'ils ne sont rien.

## CHAPITRE 9
### De la sévérité des peines dans les divers gouvernements

La sévérité des peines convient mieux au gouvernement despotique, dont le principe est la terreur [9], qu'à la monarchie et à la république, qui ont pour ressort l'honneur [10] et la vertu [11].

Dans les États modérés, l'amour de la patrie, la honte et la crainte du blâme, sont des motifs réprimants, qui peuvent arrêter bien des crimes. La plus grande peine d'une mauvaise action sera d'en être convaincu [12]. Les lois civiles y corrigeront donc plus aisément, et n'auront pas besoin de tant de force.

Dans ces États, un bon législateur s'attachera moins à punir les crimes qu'à les prévenir ; il s'appliquera plus à donner des mœurs qu'à infliger des supplices [I].

C'est une remarque perpétuelle des auteurs chinois [a], que plus, dans leur empire, on voyait augmenter les

a. Je ferai voir, dans la suite [*EL*, XIX, 17], que la Chine, à cet égard, est dans le cas d'une république ou d'une monarchie.

I. « Punition corporelle ordonnée par la justice » (*Académie*).

supplices, plus la révolution [I] était prochaine. C'est qu'on augmentait les supplices à mesure qu'on manquait de mœurs.

Il serait aisé de prouver que, dans tous ou presque tous les États d'Europe, les peines ont diminué ou augmenté à mesure qu'on s'est plus approché ou plus éloigné de la liberté.

Dans les pays despotiques, on est si malheureux, que l'on y craint plus la mort qu'on ne regrette la vie ; les supplices y doivent donc être plus rigoureux. Dans les États modérés, on craint plus de perdre la vie qu'on ne redoute la mort en elle-même ; les supplices qui ôtent simplement la vie y sont donc suffisants [13].

Les hommes extrêmement heureux, et les hommes extrêmement malheureux, sont également portés à la dureté ; témoins les moines et les conquérants. Il n'y a que la médiocrité [II] et le mélange de la bonne et de la mauvaise fortune [III], qui donnent de la douceur et de la pitié.

Ce que l'on voit dans les hommes en particulier se trouve dans les diverses nations [IV]. Chez les peuples sauvages [14] qui mènent une vie très dure, et chez les peuples des gouvernements despotiques où il n'y a qu'un homme exorbitamment favorisé de la fortune, tandis que tout le reste en est outragé, on est également cruel. La douceur règne dans les gouvernements modérés.

Lorsque nous lisons, dans les histoires, les exemples de la justice atroce des sultans, nous sentons, avec une espèce de douleur, les maux de la nature humaine [15].

Dans les gouvernements modérés, tout, pour un bon législateur, peut servir à former des peines. N'est-il pas

---

I. « Changement qui arrive dans les affaires publiques » (*Académie*).
II. État moyen.
III. Sort, chance, hasard.
IV. « Tous les habitants d'un même État, d'un même pays, qui vivent sous les mêmes lois, parlent le même langage » (*Académie*).

bien extraordinaire qu'à Sparte une des principales fût de ne pouvoir prêter sa femme à un autre, ni recevoir celle d'un autre [16], de n'être jamais dans sa maison qu'avec des vierges ? En un mot, tout ce que la loi appelle une peine est effectivement une peine [17].

## CHAPITRE 12
### De la puissance des peines

L'expérience a fait remarquer que, dans les pays où les peines sont douces, l'esprit du citoyen en est frappé, comme il l'est ailleurs par les grandes [18].

Quelque inconvénient se fait-il sentir dans un État : un gouvernement violent veut soudain le corriger ; et, au lieu de songer à faire exécuter les anciennes lois, on établit une peine cruelle qui arrête le mal sur-le-champ. Mais on use le ressort du gouvernement : l'imagination se fait à cette grande peine, comme elle s'était faite à la moindre [19] ; et comme on diminue la crainte pour celle-ci, l'on est bientôt forcé d'établir l'autre dans tous les cas. Les vols sur les grands chemins étaient communs dans quelques États ; on voulut les arrêter ; on inventa le supplice de la roue[I], qui les suspendit pendant quelque temps. Depuis ce temps on a volé comme auparavant sur les grands chemins.

De nos jours, la désertion fut très fréquente [20] ; on établit la peine de mort contre les déserteurs [21], et la désertion n'est pas diminuée. La raison en est bien naturelle : un soldat, accoutumé tous les jours à exposer sa vie, en méprise ou se flatte d'en mépriser le danger. Il est tous les jours accoutumé à craindre la honte : il fallait donc

---

I. Il consistait à briser les membres du supplicié, puis à l'exposer suspendu à une roue.

laisser une peine[a] qui faisait porter une flétrissure[I] pendant la vie. On a prétendu augmenter la peine, et on l'a réellement diminuée.

Il ne faut point mener les hommes par les voies extrêmes ; on doit être ménager[II] des moyens que la nature nous donne pour les conduire. Qu'on examine la cause de tous les relâchements, on verra qu'elle vient de l'impunité des crimes[22], et non pas de la modération des peines[23].

Suivons la nature, qui a donné aux hommes la honte comme leur fléau[24], et que la plus grande partie de la peine soit l'infamie de la souffrir[III].

Que s'il se trouve des pays où la honte ne soit pas une suite du supplice, cela vient de la tyrannie, qui a infligé les mêmes peines aux scélérats et aux gens de bien.

Et si vous en voyez d'autres où les hommes ne sont retenus que par des supplices cruels, comptez encore que cela vient en grande partie de la violence du gouvernement, qui a employé ces supplices pour des fautes légères.

Souvent un législateur qui veut corriger un mal ne songe qu'à cette correction ; ses yeux sont ouverts sur cet objet, et fermés sur les inconvénients. Lorsque le mal est une fois corrigé, on ne voit plus que la dureté du législateur ; mais il reste un vice dans l'État, que cette dureté a produit ; les esprits sont corrompus, ils se sont accoutumés au despotisme.

Lysandre[b] ayant remporté la victoire sur les Athéniens, on jugea les prisonniers ; on accusa les Athéniens d'avoir précipité tous les captifs de deux galères, et résolu, en pleine assemblée, de couper le poing aux

a. On fendait le nez, on coupait les oreilles[25].
b. XÉNOPHON, *Hist.*, [*Helléniques*] liv. II [chap. 1, § 31-32].

___

I. Une atteinte à la réputation. Mais dans le vocabulaire de la justice, elle désigne aussi une marque imprimée à un criminel avec un fer chaud.
II. On doit être économe.
III. Supporter, tolérer.

prisonniers qu'ils feraient. Ils furent tous égorgés, excepté Adymante, qui s'était opposé à ce décret. Lysandre reprocha à Philoclès, avant de le faire mourir, qu'il avait dépravé les esprits et fait des leçons de cruauté à toute la Grèce.

« Les Argiens, dit Plutarque [c], ayant fait mourir quinze cents de leurs citoyens, les Athéniens firent apporter les sacrifices d'expiation [1], afin qu'il plût aux dieux de détourner du cœur des Athéniens une si cruelle pensée. »

Il y a deux genres de corruption [26] : l'un, lorsque le peuple n'observe point les lois ; l'autre, lorsqu'il est corrompu par les lois ; mal incurable, parce qu'il est dans le remède même.

## CHAPITRE 13
### Impuissance des lois japonaises

Les peines outrées peuvent corrompre le despotisme même [27]. Jetons les yeux sur le Japon.

On y punit de mort presque tous les crimes [a], parce que la désobéissance à un si grand empereur que celui du Japon, est un crime énorme [28]. Il n'est pas question de corriger le coupable, mais de venger le prince [29]. Ces idées sont tirées de la servitude, et viennent surtout de ce que l'empereur étant propriétaire de tous les biens, presque tous les crimes se font directement contre ses intérêts.

On punit de mort les mensonges qui se font devant les magistrats [b], chose contraire à la défense naturelle [30].

c. *Œuvres morales*, De ceux qui manient les affaires d'État [chap. 14].
a. Voyez Kempfer [31].
b. *Recueil des voyages qui ont servi à l'établissement de la compagnie des Indes*, t. III, part. II, p. 428.

---

I. Réparation d'un crime.

Ce qui n'a point l'apparence d'un crime est là sévère-
ment puni ; par exemple, un homme qui hasarde de
l'argent au jeu est puni de mort.

Il est vrai que le caractère étonnant [32] de ce peuple
opiniâtre [I], capricieux, déterminé, bizarre, et qui brave
tous les périls et tous les malheurs, semble, à la première
vue, absoudre ses législateurs de l'atrocité de leurs lois.
Mais, des gens qui naturellement méprisent la mort, et
qui s'ouvrent le ventre pour la moindre fantaisie, sont-ils
corrigés ou arrêtés par la vue continuelle des supplices ?
Et ne s'y familiarisent-ils pas [33] ?

Les relations [II] nous disent, au sujet de l'éducation des
Japonais, qu'il faut traiter les enfants avec douceur, parce
qu'ils s'obstinent contre les peines ; que les esclaves ne
doivent point être trop rudement traités, parce qu'ils se
mettent d'abord en défense. Par l'esprit qui doit régner
dans le gouvernement domestique [III], n'aurait-on pas pu
juger de celui qu'on devait porter dans le gouvernement
politique et civil ?

Un législateur sage aurait cherché à ramener les esprits
par un juste tempérament [IV] des peines et des récompenses ; par des maximes [V] de philosophie, de morale et
de religion, assorties à ces caractères ; par la juste application des règles de l'honneur ; par le supplice de la
honte ; par la jouissance d'un bonheur constant et d'une
douce tranquillité ; et, s'il avait craint que les esprits,
accoutumés à n'être arrêtés que par une peine cruelle, ne
pussent plus l'être par une plus douce, il aurait agi [c] d'une
manière sourde et insensible [34] ; il aurait, dans les cas
particuliers les plus graciables, modéré la peine du crime,

c. Remarquez bien ceci, comme une maxime de pratique, dans les
cas où les esprits ont été gâtés par des peines trop rigoureuses.

I. Obstiné.
II. Récits de voyage.
III. Dans la maisonnée (*domus*), dans l'ordre familial.
IV. Une composition où les éléments sont bien proportionnés.
V. Préceptes, principes de conduite.

jusqu'à ce qu'il eût pu parvenir à la modifier dans tous les cas.

Mais le despotisme ne connaît point ces ressorts ; il ne mène pas par ces voies [35]. Il peut abuser de lui, mais c'est tout ce qu'il peut faire. Au Japon, il a fait un effort, il est devenu plus cruel que lui-même.

Des âmes partout effarouchées [I] et rendues plus atroces, n'ont pu être conduites que par une atrocité plus grande.

Voilà l'origine, voilà l'esprit des lois du Japon. Mais elles ont eu plus de fureur [II] que de force. Elles ont réussi à détruire le christianisme [36] ; mais des efforts si inouïs sont une preuve de leur impuissance. Elles ont voulu établir une bonne police [III], et leur faiblesse a paru encore mieux.

Il faut lire la relation de l'entrevue de l'empereur et du deyro à Méaco [IV] [d]. Le nombre de ceux qui y furent étouffés, ou tués par des garnements, fut incroyable ; on enleva les jeunes filles et les garçons ; on les retrouvait tous les jours exposés dans des lieux publics, à des heures indues, tous nus, cousus dans des sacs de toile, afin qu'ils ne connussent pas les lieux par où ils avaient passé ; on vola tout ce qu'on voulut ; on fendit le ventre à des chevaux pour faire tomber ceux qui les montaient ; on renversa des voitures pour dépouiller les dames. Les Hollandais [37], à qui l'on dit qu'ils ne pouvaient passer la nuit sur des échafauds, sans être assassinés, en descendirent, etc.

---

d. *Recueil des voyages qui ont servi à l'établissement de la compagnie des Indes*, t. V, part. II [p. 508-510].

---

I. Terrorisées.
II. Folie (furieuse).
III. Un bon ordre.
IV. « Le pape du Japon, qui est le dairo, est héréditaire, de race céleste, et peut être mâle ou femelle, pourvu qu'il soit de la race » (*Spic.*, n° 517). « Méaco » désigne Kyoto.

Je passerai vite sur un autre trait. L'empereur, adonné à des plaisirs infâmes, ne se mariait point : il courait risque de mourir sans successeur. Le deyro lui envoya deux filles très belles : il en épousa une par respect, mais il n'eut aucun commerce avec elle. Sa nourrice fit chercher les plus belles femmes de l'empire ; tout était inutile ; la fille d'un armurier étonna son goût[e] ; il se détermina, il en eut un fils. Les dames de la cour, indignées de ce qu'il leur avait préféré une personne d'une si basse naissance, étouffèrent l'enfant. Ce crime fut caché à l'empereur, il aurait versé un torrent de sang. L'atrocité des lois en empêche donc l'exécution. Lorsque la peine est sans mesure, on est souvent obligé de lui préférer l'impunité.

## Chapitre 16
### De la juste proportion des peines
### avec le crime

Il est essentiel que les peines aient de l'harmonie entre elles[38], parce qu'il est essentiel que l'on évite plutôt un grand crime qu'un moindre, ce qui attaque plus la société, que ce qui la choque moins.

« Un imposteur[a], qui se disait Constantin Ducas, suscita un grand soulèvement à Constantinople. Il fut pris et condamné au fouet ; mais, ayant accusé des personnes considérables, il fut condamné, comme calomniateur, à être brûlé[39]. » Il est singulier qu'on eût ainsi proportionné les peines entre le crime de lèse-majesté[40] et celui de calomnie.

Cela fait souvenir d'un mot de Charles II, roi d'Angleterre. Il vit, en passant, un homme au pilori[I] ; il demanda

e. *Ibid.* [p. 392-393].
a. *Histoire* de Nicéphore, patriarche de Constantinople.

I. Poteau où les condamnés sont attachés et exposés sur la place publique.

pourquoi il était là. « Sire, lui dit-on, c'est parce qu'il a fait des libelles [I] contre vos ministres. » – « Le grand sot ! dit le roi : que ne les écrivait-il contre moi ? on ne lui aurait rien fait [41]. »

« Soixante-dix personnes conspirèrent contre l'empereur Basile [b] ; il les fit fustiger [II] ; on leur brûla les cheveux et le poil. Un cerf l'ayant pris avec son bois par la ceinture, quelqu'un de sa suite tira son épée, coupa sa ceinture, et le délivra ; il lui fit trancher la tête, parce qu'il avait, disait-il, tiré l'épée contre lui [42]. » Qui pourrait penser que, sous le même prince, on eût rendu ces deux jugements ?

C'est un grand mal, parmi nous, de faire subir la même peine [43] à celui qui vole sur un grand chemin, et à celui qui vole et assassine. Il est visible que, pour la sûreté publique, il faudrait mettre quelque différence dans la peine.

À la Chine, les voleurs cruels sont coupés en morceaux [c], les autres non : cette différence fait que l'on y vole, mais que l'on n'y assassine pas.

En Moscovie, où la peine des voleurs et celle des assassins sont les mêmes, on assassine [d] toujours. Les morts, y dit-on, ne racontent rien.

Quand il n'y a point de différence dans la peine, il faut en mettre dans l'espérance de la grâce. En Angleterre, on n'assassine point, parce que les voleurs peuvent espérer d'être transportés dans les colonies, non pas les assassins.

C'est un grand ressort des gouvernements modérés que les lettres de grâce [44]. Ce pouvoir que le prince a de pardonner, exécuté avec sagesse, peut avoir d'admirables effets [45]. Le principe du gouvernement despotique, qui ne

b. *Histoire* de Nicéphore.
c. Père du Halde, [*Description de la Chine*] t. I, p. 6 [46].
d. *État présent de la grande Russie*, par Perry [p. 277].

I. Écrits calomnieux, renvoyant à une littérature satirique et clandestine.
II. Fouetter.

pardonne pas [47], et à qui on ne pardonne jamais, le prive de ces avantages.

## CHAPITRE 17
### De la torture ou question contre les criminels

Parce que les hommes sont méchants, la loi est obligée de les supposer meilleurs qu'ils ne sont [48]. Ainsi la déposition de deux témoins [49] suffit dans la punition de tous les crimes. La loi les croit, comme s'ils parlaient par la bouche de la vérité. L'on juge aussi que tout enfant, conçu pendant le mariage, est légitime ; la loi a confiance en la mère comme si elle était la pudicité [I] même. Mais la *question* [50] contre les criminels n'est pas dans un cas forcé comme ceux-ci. Nous voyons aujourd'hui une nation [a] très bien policée la rejeter sans inconvénient [51]. Elle n'est donc pas nécessaire par sa nature [b].

Tant d'habiles gens et tant de beaux génies ont écrit contre cette pratique, que je n'ose parler après eux [52]. J'allais dire qu'elle pourrait convenir dans les gouvernements despotiques, où tout ce qui inspire la crainte entre plus dans les ressorts du gouvernement : j'allais dire que les esclaves, chez les Grecs et chez les Romains [53]... Mais j'entends la voix de la nature [54] qui crie contre moi.

a. La nation anglaise.
b. Les citoyens d'Athènes ne pouvaient être mis à la question (Lysias, *Orat. in Agorat.* [*Contre Agoratus*, 13, 25-28]), excepté dans le crime de lèse-majesté. On donnait la question trente jours après la condamnation. (Curius Fortunatus, *Rhetor. scol.*, liv. II.) Il n'y avait pas de question préparatoire. Quant aux Romains, la loi 3 et 4 [*Corpus Juris Civilis, Digest*, 48.4, 3-4] *ad legem Juliam majestatis* fait voir que la naissance, la dignité, la profession de la milice garantissaient de la question, si ce n'est dans le cas de crime de lèse-majesté. Voyez les sages restrictions que les lois des Wisigoths mettaient à cette pratique.

I. Chasteté.

# LIVRE XII

# Des lois qui forment la liberté politique dans son rapport avec le citoyen

La liberté de la constitution suppose une distribution des pouvoirs qui garantit que l'institution judiciaire puisse exercer séparément sa puissance. Mais « il faut remarquer que les trois pouvoirs peuvent être bien distribués par rapport à la liberté de la constitution, quoiqu'ils ne le soient pas si bien dans le rapport avec la liberté du citoyen » (*EL*, XI, 18). L'identification du droit de punir avec le souverain est source de dérèglements : la liberté du citoyen suppose que celui-ci se sente protégé non seulement des particuliers, mais aussi de l'État. Il faut donc bien distinguer les lois politiques des lois civiles (XII, 1) pour penser comment elles doivent s'accorder dans les gouvernements modérés. De ce point de vue, la liberté du citoyen est fondée sur la justice de la procédure criminelle. Le livre VI justifiait essentiellement la modération des peines par une réflexion sur ce qui est vraiment utile pour la société ; le livre XII, en examinant les conditions de la modération, ouvre un espace pour penser le statut du citoyen : si la liberté se définit comme perception subjective de sa sécurité (XI, 6, §3 ; XII, 1), elle va avec des dispositions légales et objectives qui lui garantissent le bien-fondé d'une telle opinion. Ainsi, il n'y a pas de liberté si la présomption d'innocence n'est pas assurée (XII, 2).

Pour compléter les analyses du livre VI, Montesquieu formule le critère qui doit permettre de qualifier justement les crimes, et donc d'articuler l'échelle des crimes à celle des châtiments : la peine ne doit pas manifester la puissance du souverain, mais elle doit s'accorder à la nature du crime. Une peine mal proportionnée compromet l'efficacité du châtiment, lit-on dans le livre VI. Mais il faut aussi remarquer que, dans la classification des crimes que propose Montesquieu, ceux qui attaquent « la sûreté des citoyens » (XII, 4) sont présentés comme étant les plus graves, autrement dit ceux qui appellent la peine capitale.

Voilà une condition objective de la liberté à retenir : elle est garantie lorsqu'elle est l'étalon à partir duquel se mesurent les autres peines. Autant dire qu'elle est véritablement l'*objet* des « lois criminelles », et celles-ci tirent leur légitimité du fait que celui qui est puni est le même qui bénéficiait de la protection des lois : « La loi qui le punit a été faite en sa faveur » (XV, 2). On peut ainsi lire le chapitre 4 du livre XII en partant de cette dernière catégorie de crimes, et de la haute peine qui lui est associée : si l'on *part* de cette catégorie, les autres crimes, de moindre importance, devront nécessairement s'étalonner en fonction de la gravité des atteintes à l'ordre social commises par le délinquant. Les peines naturelles – celles qui s'accordent avec la nature du crime – correspondront à la perte de l'avantage social dont bénéficiait celui qui s'est mis en position, de sa propre initiative, de s'exposer à la loi même qui protégeait sa personne et ses biens : le citoyen et la propriété sont au centre de ce qui doit ordonner la qualification de l'ensemble des délits et des crimes. La liberté (telle qu'elle est définie en XII, 2) et la privation de la liberté (le délinquant s'expose à la peine capitale et ne peut plus disposer, de fait et de droit, de la tranquillité d'esprit que garantissait la loi) donnent véritablement la mesure des lois criminelles légitimes.

Le fait de réorganiser ainsi la qualification et la hiérarchie des crimes a assurément une visée polémique. Si en France l'ordonnance de 1670 hiérarchise des peines, elle ne classe pas des crimes en les assortissant aux peines. Pour le juge, il ne s'agit donc pas d'appliquer une peine prévue, mais d'exercer une puissance déléguée, celle du souverain, et ce, parfois contre de l'argent – le roi se donnant le droit de vendre des offices de justice. Il dispose d'un pouvoir d'appréciation des cas (ce que désigne techniquement le terme « arbitraire »), et son jugement peut être « modéré » en appel (c'est-à-dire que la peine peut être adoucie par une juridiction supérieure, mais toujours avec le même arbitraire, puisque cette diminution de peine est prononcée « selon les circonstances »). Classer les crimes, c'est donc faire prévaloir la loi contre l'appréciation des juges. C'est en fait remodeler l'ensemble du mode d'exercice du pouvoir de punir, puisque, dans ce nouveau cadre, le souverain n'est plus la source d'où coule la puissance, ni l'étalon à partir duquel se mesurent tous les autres crimes.

D'une part, Montesquieu renverse la hiérarchie admise qui accorde une importance majeure aux crimes contre l'Église. Si l'unité religieuse est indissociable de l'autorité du souverain (selon

le principe : « Un roi, une loi, une foi »), ceux-ci rentrent nécessairement dans le champ pénal. Montesquieu soustrait les questions
religieuses à la législation pénale (*EL*, XXVI, 2) : légiférer en fonction de la nature de la chose, ce sera ici priver des avantages que
donne la religion (XII, 4). D'autre part, et d'une façon tout aussi
significative, il écarte de sa classification le crime de lèse-majesté,
alors que celui-ci est considéré comme crime au premier chef : la
gravité des autres crimes est définie en fonction de lui car, d'une
certaine façon, toute violation de la loi est attaque contre le roi,
qui, en retour, fait valoir sa toute-puissance. Non seulement Montesquieu substitue la sûreté du citoyen à la majesté du souverain,
mais il examine la question du crime de lèse-majesté à la suite de
l'examen du crime d'hérésie (XII, 5) et du crime « contre nature »
(XII, 6) dont la qualification est tellement vague qu'elle laisse la
porte ouverte à tous les abus. C'est bien la question de savoir ce
à quoi il faut « donner le nom de crime de lèse-majesté » (XII, 7)
qui pose problème : loin d'être l'évident principe qui fonde la
justice pénale, le crime de lèse-majesté est à l'origine de tous les
dérèglements susceptibles d'atteindre les régimes modérés – si
la monarchie fournit le cadre essentiel des analyses, l'auteur se
penche aussi sur le cas des républiques, où la punition du crime
de lèse-majesté est également présentée comme une vengeance
(XII, 18). Montesquieu s'attache donc à en restreindre le champ
d'extension, en rappelant une exigence fondamentale du droit :
seul ce qui tombe sous l'expérience peut être incriminé pénale-
ment. « Les lois ne se chargent de punir que les actions extérieures » (XII, 11). Il examine ensuite les modalités particulières de
l'exercice de la puissance du souverain pour voir ce qui permet
de la régler dans les procédures judiciaires, ce qui garantit à la fois
la sûreté des citoyens et une autorité que les sujets reconnaissent
(XII, 20-27).

Montesquieu écarte donc ce qui était central, mais il laisse en
même temps dans son discours les termes qui permettent de
mesurer cet écart : la punition ne consiste ni à venger la divinité
(XII, 4), ni à venger le souverain. Pourtant, la « loi du talion » – illustrée par la formule biblique « œil pour œil, dent pour dent »
(Exode, XXI, 23-25 ; Lévitique, XXIV, 19-20 ; Deutéronome, XIX,
21), et qui prévoit pour le coupable un châtiment identique à
l'offense commise – pouvait apparaître comme ce qui régissait
l'économie du « supplice » sous l'Ancien Régime. D'un côté, le
corps du supplicié porte la marque du crime qu'il a commis
(langue percée pour un blasphème, main coupée pour un vol,

etc.) ; de l'autre, il se trouve soumis au déferlement d'une puissance qui le dépasse infiniment, et qui ne se contente pas de priver de la vie, mais fait durer la souffrance jusqu'à réduire le corps à néant (réduction en cendres et dispersion des cendres au vent). C'est uniquement pour la dernière catégorie de crimes, ceux qui portent atteinte à la sûreté, que Montesquieu retient l'idée de « supplice » : on a bien alors « une espèce de talion, qui fait que la société refuse la sûreté à un citoyen qui en a privé, ou qui a voulu en priver un autre » (XII, 4). L'auteur de L'Esprit des lois retient donc ces deux termes (supplice, talion), mais en infléchissant sensiblement leur sens : le supplice n'est pas la punition ordinaire de tous les crimes (il ne se rapporte qu'à ceux de la dernière catégorie), et l'« espèce de talion » n'apparaît pas ici comme une vengeance. La loi du talion, dans sa modalité despotique (VI, 19), peut bien s'apparenter à une vengeance ; mais ici l'inflexion de sens modifie l'ensemble de l'économie du pouvoir de punir : cette espèce de talion engage à ne considérer que le résultat de l'action du criminel (on donne bien la mort à ceux qui l'ont donnée, mais en faisant abstraction des modalités de son exécution ; ce qui se traduit par une simple exécution en retour du crime, une exécution débarrassée des sévices atroces qui formaient un spectacle où se donnait à voir la puissance du prince). C'est entre les citoyens d'une même société que se joue cet échange : dès lors tous tous les excès qui tenaient à la nature même du crime de lèse-majesté, à la disproportion des termes qu'il confrontait, n'ont plus lieu d'être.

## Chapitre premier
### Idée de ce livre

Ce n'est pas assez d'avoir traité de la liberté politique dans son rapport avec la constitution[1] ; il faut la faire voir dans le rapport qu'elle a avec le citoyen.

J'ai dit que, dans le premier cas, elle est formée par une certaine distribution des trois pouvoirs[1] ; mais, dans

I. Le mot n'a pas chez Montesquieu son sens moderne, exclusivement politique (texte fondateur d'un État) ; il renvoie au corps que forme l'État, à son ordre ou à l'arrangement de ses parties.

le second, il faut la considérer sous une autre idée. Elle consiste dans la sûreté, ou dans l'opinion que l'on a de sa sûreté [2].

Il pourra arriver que la constitution sera libre, et que le citoyen ne le sera point. Le citoyen pourra être libre, et la constitution ne l'être pas. Dans ces cas, la constitution sera libre de droit, et non de fait ; le citoyen sera libre de fait, et non pas de droit.

Il n'y a que la disposition des lois, et même des lois fondamentales, qui forme la liberté dans son rapport avec la constitution. Mais, dans le rapport avec le citoyen, des mœurs, des manières, des exemples reçus peuvent la faire naître [3] ; et de certaines lois civiles la favoriser, comme nous allons voir dans ce livre-ci.

De plus, dans la plupart des États, la liberté étant plus gênée, choquée ou abattue, que leur constitution ne le demande, il est bon de parler des lois particulières, qui, dans chaque constitution, peuvent aider ou choquer le principe de la liberté dont chacun d'eux peut être susceptible [4].

## Chapitre 2
### De la liberté du citoyen

La liberté philosophique [5] consiste dans l'exercice de sa volonté, ou du moins (s'il faut parler dans tous les systèmes) dans l'opinion où l'on est que l'on exerce sa volonté [6]. La liberté politique consiste dans la sûreté, ou du moins [7] dans l'opinion que l'on a de sa sûreté.

Cette sûreté n'est jamais plus attaquée que dans les accusations publiques ou privées. C'est donc de la bonté des lois criminelles que dépend principalement la liberté du citoyen.

Les lois criminelles n'ont pas été perfectionnées tout d'un coup. Dans les lieux mêmes où l'on a le plus cherché la liberté, on ne l'a pas toujours trouvée. Aristote[a] nous dit qu'à Cumes, les parents de l'accusateur pouvaient être témoins. Sous les rois de Rome, la loi était si imparfaite, que Servius Tullius prononça la sentence contre les enfants d'Ancus Martius, accusé d'avoir assassiné le roi son beau-père[b]. Sous les premiers rois des Francs, Clotaire fit une loi[c] pour qu'un accusé ne pût être condamné sans être ouï ; ce qui prouve une pratique contraire dans quelque cas particulier, ou chez quelque peuple barbare. Ce fut Charondas[1] qui introduisit les jugements contre les faux témoignages[d]. Quand l'innocence des citoyens n'est pas assurée, la liberté ne l'est pas non plus[8].

Les connaissances que l'on a acquises dans quelques pays[9], et que l'on acquerra dans d'autres, sur les règles les plus sûres que l'on puisse tenir dans les jugements criminels, intéressent le genre humain plus qu'aucune chose qu'il y ait au monde.

Ce n'est que sur la pratique de ces connaissances que la liberté peut être fondée ; et dans un État qui aurait là-dessus les meilleures lois possibles, un homme à qui on ferait son procès, et qui devrait être pendu le lendemain, serait plus libre qu'un bacha ne l'est en Turquie.

## CHAPITRE 3
### Continuation du même sujet

Les lois qui font périr un homme sur la déposition d'un seul témoin sont fatales à la liberté. La raison en

a. *Politique*, liv. II [8, 1269a].
b. Tarquinius Priscus [Tarquin l'Ancien]. Voyez Denys d'Halicarnasse, liv. IV [*Antiquités romaines*, 4.5.3].
c. De l'an 560.
d. ARISTOTE, *Politique*, liv. II, chap. 12 [1274]. Il donna ses lois à Thurium, dans la quatre-vingt-quatrième olympiade.

1. Disciple de Pythagore, il donna des lois à Catane, en Sicile.

exige deux[10] ; parce qu'un témoin qui affirme, et un accusé qui nie, font un partage ; et il faut un tiers pour le vider.

Les Grecs[a] et les Romains[b] exigeaient une voix de plus pour condamner. Nos lois françaises en demandent deux. Les Grecs prétendaient que leur usage avait été établi par les dieux[c] ; mais c'est le nôtre.

## CHAPITRE 4
### Que la liberté est favorisée par la nature des peines et leur proportion[11]

C'est le triomphe de la liberté, lorsque les lois criminelles tirent chaque peine de la nature particulière du crime. Tout l'arbitraire[1] cesse ; la peine ne descend point du caprice du législateur, mais de la nature de la chose ; et ce n'est point l'homme qui fait violence à l'homme.

Il y a quatre sortes de crimes[12] : ceux de la première espèce choquent la religion ; ceux de la seconde, les mœurs ; ceux de la troisième, la tranquillité ; ceux de la quatrième, la sûreté des citoyens. Les peines que l'on inflige doivent dériver de la nature de chacune de ces espèces.

Je ne mets dans la classe des crimes qui intéressent la religion[13] que ceux qui l'attaquent directement, comme

a. Voyez [Ælius] ARISTIDE, *Orat. in Minervam* [17].
b. Denys d'Halicarnasse, sur le jugement de Coriolan, liv. VII [*Antiquités romaines*, 7.64.6].
c. *Minervæ calculus*[14].

---

I. « De ce qu'il dépend de la volonté des juges de prononcer, de statuer » (*Académie*). Ce terme, qui renvoie à la capacité de juger, n'a pas d'abord de nuance péjorative. Il désigne la possibilité pour le juge de qualifier le crime et de moduler les peines en tenant compte des circonstances. C'est ce principe d'appréciation selon la singularité des cas qui est remis en cause, au nom du principe de légalité de la peine.

sont tous les sacrilèges simples. Car les crimes qui en
troublent l'exercice sont de la nature de ceux qui choquent la tranquillité des citoyens ou leur sûreté, et
doivent être renvoyés à ces classes.

Pour que la peine des sacrilèges simples soit tirée de la
nature [a] de la chose, elle doit consister dans la privation
de tous les avantages que donne la religion [15] : l'expulsion
hors des temples ; la privation de la société des fidèles,
pour un temps ou pour toujours ; la fuite de leur présence, les exécrations, les détestations, les conjura-
tions [I] [16].

Dans les choses qui troublent la tranquillité ou la
sûreté de l'État, les actions cachées sont du ressort de la
justice humaine. Mais dans celles qui blessent la divinité,
là où il n'y a point d'action publique, il n'y a point de
matière de crime : tout s'y passe entre l'homme et Dieu,
qui sait la mesure et le temps de ses vengeances [17]. Que
si, confondant les choses, le magistrat recherche aussi le
sacrilège caché, il porte une inquisition [II] sur un genre
d'action où elle n'est point nécessaire [18] : il détruit la
liberté des citoyens, en armant contre eux le zèle des
consciences timides, et celui des consciences hardies [III].

Le mal est venu de cette idée, qu'il faut venger la divinité. Mais il faut faire honorer la divinité, et ne la venger
jamais [19]. En effet, si l'on se conduisait par cette dernière
idée, quelle serait la fin des supplices ? Si les lois des
hommes ont à venger un être infini, elles se régleront sur
son infinité, et non pas sur les faiblesses, sur les igno-
rances, sur les caprices de la nature humaine.

a. Saint Louis fit des lois si outrées contre ceux qui juraient, que le
pape se crut obligé de l'en avertir. Ce prince modéra son zèle et adoucit
ses lois. Voyez ses ordonnances.

I. En langage ecclésiastique, exorcismes ou cérémonies pour chasser
(conjurer) des esprits malins.

II. Enquête.

III. C'est-à-dire courageuses, mais aussi effrontées. Timides signifie
timorées, craintives. « Zèle : Affection ardente pour quelque chose. Il se
dit principalement à l'égard des choses saintes & sacrées » (*Académie*).

Un historien de Provence [b] rapporte un fait, qui nous peint très bien ce que peut produire sur des esprits faibles cette idée de venger la divinité. Un juif, accusé d'avoir blasphémé contre la sainte Vierge, fut condamné à être écorché. Des chevaliers masqués, le couteau à la main, montèrent sur l'échafaud, et en chassèrent l'exécuteur, pour venger eux-mêmes l'honneur de la sainte Vierge… Je ne veux point prévenir [I] les réflexions du lecteur.

La seconde classe est des crimes qui sont contre les mœurs [20]. Telles sont la violation de la continence publique ou particulière ; c'est-à-dire, de la police [II] sur la manière dont on doit jouir des plaisirs attachés à l'usage des sens et à l'union des corps. Les peines de ces crimes doivent encore être tirées de la nature de la chose. La privation des avantages que la société a attachés à la pureté des mœurs, les amendes, la honte, la contrainte de se cacher, l'infamie publique, l'expulsion hors de la ville et de la société ; enfin, toutes les peines qui sont de la juridiction correctionnelle [21] suffisent pour réprimer la témérité [III] des deux sexes. En effet, ces choses sont moins fondées sur la méchanceté que sur l'oubli ou le mépris de soi-même.

Il n'est ici question que des crimes qui intéressent uniquement les mœurs [22], non de ceux qui choquent aussi la sûreté publique, tels que l'enlèvement et le viol, qui sont de la quatrième espèce.

Les crimes de la troisième classe sont ceux qui choquent la tranquillité des citoyens ; et les peines en doivent être tirées de la nature de la chose, et se rapporter à cette tranquillité, comme la prison, l'exil, les corrections et autres peines qui ramènent les esprits inquiets, et les font rentrer dans l'ordre établi [23].

b. Le père Bougerel [24].

I. Précéder, donc influer sur.
II. Du règlement.
III. Audace.

Je restreins les crimes contre la tranquillité aux choses qui contiennent une simple lésion de police[I] : car celles qui, troublant la tranquillité, attaquent en même temps la sûreté, doivent être mises dans la quatrième classe.

Les peines de ces derniers crimes sont ce qu'on appelle des supplices. C'est une espèce de talion[25], qui fait que la société refuse la sûreté à un citoyen qui en a privé, ou qui a voulu en priver un autre. Cette peine est tirée de la nature de la chose, puisée dans la raison et dans les sources du bien et du mal[26]. Un citoyen mérite la mort lorsqu'il a violé la sûreté au point qu'il a ôté la vie, ou qu'il a entrepris de l'ôter. Cette peine de mort est comme le remède de la société malade. Lorsqu'on viole la sûreté à l'égard des biens, il peut y avoir des raisons pour que la peine soit capitale ; mais il vaudrait peut-être mieux, et il serait plus de la nature, que la peine des crimes contre la sûreté des biens fût punie par la perte des biens ; et cela devrait être ainsi, si les fortunes étaient communes ou égales. Mais, comme ce sont ceux qui n'ont point de biens qui attaquent plus volontiers celui des autres, il a fallu que la peine corporelle suppléât à la pécuniaire[27].

Tout ce que je dis est puisé dans la nature, et est très favorable à la liberté du citoyen.

## Chapitre 5

De certaines accusations qui ont particulièrement besoin de modération et de prudence

Maxime[II] importante : il faut être très circonspect dans la poursuite de la magie[28] et de l'hérésie. L'accusa-

---

I. Atteinte à l'ordre public.
II. « Proposition générale qui sert de principe, de fondement, de règle en quelques arts ou sciences » (*Académie*).

tion de ces deux crimes peut extrêmement choquer la liberté, et être la source d'une infinité de tyrannies, si le législateur ne sait la borner. Car, comme elle ne porte pas directement sur les actions d'un citoyen, mais plutôt sur l'idée que l'on s'est faite de son caractère, elle devient dangereuse à proportion de l'ignorance du peuple[29] ; et pour lors un citoyen est toujours en danger, parce que la meilleure conduite du monde, la morale la plus pure, la pratique de tous les devoirs, ne sont pas des garants contre les soupçons de ces crimes.

Sous Manuel Comnène, le *protestator*[a][1] fut accusé d'avoir conspiré contre l'empereur, et de s'être servi pour cela de certains secrets qui rendent les hommes invisibles. Il est dit, dans la vie de cet empereur[b], que l'on surprit Aaron lisant un livre de Salomon, dont la lecture faisait paraître des légions de démons. Or, en supposant dans la magie une puissance qui arme l'enfer, et en partant de là, on regarde celui que l'on appelle un magicien, comme l'homme du monde le plus propre à troubler et à renverser la société, et l'on est porté à le punir sans mesure.

L'indignation croît lorsque l'on met dans la magie le pouvoir de détruire la religion. L'histoire de Constantinople[c] nous apprend que, sur une révélation qu'avait eue un évêque qu'un miracle avait cessé à cause de la magie d'un particulier, lui et son fils furent condamnés à mort. De combien de choses prodigieuses ce crime ne dépendait-il pas ? Qu'il ne soit pas rare qu'il y ait des révélations ; que l'évêque en ait eu une ; qu'elle fût véritable ; qu'il y eût eu un miracle ; que ce miracle eût cessé ; qu'il y eût de la magie ; que la magie pût renverser la

a. NICÉTAS, *Vie de Manuel Comnène*, liv. IV [7, 95c-d].
b. *Ibid.*
c. *Histoire de l'empereur Maurice*, par THÉOPHYLACTE [*Histoires*, I] chap. 11 [30].

I. Manuel Comnène : empereur de Byzance de 1143 à 1180. Montesquieu a mal transcrit un titre de la cour byzantine : *protostator*.

religion ; que ce particulier fût magicien ; qu'il eût fait
enfin cet acte de magie.

L'empereur Théodore Lascaris [I] attribuait sa maladie
à la magie. Ceux qui en étaient accusés n'avaient d'autre
ressource que de manier un fer chaud sans se brûler [31].
Il aurait été bon, chez les Grecs [II], d'être magicien pour
se justifier de la magie. Tel était l'excès de leur idio-
tisme [III], qu'au crime du monde le plus incertain, ils joi-
gnaient les preuves les plus incertaines.

Sous le règne de Philippe le Long [IV], les juifs furent
chassés de France, accusés d'avoir empoisonné les fon-
taines par le moyen des lépreux. Cette absurde accusation doit bien faire douter de toutes celles qui sont
fondées sur la haine publique.

Je n'ai point dit ici qu'il ne fallait point punir l'hérésie [32] ; je dis qu'il faut être très circonspect à la punir [33].

## CHAPITRE 6
### Du crime contre nature [V]

À Dieu ne plaise que je veuille diminuer l'horreur que
l'on a pour un crime que la religion, la morale et la politique condamnent tour à tour. Il faudrait le proscrire
quand il ne ferait que donner à un sexe les faiblesses de
l'autre, et préparer à une vieillesse infâme par une jeunesse honteuse. Ce que j'en dirai lui laissera toutes ses

---

I. Fondateur de l'empire de Nicée, vestige de l'Empire byzantin
(1204-1222).

II. L'Empire « grec » désigne l'Empire romain d'Orient.

III. Expression propre à un groupe. Les accusations de magie participent de cette « bigoterie universelle » que l'on trouve en Orient, et
qui explique la faiblesse de l'empire ; voir *Romains*, XXII.

IV. Deuxième fils de Philippe IV le Bel, roi de France (1317-1322).

V. L'homosexualité.

flétrissures [1], et ne portera que contre la tyrannie qui peut abuser de l'horreur même que l'on en doit avoir.

Comme la nature de ce crime est d'être caché, il est souvent arrivé que des législateurs l'ont puni sur la déposition d'un enfant. C'était ouvrir une porte bien large à la calomnie. « Justinien, dit Procope [a], publia une loi contre ce crime ; il fit rechercher ceux qui en étaient coupables, non seulement depuis la loi, mais avant. La déposition d'un témoin, quelquefois d'un enfant, quelquefois d'un esclave, suffisait, surtout contre les riches, et contre ceux qui étaient de la faction des verts [34]. »

Il est singulier que, parmi nous, trois crimes, la magie, l'hérésie et le crime contre nature, dont on pourrait prouver, du premier, qu'il n'existe pas ; du second, qu'il est susceptible d'une infinité de distinctions, interprétations, limitations ; du troisième, qu'il est très souvent obscur, aient été tous trois punis de la peine du feu.

Je dirai bien que le crime contre nature ne fera jamais dans une société de grands progrès, si le peuple ne s'y trouve porté d'ailleurs par quelque coutume, comme chez les Grecs, où les jeunes gens faisaient tous leurs exercices nus ; comme chez nous, où l'éducation domestique est hors d'usage ; comme chez les Asiatiques, où des particuliers ont un grand nombre de femmes qu'ils méprisent, tandis que les autres n'en peuvent avoir. Que l'on ne prépare point ce crime, qu'on le proscrive par une police [II] exacte, comme toutes les violations des mœurs, et l'on verra soudain la nature, ou défendre ses droits, ou les reprendre. Douce, aimable, charmante, elle a répandu les plaisirs d'une main libérale ; et, en nous comblant de délices, elle nous prépare, par des enfants qui nous font, pour ainsi dire, renaître, à des satisfactions plus grandes que ces délices mêmes.

a. *Histoire secrète* [XIX, 11].

I. Taches à la réputation (voir VI, 12)
II. Règlement.

CHAPITRE 7
Du crime de lèse-majesté [35]

Les lois de la Chine décident que quiconque manque de respect à l'empereur doit être puni de mort [36]. Comme elles ne définissent pas ce que c'est que ce manquement de respect, tout peut fournir un prétexte pour ôter la vie à qui l'on veut, et exterminer la famille que l'on veut.

Deux personnes chargées de faire la gazette de la cour, ayant mis dans quelque fait des circonstances qui ne se trouvèrent pas vraies, on dit que mentir dans une gazette de la cour, c'était manquer de respect à la cour ; et on les fit mourir [a]. Un prince du sang ayant mis quelque note par mégarde sur un mémorial signé du pinceau rouge par l'empereur, on décida qu'il avait manqué de respect à l'empereur, ce qui causa contre cette famille une des terribles persécutions dont l'histoire ait jamais parlé [b].

C'est assez que le crime de lèse-majesté soit vague, pour que le gouvernement dégénère en despotisme [37]. Je m'étendrai davantage là-dessus dans le livre *de la composition des lois* [38].

CHAPITRE 11
Des pensées

Un Marsyas [1] songea qu'il coupait la gorge à Denys [a]. Celui-ci le fit mourir, disant qu'il n'y aurait pas songé la

a. Le père Du Halde, [*Description de la Chine*] t. I, p. 43 [39].
b. Lettres du père Parennin, dans les *Lettres édif.* [XIX, p. 156-158]. [Voir *Geographica*, *OC*, t. XVI, p. 397. Voir aussi VIII, 21.]
a. PLUTARQUE, *Vie de Denys* [X].

I. Un des officiers de Denys, tyran de Syracuse réputé pour sa cruauté.

nuit s'il n'y eût pensé le jour. C'était une grande tyrannie : car, quand même il y aurait pensé, il n'avait pas
attenté[b]. Les lois ne se chargent de punir que les
actions extérieures.

## CHAPITRE 12
### Des paroles indiscrètes

Rien ne rend encore le crime de lèse-majesté plus arbitraire que quand des paroles indiscrètes[1] en deviennent
la matière[40]. Les discours sont si sujets à interprétation,
il y a tant de différence entre l'indiscrétion et la malice[II],
et il y en a si peu dans les expressions qu'elles emploient,
que la loi ne peut guère soumettre les paroles à une peine
capitale, à moins qu'elle ne déclare expressément celles
qu'elle y soumet[a].

Les paroles ne forment point un corps de délit ; elles
ne restent que dans l'idée. La plupart du temps, elles ne
signifient point par elles-mêmes, mais par le ton dont on
les dit. Souvent, en redisant les mêmes paroles, on ne
rend pas le même sens ; ce sens dépend de la liaison
qu'elles ont avec d'autres choses. Quelquefois le silence
exprime plus que tous les discours. Il n'y a rien de si
équivoque que tout cela. Comment donc en faire un
crime de lèse-majesté ? Partout où cette loi est établie,
non seulement la liberté n'est plus, mais son ombre
même.

b. Il faut que la pensée soit jointe à quelque sorte d'action.
a. *Si non tale sit delictum, in quod vel scriptura legis descendit, vel ad exemplum legis vindicandum est*, dit Modestinus dans la loi 7, § 3, *in fin.*, ff. *ad leg. Jul. maj*[41].

I. Imprudentes.
II. L'intention de nuire.

Dans le manifeste [I] de la feue czarine, donné contre la famille d'Olgourouki [b], un de ces princes est condamné à mort pour avoir proféré des paroles indécentes qui avaient du rapport à sa personne ; un autre, pour avoir malignement interprété ses sages dispositions pour l'empire, et offensé sa personne sacrée par des paroles peu respectueuses [II].

Je ne prétends point diminuer l'indignation que l'on doit avoir contre ceux qui veulent flétrir [III] la gloire de leur prince ; mais je dirai bien que, si l'on veut modérer le despotisme, une simple punition correctionnelle conviendra mieux dans ces occasions, qu'une accusation de lèse-majesté toujours terrible à l'innocence même [c].

Les actions ne sont pas de tous les jours ; bien des gens peuvent les remarquer : une fausse accusation sur des faits peut être aisément éclaircie. Les paroles qui sont jointes à une action, prennent la nature de cette action. Ainsi un homme qui va dans la place publique exhorter les sujets à la révolte, devient coupable de lèse-majesté, parce que les paroles sont jointes à l'action, et y participent. Ce ne sont point les paroles que l'on punit ; mais une action commise, dans laquelle on emploie les paroles. Elles ne deviennent des crimes que lorsqu'elles préparent, qu'elles accompagnent, ou qu'elles suivent une action criminelle. On renverse tout, si l'on fait des paroles un crime capital, au lieu de les regarder comme le signe d'un crime capital.

b. En 1740.

c. *Nec lubricum linguæ ad pœnam facile trahendum est.* Modestin, dans la loi 7, § 3, ff. *ad leg. Jul. maj* [42].

---

I. Écrit public par lequel un prince expose une décision et rend raison de sa conduite.

II. Ivan Dolgourouki, favori de Pierre II, fut avec toute sa famille l'objet de la haine de la tsarine Anna Ivanovna, nièce de Pierre le Grand, qui succéda à Pierre II (1730-1740).

III. Diffamer.

Les empereurs Théodose, Arcadius, et Honorius[1], écrivirent à Ruffin, préfet du prétoire : « Si quelqu'un parle mal de notre personne ou de notre gouvernement, nous ne voulons point le punir : s'il a parlé par légèreté, il faut le mépriser ; si c'est par folie, il faut le plaindre ; si c'est une injure, il faut lui pardonner[d]. Ainsi, laissant les choses dans leur entier, vous nous en donnerez connaissance, afin que nous jugions des paroles par les personnes, et que nous pesions bien si nous devons les soumettre au jugement, ou les négliger. »

## CHAPITRE 13
### Des écrits

Les écrits contiennent quelque chose de plus permanent que les paroles ; mais, lorsqu'ils ne préparent pas au crime de lèse-majesté, ils ne sont point une matière du crime de lèse-majesté.

Auguste et Tibère y attachèrent pourtant la peine de ce crime[a] ; Auguste, à l'occasion de certains écrits faits contre des hommes et des femmes illustres ; Tibère, à cause de ceux qu'il crut faits contre lui[43]. Rien ne fut plus fatal à la liberté romaine. Crémutius Cordus fut

d. *Si id ex levitate processerit, contemnendum est ; si ex insania, miseratione dignissimum ; si ab injuria, remittendum.* Leg. unica, Code *si quis imperatori maledixerit.*

a. TACITE, *Annales,* liv. I [72, 3-6]. Cela continua sous les règnes suivants. Voyez la loi première, au Code *de famosis libellis.*

I. Théodose Ier, empereur romain (379-395), et ses fils empereurs d'Orient (395-408) et d'Occident (395-423). Ces empereurs avaient décidé que leurs ministres seraient protégés comme eux-mêmes par l'incrimination de lèse-majesté (*EL*, XII, 8).

accusé, parce que, dans ses annales, il avait appelé Cassius le dernier des Romains [b][I].

Les écrits satiriques [44] ne sont guère connus dans les États despotiques, où l'abattement d'un côté et l'ignorance de l'autre ne donnent ni le talent ni la volonté d'en faire. Dans la démocratie on ne les empêche pas, par la raison même qui dans le gouvernement d'un seul les fait défendre. Comme ils sont ordinairement composés contre des gens puissants, ils flattent dans la démocratie la malignité du peuple qui gouverne. Dans la monarchie on les défend ; mais on en fait plutôt un sujet de police que de crime [II]. Ils peuvent amuser la malignité générale, consoler les mécontents, diminuer l'envie contre les places, donner au peuple la patience de souffrir, et le faire rire de ses souffrances.

L'aristocratie est le gouvernement qui proscrit le plus les ouvrages satiriques. Les magistrats y sont de petits souverains qui ne sont pas assez grands pour mépriser les injures. Si dans la monarchie quelque trait va contre le monarque, il est si haut que le trait n'arrive point jusqu'à lui. Un seigneur aristocratique en est percé de part en part. Aussi les décemvirs [III], qui formaient une aristocratie, punirent-ils de mort les écrits satiriques [c].

b. *Idem*, liv. IV [34, 1].
c. La loi des Douze Tables [VIII, 1].

---

I. Ce sénateur avait écrit l'*Histoire des guerres civiles de Rome*. Le préfet du prétoire Séjan l'accusa auprès de Tibère du crime de lèse-majesté pour avoir loué dans cet ouvrage Brutus et Cassius, les assassins de Jules César, et avoir appelé Brutus le dernier des Romains. Il prévint le jugement en se donnant la mort.

II. Ils relèvent d'un règlement et non d'une juridiction pénale.

III. Commission instituée en 451 av. J.-C. pour fixer les lois et suspendre les conflits entre patriciens et plébéiens (*decemviri legibus scribendis* – littéralement, les « dix hommes pour rédiger les lois »), dont le gouvernement dégénéra en tyrannie (*EL*, XI, 15), mais qui donna à Rome le fondement de son droit (avec la loi des Douze Tables).

## CHAPITRE 16
### Calomnie dans le crime de lèse-majesté

Il faut rendre justice aux Césars ; ils n'imaginèrent pas les premiers les tristes lois qu'ils firent. C'est Sylla [a] qui leur apprit qu'il ne fallait point punir les calomniateurs. Bientôt on alla jusqu'à les récompenser [b].

## CHAPITRE 18
### Combien il est dangereux dans les républiques de trop punir le crime de lèse-majesté

Quand une république est parvenue à détruire ceux qui voulaient la renverser, il faut se hâter de mettre fin aux vengeances, aux peines et aux récompenses mêmes.

On ne peut faire de grandes punitions, et par conséquent de grands changements, sans mettre dans les mains de quelques citoyens un grand pouvoir. Il vaut donc mieux, dans ce cas, pardonner beaucoup que punir beaucoup ; exiler peu qu'exiler beaucoup ; laisser les biens que multiplier les confiscations. Sous prétexte de la vengeance de la république, on établirait la tyrannie des vengeurs. Il n'est pas question de détruire celui qui domine, mais la domination. Il faut rentrer le plus tôt que l'on peut dans ce train ordinaire du gouvernement, où les lois protègent tout, et ne s'arment contre personne.

a. Sylla fit une loi de majesté, dont il est parlé dans les *Oraisons* de Cicéron, *Pro Cluentio*, art. 3 ; *In Pisonem*, art. 21 ; *Deuxième contre Verrès*, art. 5, *Épîtres familières*, liv. III, lettre II. César et Auguste les insérèrent dans les lois Julies ; d'autres y ajoutèrent [45].

b. *Et quo quis distinctior accusator, eo magis honores assequebatur, ac veluti sacrosanctus erat.* Tacite. *Annales*, IV, 36, 48 [46].

Les Grecs ne mirent point de bornes aux vengeances qu'ils prirent des tyrans ou de ceux qu'ils soupçonnèrent de l'être. Ils firent mourir les enfants[a], quelquefois cinq des plus proches parents[b]. Ils chassèrent une infinité de familles. Leurs républiques en furent ébranlées ; l'exil ou le retour des exilés furent toujours des époques qui marquèrent le changement de la constitution.

Les Romains furent plus sages. Lorsque Cassius fut condamné pour avoir aspiré à la tyrannie, on mit en question si l'on ferait mourir ses enfants : ils ne furent condamnés à aucune peine. « Ceux qui ont voulu, dit Denys d'Halicarnasse[c], changer cette loi à la fin de la guerre des Marses et de la guerre civile, et exclure des charges les enfants des proscrits par Sylla, sont bien criminels. »

On voit dans les guerres de Marius et de Sylla[47] jusqu'à quel point les âmes chez les Romains s'étaient peu à peu dépravées. Des choses si funestes firent croire qu'on ne les reverrait plus. Mais sous les triumvirs[I] on voulut être plus cruel et le paraître moins : on est désolé de voir les sophismes qu'employa la cruauté. On trouve dans Appien[d] la formule des proscriptions. Vous diriez qu'on n'y a d'autre objet que le bien de la république, tant on y parle de sang-froid, tant on y montre d'avantages, tant les moyens que l'on prend sont préférables à d'autres, tant les riches seront en sûreté, tant le bas peuple sera tranquille, tant on craint de mettre en danger la vie des citoyens, tant on veut apaiser les soldats, tant enfin on sera heureux[e].

a. Denys d'HALICARNASSE, *Antiquités romaines*, liv. VIII [80].
b. *Tyranno occiso, quinque ejus proximos cognatione, magistratus necato.* CICÉRON, *De inventione* [*De l'invention oratoire*], liv. II [49, 144].
c. Liv. VIII [69], p. 547.
d. *Des guerres civiles*, liv. IV [2, 1].
e. *Quod felix faustumque sit*[48].

I. Voir p. 172, note I.

Rome était inondée de sang quand Lépidus triompha de l'Espagne, et, par une absurdité sans exemple, sous peine d'être proscrit [f], il ordonna de se réjouir.

## CHAPITRE 20
### Des lois favorables à la liberté du citoyen dans la république

Il arrive souvent dans les États populaires que les accusations sont publiques, et qu'il est permis à tout homme d'accuser qui il veut. Cela a fait établir des lois propres à défendre l'innocence des citoyens. À Athènes, l'accusateur qui n'avait point pour lui la cinquième partie des suffrages, payait une amende de mille dragmes. Eschines, qui avait accusé Ctésiphon, y fut condamné [a]. À Rome, l'injuste accusateur était noté d'infamie [b], on lui imprimait la lettre K sur le front [I]. On donnait des gardes à l'accusateur pour qu'il fût hors d'état de corrompre les juges ou les témoins [c].

J'ai déjà parlé de cette loi athénienne et romaine qui permettait à l'accusé de se retirer avant le jugement [49].

f. *Sacris et epulis dent hunc diem : qui secus faxit, inter proscriptos esto* [50].

a. Voyez PHILOSTRATE, liv. I, *Vie des sophistes, Vie d'Eschine.* Voyez aussi Plutarque et Photius [51].

b. Par la loi *Remnia* [52].

c. Plutarque, au traité : *Comment on pourrait recevoir de l'utilité de ses ennemis* [91d].

I. Première lettre du mot *Kalumnia.*

# Chapitre 22
## Des choses qui attaquent la liberté
## dans la monarchie

La chose du monde la plus inutile au prince a souvent affaibli la liberté dans les monarchies : les commissaires [53] nommés quelquefois pour juger un particulier.

Le prince tire si peu d'utilité des commissaires, qu'il ne vaut pas la peine qu'il change l'ordre des choses pour cela. Il est moralement sûr qu'il a plus l'esprit de probité et de justice que ses commissaires, qui se croient toujours assez justifiés par ses ordres, par un obscur intérêt de l'État, par le choix qu'on a fait d'eux, et par leurs craintes mêmes.

Sous Henri VIII [54], lorsqu'on faisait le procès à un pair [1], on le faisait juger par des commissaires tirés de la chambre des pairs : avec cette méthode on fit mourir tous les pairs qu'on voulut [55].

# Chapitre 25
## De la manière de gouverner
## dans la monarchie

L'autorité royale est un grand ressort qui doit se mouvoir aisément et sans bruit. Les Chinois vantent un de leurs empereurs, qui gouverna, disent-ils, comme le ciel [56], c'est-à-dire, par son exemple.

Il y a des cas où la puissance doit agir dans toute son étendue ; il y en a où elle doit agir par ses limites. Le sublime de l'administration est de bien connaître quelle

---

I. Membres de la Chambre des lords (Chambre haute) du Parlement anglais.

est la partie du pouvoir, grande ou petite, que l'on doit employer dans les diverses circonstances.

Dans nos monarchies, toute la félicité consiste dans l'opinion que le peuple a de la douceur du gouvernement. Un ministre[I] malhabile veut toujours vous avertir que vous êtes esclaves. Mais, si cela était, il devrait chercher à le faire ignorer[57]. Il ne sait vous dire ou vous écrire, si ce n'est que le prince est fâché ; qu'il est surpris ; qu'il mettra ordre. Il y a une certaine facilité dans le commandement : il faut que le prince encourage, et que ce soient les lois qui menacent[a].

## Chapitre 27
### Des mœurs du monarque

Les mœurs du prince contribuent autant à la liberté que les lois ; il peut, comme elles, faire des hommes des bêtes[58], et des bêtes faire des hommes. S'il aime les âmes libres, il aura des sujets ; s'il aime les âmes basses, il aura des esclaves. Veut-il savoir le grand art de régner : qu'il approche de lui l'honneur et la vertu, qu'il appelle le mérite personnel. Il peut même jeter quelquefois les yeux sur les talents. Qu'il ne craigne point ces rivaux qu'on appelle les hommes de mérite ; il est leur égal, dès qu'il les aime. Qu'il gagne le cœur, mais qu'il ne captive point l'esprit. Qu'il se rende populaire. Il doit être flatté de l'amour du moindre de ses sujets ; ce sont toujours des hommes. Le peuple demande si peu d'égards, qu'il est juste de les lui accorder : l'infinie distance qui est entre

a. Nerva, dit Tacite [*Vie d'Agricola*, III, 1], augmenta la facilité de l'empire.

I. « Celui dont on se sert pour l'exécution de quelque chose » (*Académie*).

le souverain et lui empêche bien qu'il ne le gêne. Qu'exo-
rable[I] à la prière, il soit ferme contre les demandes ; et
qu'il sache que son peuple jouit de ses refus, et ses courtisans de ses grâces.

## CHAPITRE 29
### Des lois civiles propres à mettre un peu
### de liberté dans le gouvernement despotique

Quoique le gouvernement despotique, dans sa nature,
soit partout le même[59], cependant des circonstances, une
opinion de religion, un préjugé, des exemples reçus, un
tour d'esprit, des manières, des mœurs[60], peuvent y
mettre des différences considérables[61].

Il est bon que de certaines idées s'y soient établies.
Ainsi, à la Chine, le prince est regardé comme le père du
peuple[62] : et, dans les commencements de l'empire des
Arabes, le prince en était le prédicateur[a].

Il convient qu'il y ait quelque livre sacré qui serve de
règle, comme l'Alcoran[II] chez les Arabes, les livres de
Zoroastre chez les Perses, le Védam chez les Indiens[63],
les livres classiques chez les Chinois[64]. Le code religieux
supplée au code civil, et fixe l'arbitraire[65].

Il n'est pas mal que, dans les cas douteux, les juges
consultent les ministres de la religion[b]. Aussi en Turquie
les cadis[III] interrogent-ils les mollachs[IV]. Que si le cas
mérite la mort, il peut être convenable que le juge parti-

---

a. Les Califes.
b. *Histoire des Tatars*, troisième partie, p. 277, dans les remarques[66].

---

I. Qui se laisse fléchir par des prières.
II. Le Coran (voir *Spic.*, n° 181).
III. « C'est le nom qu'on a donné aux juges chez les Sarrazins et les
Turcs » (Furetière).
IV. Religieux musulmans.

culier, s'il y en a, prenne l'avis du gouverneur [1], afin que le pouvoir civil et l'ecclésiastique soient encore tempérés par l'autorité politique.

[1]. Officier du prince qui commande dans une province, dans une place.

# NOTES

## I. LE PROJET DE *L'ESPRIT DES LOIS*

### Préface

1. « Au moment de mourir, Platon rendait grâce à son Génie et à la Fortune, de l'avoir fait naître d'abord homme, ensuite Grec, et en outre de ce que sa naissance s'était rencontrée avec l'époque de Socrate » (Plutarque, *Vie de Marius*, XLVI). Voir *Pensées*, nº 1233.
2. « De tous les gouvernements que j'ai vus, je ne préviens pour aucun, pas même pour celui que j'aime le plus, parce que j'ai le bonheur d'y vivre » (*Pensées*, nº 1868). Certains textes des *Pensées* auxquels nous renvoyons ici peuvent être considérés comme « morceau d'une préface » (*Pensées*, nº 1433).
3. Ce pacte de lecture engage à lire l'ouvrage entier pour bien juger de l'ensemble. Cela suppose un principe de composition qui fasse l'unité et la cohérence de l'œuvre ; ce que Montesquieu met en scène à la fin de la préface.
4. Répondant aux critiques, Montesquieu écrit : « Mais comment a-t-on pu manquer ainsi le sujet et le but d'un ouvrage qu'on avait sous les yeux ? Ceux qui auront quelques lumières verront du premier coup d'œil que cet ouvrage a pour objet les lois, les coutumes et les divers usages de tous les peuples de la terre. On peut dire que le sujet en est immense, puisqu'il embrasse toutes les institutions qui sont reçues parmi les hommes » (*DEL*, p. 435).
5. « Principe : se dit aussi des fondements des arts et des sciences » (Furetière). Les principes ne sont pas ici les « principes des gouvernements » (III, 1), ni même les composantes de la « nature des choses », énumérées en I, 3. Il s'agit plutôt de principes méthodologiques, découverts progressivement au fil des lectures et des analyses. Montesquieu ne cherche pas à les fonder : c'est dans la recherche qu'apparaît leur efficacité théorique, leur « fécondité ». La portée des principes n'est pas que théorique, d'intelligibilité ; elle est aussi pratique (ils permettent la composition de l'ouvrage, et au législateur la composition des lois).

6. Pour un exemple de la façon dont les différentes lois positives sont liées entre elles, voir V, 5.

7. Cette capacité de discernement doit s'exercer dans la comparaison et elle peut avoir une visée pratique, comme cela apparaît au livre XXIX, sur le législateur, où Montesquieu montre par l'exemple comment des « lois qui paraissent les mêmes sont quelquefois réellement différentes » (*EL*, XXIX, 12).

8. « Quand un ouvrage est systématique, il faut être sûr que l'on tient tout le système » (*Pensées*, n° 2092). Dans un autre contexte, cette image se retrouve dans les « Quelques réflexions sur les *Lettres persanes* », qui parurent pour la première fois en 1758 (Pléiade, t. I, p. 129 ; *OC*, t. I, p. 567).

9. Voir *Pensées*, n° 1873. Montesquieu, qui respecte constamment une grande prudence pour être sûr de se faire entendre, veut se démarquer de virulents projets de réforme ou d'ouvrages très critiques. Il importe moins de dicter des solutions que de former le jugement (XI, 20).

10. Montesquieu dit qu'il ne faut pas « faire de changement dans une loi sans une raison suffisante » (*EL*, XXIX, 16). Les « raisons » ne sont donc pas seulement ce qui permet de rendre compte d'une situation, mais aussi ce qui permet de penser des interventions judicieuses.

11. « Il y en a peu où ceux qui gouvernent n'aient en général de bonnes intentions et ne souhaitent que leur administration ne soit bonne ; car, comme ils sont en spectacle à tout l'univers, pour peu qu'ils aient de sentiment d'honneur, etc. Aux uns les lumières peuvent manquer ; aux autres, l'éducation ou l'aptitude au travail. Plusieurs sont conduits par les préjugés de leur pays, de leur siècle ou de leur état même. Les autres sont entraînés par le mal qui a déjà été fait, ou découragés par la difficulté d'y remédier : car il est difficile de ne pas se tromper lorsqu'on veut corriger des maux particuliers, et qu'on n'est pas assez heureusement né pour pouvoir pénétrer d'un coup de génie toute la constitution d'un État » (*Pensées*, n° 944).

12. Sur la difficulté des réformes, voir *LP*, 132 (138).

13. Voir *Pensées*, n° 1873. Il ne suffit pas de chercher à éviter le pire (le despotisme), il faut savoir comment corriger positivement, ce qui suppose un discernement pour bien intervenir.

14. La métaphore est picturale, donc elle est aussi visuelle : le tout ensemble est le « résultat des parties qui composent un tableau, en sorte néanmoins que ce tout qui est une liaison de plusieurs objets ne soit point comme un nombre composé de plusieurs unités indépendantes et égales entre elles. [Il ressemblera à] un tout politique, où les grands ont besoin des petits [...] comme une machine dont les roues se prêtent un mutuel secours, comme un corps dont les membres dépendent l'un de l'autre, et enfin comme une économie harmonieuse qui arrête le spectateur » (Roger de Piles, *Cours de peinture*, Paris, J. Estienne, 1708, p. 101-105 et 113).

15. Dans l'avertissement au lecteur, ajouté à l'édition posthume de 1757 et placé avant la préface, Montesquieu évoquera « l'homme de bien politique, qui a la vertu politique dont j'ai parlé. C'est l'homme qui aime les lois de son pays, et qui agit par l'amour des lois de son pays ».

16. « Je suis un bon citoyen ; mais, dans quelque pays que je fusse né, je l'aurais été tout de même. Je suis un bon citoyen parce que j'ai toujours été content de l'état où je suis ; que j'ai toujours approuvé ma fortune, et que je n'ai jamais rougi d'elle, ni envié celle des autres. Je suis un bon citoyen parce que j'aime le gouvernement où je suis né, sans le craindre, et que je n'en attends d'autres faveurs que ce bien infini que je partage avec tous mes compatriotes ; et je rends grâce au Ciel de ce qu'ayant mis en moi de la médiocrité en tout il a bien voulu en mettre un peu moins dans mon âme » (*Pensées*, n° 1437).

17. Voir *Pensées*, n° 1864.

18. « Je rends grâce à MM. Grotius et Pufendorf d'avoir exécuté ce qu'une grande partie de cet ouvrage demandait de moi, avec cette hauteur de génie à laquelle je n'aurais pu atteindre » (*Pensées*, n° 1863).

19. Virgile, *Énéide*, VI, 75. Énée, ayant abordé à Cumes, va consulter la Sibylle, et lui dit : « Ne confie pas seulement tes réponses prophétiques à des feuilles, de peur que dans un tourbillon elles s'envolent, *jouets des vents rapides.* »

20. Virgile, *Énéide*, VI, 33. Dédale s'efforce en vain de reproduire sur les portes du temple de Phébus l'image de son fils Icare, tombé dans la mer Égée : « Deux fois l'artiste essaya dans l'or de ciseler ta chute ; *deux fois ses mains paternelles retombèrent…* » Malgré leur origine commune, les deux citations n'ont aucun rapport entre elles, et ne renvoient à aucun sens caché.

21. « La renommée de Raphaël donna envie au Corrège de voir Rome ; il y considéra attentivement les tableaux de ce grand peintre ; et le long silence qu'il avait gardé en les voyant fut interrompu par ces mots, *Anchio son pittore. Encore suis-je peintre* » (Roger de Piles, *Abrégé de la vie des peintres*, Paris, J. Estienne, 1715, p. 288).

## Livre premier

1. Cette définition suscita de vives réactions, par exemple dans les *Nouvelles ecclésiastiques* (*Mémoire de la critique*, p. 136), auxquelles Montesquieu répond (*DEL*, première partie, p. 421). En réduisant la distinction traditionnelle entre les impératifs moraux et les corrélations constantes, Montesquieu est accusé de ne pas reconnaître la prééminence de l'obligation au profit de la nécessité physique. Mais en abandonnant l'idée de « commandement », et en renonçant à

toute conception volontariste de la loi, il cherche surtout à renouveler le questionnement politique ; voir I, 3.

2. Ceux qu'on appelle alors les « spinozistes », qui soutiennent l'idée d'une nature où tout est déterminé. Contre la fatalité du destin, voir *LP*, 31 (33).

3. On trouve déjà cette formulation dans le *Traité des devoirs*, *OC*, t. VIII, p. 437. Voir *Pensées*, n° 1266.

4. L'expression peut avoir une origine stoïcienne : « La loi est la raison du grand Jupiter » (*Pensées*, n° 1874). Cependant il faut noter l'écart qui existe entre cette « raison primitive » et la « raison humaine » qui intervient dans la seconde définition de la loi en I, 3.

5. On peut y voir une référence à Descartes (*Principes de la philosophie*, II, 36), ou à Malebranche (*De la recherche de la vérité*, livre VI, II$^e$ partie, chap. 4), mais la suite insiste plus sur la constance des lois que sur la continuation d'une action divine.

6. La tonalité est ici nettement malebranchiste. Pour Malebranche, les lois invariables sont nécessaires, et l'économie de moyen qu'elles permettent manifeste l'excellence de l'ouvrier. Il souligne l'accord de la puissance et de la sagesse divine (par exemple *Traité de la nature et de la grâce*, I$^{er}$ discours, 1$^{re}$ partie, art. XII, *Œuvres*, éd. G. Rodis-Lewis, Gallimard, 1979, t. II, p. 23-24). Cependant, pour Montesquieu, il ne s'agit pas de spéculer sur les raisons du choix divin ni de voir en quoi existence du monde est gloire de Dieu, mais simplement d'établir l'immuabilité des règles, qui suppose une identité entre création et conservation.

7. Chez Descartes et Malebranche, l'identité des lois de création-conservation sert à fonder une réflexion cosmogénétique, la « fiction du monde », c'est-à-dire un exposé historique qui rende intelligible l'ordre des phénomènes.

8. « Si tout l'univers demeure dans l'ordre où nous le voyons, c'est que les lois des mouvements qui le conservent dans cet ordre eussent été capables de l'y mettre. Et si Dieu les avait mis dans un ordre différent de celui où elles se fussent mises par ces lois du mouvement, toutes les choses se renverseraient et se mettraient par la force de ces lois dans l'ordre où nous les voyons présentement » (Malebranche, *De la recherche de la vérité*, livre VI, II$^e$ partie, chap. 4, *Œuvres*, éd. citée, t. I, p. 673-674). Sur l'opposition entre ces « lois générales, immuables, éternelles » et les lois faites pour régler les sociétés des hommes, sujettes au changement, voir *LP*, 94 (97).

9. « Mais qui sera-ce donc qui commandera au roi et au prince ? Ce sera la loi, qui est la reine de tous, et mortels et immortels, comme dit Pindare, non pas une loi écrite dehors en quelques livres, ou dessus quelques bois : mais la raison vive imprimée en son cœur, toujours demeurant avec lui, toujours le conservant, et jamais l'abandonnant sans conduite », (trad. J. Amyot, *Œuvres morales et mêlées*, Paris, 1645 ; *Catalogue*, n° 2796, t. I, p. 349).

10. Il y a ici un retour du refoulé, que relèvent les *Nouvelles ecclésiastiques* (*Mémoire de la critique*, p. 160-162). Montesquieu a beau se retrancher derrière le deuxième paragraphe qui prévient cette critique (*DEL*, première partie, réponse à la troisième objection, p. 422), il reste que, pour le monde matériel, l'hypothèse d'une nature qui suit ses lois sans qu'il soit nécessaire de recourir à une intervention divine n'est pas absurde (voir *Pensées*, n° 1096), dans la mesure où elle souligne qu'il ne peut y avoir de monde sans lois. Mais cet « ordre que nous voyons dans le monde » renvoie nécessairement à une intelligence divine (*Pensées*, n° 1946).

11. Dans le cas des corps, on peut rendre raison des divers mouvements en examinant le rapport entre deux variables (masse et vitesse). La proportionnalité manifeste qu'il y a *un* monde, un système physique pérenne unifié par des lois.

12. Dans le manuscrit, l'alinéa commence ainsi : « Dire avec Hobbes », mais les mots « avec Hobbes » sont biffés (voir *OC*, t. III, p. 7). Hobbes, selon Montesquieu, dit « que la justice n'est rien en elle-même, qu'elle n'est autre chose que ce que les lois des empires ordonnent ou défendent » (*Pensées*, n° 1266). Cela renvoie au *Léviathan*, XIII : « Là où il n'est pas de pouvoir commun, il n'est pas de loi ; là où il n'est pas de loi, il n'est pas d'injustice » (trad. fr. F. Tricaud, Sirey, 1971, p. 126).

13. Dans les *Lettres persanes*, Usbek dit également que « la justice est éternelle et ne dépend point des conventions humaines » (*LP*, 81 [83]). Mais Montesquieu ne reprend pas ici la définition de la justice comme « rapport de convenance qui se trouve réellement entre deux choses », car sa problématique n'est plus proprement morale, mais politique ; voir I, 3.

14. Ces exemples s'inspirent de la tradition jusnaturaliste. Ces points correspondent à ce qui est traité dans le chapitre III du *Traité des devoirs* ; voir *OC*, t. VIII, p. 437.

15. Sur la loi du talion examinée en fonction des divers gouvernements, voir *EL*, VI, 19, et XII, 4.

16. Depuis les stoïciens, il est traditionnel de faire intervenir la référence animale pour penser un droit commun à tous les êtres vivants, un droit naturel. Si l'on trouve des traces de cette tradition en I, 2, l'objet de Montesquieu n'est pas d'exposer systématiquement un tel droit. La référence animale permet surtout d'interroger par différence la condition des hommes.

17. « La liberté est en nous une imperfection : nous sommes libres et incertains, parce que nous ne savons pas certainement ce qui nous est le plus convenable. Il n'en est pas de même de Dieu : comme il est souverainement parfait, il ne peut agir que de la manière la plus parfaite » (*Spic.*, n° 391).

18. « Il est vrai que les hommes ne voient pas toujours ces rapports [de justice] ; souvent même, lorsqu'ils les voient, ils s'en éloignent ; et

leur intérêt est toujours ce qu'ils voient le mieux. La justice élève sa voix ; mais elle a peine à se faire entendre dans le tumulte des passions » (*LP*, 81 [83]).

19. La tripartition des devoirs en fonction de leur objet est classique, on la trouve par exemple chez Pufendorf (*Les Devoirs de l'homme et du citoyen* [1673], I, 3, § 13). Voir *Traité des devoirs*, *OC*, t. VIII, p. 437-438.

20. Ce paragraphe confirme, aux yeux des critiques des *Nouvelles ecclésiastiques*, l'idée que Montesquieu est un « sectateur de la religion naturelle » (*Mémoire de la critique*, p. 138). Voir *DEL*, première partie, réponse aux septième et huitième objections, p. 430-431.

21. Ce détour par l'état de nature, s'il vise explicitement Hobbes, n'engage cependant pas Montesquieu sur la voie des penseurs du droit naturel. L'idée de sociabilité est affirmée, mais l'hypothèse n'engage aucune genèse du social par le pacte, qui permet de s'interroger sur l'origine des obligations et la nature des rapports de pouvoir institués.

22. Voir Locke : « Celui qui a l'idée d'un être intelligent, mais faible et fragile, formé par un autre dont il dépend, qui est éternel, tout-puissant, parfaitement sage, et parfaitement bon, connaîtra aussi certainement que l'homme doit honorer Dieu, le craindre, et lui obéir, qu'il est assuré que le soleil luit quand il le voit actuellement » (*Essai philosophique concernant l'entendement humain*, IV, 13, § 3, trad. fr. Coste).

23. Voir *DEL*, première partie, réponse à la sixième objection, p. 429. Voir aussi le premier chapitre du *Traité des devoirs*, *OC*, t. VIII, p. 437.

24. Dans une perspective sensualiste qu'il hérite de Locke, Montesquieu réfléchit la genèse des idées à partir de ce que l'âme sent, et la façon dont ce processus est orienté d'abord par l'action. Sur la genèse de l'idée de Dieu chez les païens et la délicate question de ses attributs, voir *Pensées*, n° 1946.

25. « Les premiers sentiments seraient pour les vrais besoins que l'on aurait et non pas pour les commodités de la domination », *Pensées*, n° 1266.

26. Voir *Pensées*, n° 871.

27. Montesquieu s'oppose à la description de l'état de nature qu'a donnée Hobbes : état de guerre de chacun contre chacun où règne la crainte. En revanche, la crainte est propre à l'homme en société – les bêtes « n'ont pas nos craintes » (I, 1) –, elle apparaît comme principe du gouvernement despotique (III, 9).

28. Dans le Hanovre, Peter de Hameln, abandonné par son père dans la forêt, fut recueilli en 1724 ; il fut conduit par la suite, après de multiples évasions, à la cour d'Angleterre.

29. « Il n'est pas vrai que deux hommes tombés des nues dans un pays désert cherchassent, par la peur, à s'attaquer, à se subjuguer. [...]

Premièrement, la crainte respective les porterait, non pas à attaquer, mais à fuir. Les marques de crainte respective les feraient bientôt approcher. L'ennui d'être seul et le plaisir que tout animal sent à l'approche d'un animal de la même espèce les porteraient à s'unir, et plus ils seraient misérables, plus ils y seraient déterminés » (*Pensées*, n° 1266). Voir les chapitres IV et V du *Traité des devoirs*, *OC*, t. VIII, p. 437-438. Voir aussi Hobbes, *Du citoyen* (1642), I, II.

30. Montesquieu résume un passage de la préface de *Du citoyen* : « Nous voyons aussi que même dans les villes, où il y a des lois et des peines établies contre les malfaiteurs, les bourgeois ne se mettent point en chemin sans épée, ou sans quelque arme pour se défendre, qu'ils ne vont point coucher qu'ils n'aient soigneusement fermé, non seulement les verrous de leurs portes, de peur de leurs concitoyens, mais leurs coffres et cabinets, de peur de leurs domestiques » (trad. fr. S. Sorbière, GF-Flammarion, 1982, p. 72). Voir *Léviathan*, XIII.

31. « Ce n'est que lorsque la société est formée, que les particuliers, dans l'abondance et la paix, ayant à tous les instants occasion de sentir la supériorité de leur esprit ou de leurs talents, cherchent à tourner en leur faveur les principaux avantages de la société. Hobbes veut faire aux hommes, ce que les lions ne font pas eux-mêmes. Ce n'est que par l'établissement des sociétés qu'ils abusent les uns des autres et deviennent les plus forts ; avant cela, ils sont tous égaux. S'ils établissent les sociétés, c'est par un principe de justice. Ils l'avaient donc » (*Pensées*, n° 1266).

32. En opposant à Hobbes un désir naturel de vivre en société, Montesquieu s'inscrit dans une tradition qui remonte à Aristote (*Politiques*, I, 2, 1253a) et aux stoïciens (voir Cicéron, *De finibus*, III, 20, § 65), et qui est remobilisée par les penseurs modernes du droit naturel, comme Grotius (*Droit de la guerre et de la paix*, discours préliminaire, § 6). Mais il n'associe pas cette sociabilité à la nature rationnelle de l'homme, et du coup elle n'engage pas une réflexion complète sur les principes d'une bienveillance universelle. Les quelques lois naturelles ne conduisent pas à une déduction systématique et prescriptive des « devoirs » de l'être humain et les lois positives ne seront pas examinées à partir de leur rapport au droit naturel.

33. Voir VIII, 3.

34. Hobbes, au contraire, lie l'égalité et la guerre dans l'état de nature (*Léviathan*, XIII).

35. L'exposé ne reprend pas exactement les subdivisions du droit telles qu'elles existent chez les jusnaturalistes. Ceux-ci réaménagent par glissement les catégories du droit romain qui distingue *droit civil* (propre à la cité), *droit naturel* (non institué) et *droit des gens* (institué pour régler les rapports entre les cités). Chez eux les subdivisions s'organisent autour de deux oppositions : l'opposition entre le *droit des gens* (rapports des hommes comme appartenant à des sociétés différentes) et le *droit civil* (rapports des hommes appartenant à une

même société civile) ; l'opposition entre le *droit public* (rapports impliquant l'État et ses intérêts) et le *droit privé* (se rapportant aux intérêts des particuliers). Ils pensent ces différents droits en rapport au *droit naturel*. On le voit, l'exposé de Montesquieu ne fait pas référence au droit naturel (il n'en est pas question dans le livre premier), et voit apparaître la catégorie de droit politique (ce dont se souviendra Rousseau, qui lui donne cependant un autre sens ; voir *Émile ou De l'éducation* [1762], livre V). Pour une énumération (sans ordre systématique) des différents droits, voir *EL*, XXVI, 1.

36. La question du fondement est centrale dans la tradition jusnaturaliste. Mais dans *L'Esprit des lois* le droit des gens ne fait pas l'objet d'un discours suivi. Faisant partie des lois positives, il est institué dans les rapports que les différentes nations ont entre elles, sur fond de guerre : « Les choses qui dépendent du droit des gens sont de nature ne pouvoir être réglées que par la force ou par une suspension de la force, c'est-à-dire des traités » (*Pensées*, n° 1814). Puisque les princes, « qui ne vivent point entre eux sous des lois civiles, [...] sont gouvernés par la force ; ils peuvent continuellement forcer et être forcés. De là il suit que les traités qu'ils ont faits par force, sont aussi obligatoires que ceux qu'ils auraient faits de bon gré » (*EL*, XXVI, 20). Si l'usage de la force est effectivement réglé selon le principe qui fonde naturellement le droit des gens, on peut alors le « considérer comme le droit civil de l'univers, dans le sens que chaque peuple en est un citoyen » (*EL*, XXVI, 1). Voir *LP*, 92 (95).

37. Cette mention pose problème, selon la façon dont on l'interprète. N'est-ce pas trop relativiser le droit des gens que de laisser, en dernier ressort, déterminer la maxime de ses actions sur ce qui peut apparaître comme une raison d'État ? Voir, par exemple, les protestations véhémentes de Crevier, qui critique le passage en se réclamant de Grotius (*Mémoire de la critique*, p. 426-427).

38. « La force offensive est réglée par le droit des gens » (*EL*, X, 1). Montesquieu examine donc, *après* avoir exposé ce qui se rapporte à la défense des États (*EL*, IX), la question de la guerre (*EL*, X, 2) et du droit de conquête (*EL*, X, 3). Dans cette hiérarchie des fins se joue ce qui fonde ce droit : il doit se rapporter à la défense naturelle et à la conservation ; du coup le vainqueur ne doit pas seulement considérer son avantage, mais réparer les malheurs causés aux peuples vaincus (*EL*, X, 4). Dans ces questions, Montesquieu discute les positions du droit des gens des Romains (*EL*, XV, 2) et « les auteurs de notre droit public » (*EL*, X, 3), notamment Grotius.

39. « On dit que les Iroquois ont mangé soixante nations, et qu'ils ont fait rôtir le dernier Huron. Je ne le crois pas. On dit qu'ils aiment mieux les Français que les Espagnols » (*Pensées*, n° 2068).

40. Sur les ambassades, voir *EL*, XXVI, 21, et *Pensées*, n° 1814.

41. Le fait établi, qui dérive des préjugés et des coutumes des nations, ne fait jamais le droit véritable.

42. Le juriste italien Gian Vincenzo Gravina (1664-1718) est l'auteur de *Originum juris civilis libri tres* (1708 ; le premier livre est paru en 1701). La distinction entre le droit politique et le droit civil, présentée par les deux renvois à Gravina, évoque implicitement la théorie du double contrat que l'on trouve chez Pufendorf : dans une première convention qui réunit les volontés particulières se forme « l'État civil », mais cette « ébauche d'État » ne saurait subsister sans un gouvernement, d'où la seconde convention qui fonde l'autorité proprement « politique » à laquelle se soumettent les sujets ; *Droit de la nature et des gens* (1672), VII, 2, § 5 et suivants. Mais dans la présentation qu'en donne Montesquieu, outre l'inversion des « moments », on a une disparition du schème contractualiste, qui ne sert plus à penser l'origine de la société et le fondement de l'autorité. En revanche, les droits politique et civil sont liés, ce qui suppose d'examiner ensemble les lois politique et les lois civiles de toutes les nations.

43. Robert Filmer, dans *Patriarcha or the Natural Power of Kings* (1680), connu par la réfutation qu'en propose Locke dans le *Premier Traité du gouvernement civil* (1690). Montesquieu pense surtout aux absolutistes français, Ramsay, dans son *Essai philosophique sur le gouvernement civil* (1719), et Bossuet : la monarchie « a son fondement et son modèle dans l'empire paternel, c'est-à-dire dans la nature même » (*Politique tirée des propres paroles de l'Écriture sainte* [1709], II, I, 7).

44. Voir *Pensées*, n° 1267. Si le pouvoir paternel est établi par la nature, il est aussi naturellement limité et ne saurait être un modèle politique. C'est dans un autre contexte que Montesquieu fait l'éloge de la puissance paternelle, « celle dont on abuse le moins » (*LP*, 76 [129]).

45. Voir l'écart par rapport aux *Lettres persanes*, dans lesquelles Usbek pose la question de savoir « quel [est] le gouvernement le plus conforme à la raison » (*LP*, 78 [80]). Cette question se pose à Usbek qui constate une diversité des gouvernements en Europe, laquelle s'oppose à l'uniformité asiatique, où règne le despotisme.

46. Embrassant « toutes les institutions qui sont reçues parmi les hommes », Montesquieu « examine celles qui conviennent le plus à la société, et à chaque société » (*DEL*, seconde partie, p. 435-436).

47. Voir III, 1.

48. La mise en rapport de la sphère juridique avec les différents facteurs, et la saisie de la façon dont ils jouent ensemble dans chaque situation particulière, permet de rendre compte des lois sans « manquer les différences » (préface), et de proposer une juste évaluation des lois en les comparant (*EL*, XXIX, 11). La façon dont ces rapports jouent entre eux est différente selon les situations, mais quelle que soit la situation, les lois ont toujours *un certain rapport* avec le climat, le genre de vie des peuples, etc. Cette énumération donne une vue d'ensemble avant d'engager l'examen des rapports.

49. Si dans la réalité sociale « tout est extrêmement lié » (XIX, 15), il faut bien voir ces liaisons. Celui qui a la capacité de saisir en situation ce « tout ensemble » (préface) des rapports a donc bien un savoir universel (*EL*, XXIX, 16), qui lui permet de légiférer avec discernement.
50. « Je vais traiter du rapport que les lois politiques ont avec les lois civiles, qui est une chose que je ne sache pas que personne ait faite avant moi » (*Pensées*, n° 1770).
51. Voir *Pensées*, n° 1794.
52. Montesquieu fait peut-être allusion à Domat, *Lois civiles dans leur ordre naturel* (1689-1694). Il n'entend pas faire un exposé qui livrerait un « système » des lois, en raisonnant *a priori* ou en partant de l'origine des lois. Si la raison législatrice œuvre en situation, il faut accorder la forme de l'ouvrage avec les rapports et les choses qui constituent la réalité sociale.
53. Cette annonce de l'ordre suivi dans l'ouvrage insiste sur la connaissance des principes (livre III). Le premier moment de l'ouvrage (livres II à XIII) examine le jeu des principes, et le second, à partir du livre XIV, examine les autres rapports constitutifs des situations historiques particulières à partir d'un questionnement climatique.

## II. UNE RÉFLEXION POLITIQUE

### Livre II

1. Cette typologie ne semble pas normative en II, 1, alors que celle d'Aristote, dans les *Politiques* (III, 7), oppose les gouvernements droits à leur forme corrompue. C'est en étudiant le principe du despotisme (III, 9) qu'on aperçoit ce qui oppose ce dernier aux gouvernements « modérés ». Si le despotisme n'est pas la forme corrompue d'un autre gouvernement, il est en lui-même corrompu (VIII, 10), ce qui permet d'apprécier la corruption des autres gouvernements (VIII, 8).
2. Montesquieu ne cherche pas à problématiser la question de la souveraineté, celle-ci se trouve *de fait* associée à la forme républicaine de gouvernement – ce qui ne disqualifie pas pour autant la forme monarchique. Sur la volonté du despote, voir III, 10.
3. Dans les *Lettres persanes*, les républiques sont présentées comme une originalité européenne par opposition au despotisme asiatique (*LP*, 125 [131]). Trois temps rythment cette histoire européenne : la Grèce, Rome et les invasions des peuples libres du Nord en Europe. La république est une catégorie commune avec deux sous-espèces. Les exemples qui nourrissent les analyses sont essentiellement tirés de l'Antiquité, mais Montesquieu n'oublie pas les références de son

temps (Venise, les Provinces-Unies, l'Angleterre sous Cromwell, c'est-à-dire de 1649 à 1660). Il actualise des thèmes de la tradition républicaine (Machiavel et Guichardin en Italie, Harrington en Angleterre) qui se demande si l'on peut reprendre les idéaux antiques dans une forme de gouvernement « mixte » : chaque sous-espèce doit corriger ses imperfections constitutives en adoptant des institutions qui s'inspirent de l'esprit de la démocratie ou de l'aristocratie. Il faut revenir aux caractéristiques de la vertu (III, 3 et 4), au dévouement à la chose publique qui anime les cités libres, pour prévenir les menaces de corruption (VIII, 2).

4. Voir p. 70, note I.

5. Cet ouvrage de Montesquieu (1734) étudie l'évolution de Rome pour en tirer des leçons politiques : son agrandissement territorial, l'accroissement de la puissance de ses dirigeants sont les causes mêmes de son déclin. Un si grand empire ne pouvait constituer un véritable corps politique.

6. Machiavel, qui veut souligner la sagesse et la constance du peuple par opposition au prince, dit que « dans le choix des magistrats il fait un bien meilleur choix que les princes, et on ne persuadera jamais un peuple qu'il est bon d'élever à de hautes dignités un homme de mauvaise réputation et de mœurs corrompues » (*Discours sur la première décade de Tite-Live*, I, LVIII, dans *Œuvres*, trad. fr. Ch. Bec, Robert Laffont, « Bouquins », 1996, p. 287).

7. Voir XI, 6, § 28. Le gouvernement anglais réussit parce que le peuple n'y a pas de « puissance immédiate » (XIX, 27).

8. Voir *Romains*, VIII (Pléiade, t. II, p. 1487 ; *OC*, t. II, p. 149) : un paragraphe ajouté dans l'édition de 1748 présente cette fameuse division de Servius Tullius, et comment elle prévient les abus de pouvoir. Voir *Pensées*, n° 1532.

9. Le chapitre IX traite de l'évolution des assemblées devenues anarchiques et laissées aux mains de quelques manipulateurs. Pour une comparaison avec un État moderne, la Suède, voir *Pensées*, n° 2019.

10. La quatrième renfermait ceux qui ne possédaient rien, ou presque, et qui ne devaient pas exercer de charges publiques. Voir V, 5.

11. Voir Aristote, *Politiques*, II, 12, 1274a, 15.

12. Voir *ibid.*, IV, 9, 1294b, 10.

13. Les archontes. Solon essaie de combiner des dispositifs pour jouer des deux « partis », peuple et nobles, qui s'opposent avec violence à Athènes lorsqu'il arrive aux affaires, et pour dénouer ce conflit destructeur. Sur ces décisions de Solon, voir Aristote, *Constitution d'Athènes*, VIII, 1-3.

14. Voir Cicéron, *Des lois*, III, XV, 34.

15. Voir XIX, 3.

16. Voir *Romains*, XIII, p. 105 ; *OC*, t. II, p. 186.

17. Donc sans passer par des représentants. Mais cela ne signifie pas que d'autres instances (personnes ou corps) ne doivent pas prendre part à la puissance législative. Voir le cas romain, *EL*, XI, 16-18.

18. Montesquieu pense aux républiques italiennes, notamment à Venise, d'après Amelot de La Houssaye, *Histoire du gouvernement de Venise* (Paris, 1677). Sur les institutions de Venise, voir *Pensées*, nos 1546 et 1550.

19. Voir *Romains*, VIII, p. 74 ; *OC*, t. II, p. 146.

20. « Un sénat nombreux tient plus de la démocratie » (*Pensées*, no 1762).

21. Mais Montesquieu note : « Toute assemblée aristocratique se partage toujours d'elle-même en peuple et principaux » (*Pensées*, no 1758).

22. L'aristocratie, qui peut se dénaturer en copiant la monarchie, doit donc s'approcher le plus possible de la démocratie.

23. Machiavel, à propos des institutions de Gênes, dit que « les citoyens n'ont plus d'attachement envers une commune tyrannique, mais l'ont porté sur la banque, parce qu'elle est régulièrement et justement administrée » (*Histoire de Florence*, VIII, XXIX, trad. citée, p. 990).

24. Voir *EL*, XI, 13. À Rome, « après l'expulsion des rois, le gouvernement était devenu aristocratique » (*Romains*, VIII, p. 73 ; *OC*, t. II, p. 145).

25. Note ajoutée en 1750. Dans une lettre du 15 avril 1749 (Masson, t. III, p. 1224), Montesquieu reprend sa propre traduction d'Addisson. Voir *Geographica*, *OC*, t. XVI, p. 13 ; *Lettre sur Gênes*, Pléiade, t. I, p. 915.

26. Voir III, 10.

27. Amelot de La Houssaye fait également cette comparaison entre les deux situations.

28. Voir V, 8.

29. « Le sénat avait le pouvoir d'ôter, pour ainsi dire, la république des mains du peuple, par la création d'un dictateur, devant lequel le souverain baissait la tête et les lois les plus populaires restaient dans le silence » (*EL*, XI, 16). Voir également *Romains*, VIII, p. 75 ; *OC*, t. II, p. 148.

30. « Les lois de Rome avaient sagement divisé la puissance publique en un grand nombre de magistratures, qui se soutenaient, s'arrêtaient, et se tempéraient l'une l'autre [...]. Mais dans ces temps-ci le système de la république changea : les plus puissants se firent donner, par le peuple, des commissions extraordinaires ; ce qui anéantit l'autorité du peuple et des magistrats, et mit toutes les affaires dans les mains d'un seul ou de peu de gens » (*Romains*, XI, p. 89 ; *OC*, t. II, p. 166-167). Le chapitre porte sur Sylla, Pompée, César et leurs dictatures, auxquelles il est fait allusion dans ce passage. Voir *Pensées*, nos 194 et 1674.

31. Voir *Pensées*, no 1712. Aristote, à propos de l'aristocratie, relève précisément ces dispositions relatives aux magistratures, dans *Politiques*, V, 8, 1308a, 20.

32. Le botaniste ne mentionne pas Raguse dans sa *Relation d'un voyage du Levant* (1717).

33. Voir *Voyage de Gratz à La Haye*, Pléiade, t. I, p. 634.

34. Montesquieu répond à une objection sur cette citation dans les *Éclaircissements sur l'Esprit des lois*, dans *De l'esprit des lois*, GF-Flammarion, 1979, t. II p. 468-469.

35. Voir V, 8.

36. Voir XV, 1.

37. Sur la situation des serfs polonais, voir *EL*, XX, 23. Montesquieu place la Pologne au rang des pays « subjugués » où les paysans ont été « faits esclaves » (*Pensées*, n° 777). Même si les lois de Pologne ont pour objet l'indépendance de chaque particulier, ce qui en résulte est « l'oppression de tous » (XI, 5). Voir *LP*, 130 (136) ; *Pensées*, n° 250 et *Spic.*, n° 619.

38. Par prudence, Montesquieu a ajouté au dernier moment les mots « et dépendants » et « subordonné » (au paragraphe suivant), ainsi que les phrases « J'ai dit [...] civil ».

39. « Chez les monarques despotiques, les lois ne sont que la volonté momentanée du prince » (*Pensées*, n° 670). Par opposition : « Le parlement est l'esclave de la lettre de la loi. Les monarchies n'ont point un jour, c'est l'ouvrage des siècles. Les lois en sont la contexture et le fondement. C'est l'ouvrage de chaque monarque et les lois d'une monarchie sont les volontés de tous les monarques qui ont régné. Une volonté ne peut pas détruire toutes les volontés, mais chaque volonté est le complément de toutes » (*Pensées*, n° 2266).

40. Ferdinand le Catholique en Espagne et Jean II au Portugal.

41. Sur les changements de régime, voir VIII, 8.

42. En France, la justice seigneuriale et celle qu'exerce le clergé sur ses propres affaires voient leurs attributions traditionnelles rognées par la puissance royale.

43. Les privilèges sont de plus en plus ressentis au XVIIIe siècle comme abusifs. L'Église gallicane avait des libertés, une prééminence d'honneur dans l'ensemble de la société, ainsi que des exemptions fiscales, même si elle contribuait par les décimes et les dons gratuits aux besoins du royaume. Au XVIIIe siècle, le clergé français refusa toujours les projets de réforme fiscale, invoquant ses privilèges et libertés justifiés par l'Écriture et la tradition.

44. Sur la place du clergé dans l'État, voir *Pensées*, n°s 273 et 430, ainsi que *Romains*, XXI-XXIII.

45. Montesquieu reprend cette image à propos des parlements, *Pensées*, n° 589. Voir p. 316, note 50.

46. Voir XI, 6.

47. À la mort de Louis XIV, John Law, financier écossais, soumit au Régent un vaste plan de redressement financier, reposant sur l'augmentation de la masse monétaire et la conversion de la dette publique en capital d'une société de banque ou de commerce (la Compagnie

d'Occident, créée en 1717). Il mit en place progressivement les éléments de son « système », qui s'effondra à partir du début de 1720. Il s'enfuit hors de France fin 1720, mais la liquidation du système dura près de dix ans. Montesquieu, qui rencontra Law à Venise en 1728 – ce qui lui donne l'occasion de discuter de son « système » (Pléiade, t. I, p. 571-574) –, le présente comme un « calculateur », car il fait usage des probabilités (*LP*, 129 [135]). Voir également le « fragment d'un ancien mythologiste », *LP*, 136 (142). Dans ce passage, Montesquieu évoque ensemble les bouleversements induits sur l'ordre social (*LP*, 138 [146]) et sur l'ordre politique par les spéculations et l'interventionnisme brutal.

48. Montesquieu critique le montage financier imaginé par Law (*EL*, XXII, 10).

49. En France, l'enregistrement et la publication des actes royaux incombent aux juridictions, aux cours chargées de les mettre en application. Elles constituent des recueils, comportant également leurs propres arrêts. Pendant longtemps, le roi n'a pas jugé bon de créer un dépôt central des lois. En vertu de leur fonction, les parlements (voir note suivante) se présentent comme des instances susceptibles de freiner l'action du gouvernement royal et de jouer le rôle de gardien des lois face aux volontés momentanées du prince (*EL*, V, 10). Montesquieu parle de « corps dépositaire des lois » (*EL*, XX, 22) à propos de la noblesse de robe, qui compose essentiellement les cours et dont il fait l'éloge (point de vue à confronter avec la présentation de la noblesse de cour en III, 5).

50. En France, les parlements étaient des institutions de justice. Ces cours souveraines, notamment le parlement de Paris, pouvaient également avoir des prérogatives politiques, en enregistrant les lois, en visant la compatibilité avec les lois existantes et en émettant des remontrances, c'est-à-dire en montrant les inconvénients d'un texte envoyé par le roi (sur cette fonction de « donner conseil », voir *Spic.*, n° 618). « Quoique les parlements de France n'aient pas grande autorité, ils ne laissent pas de faire du bien. Le ministère ni le prince ne veulent en être désapprouvés, parce qu'ils sont respectés. Les rois sont comme l'océan, dont l'impétuosité est souvent arrêtée, quelquefois par des herbes, quelquefois par des cailloux » (*Pensées*, n° 589). Les parlements ont, pour Montesquieu qui s'oppose à une conception volontariste de la loi, une fonction régulatrice dans le processus législatif qui caractérise la monarchie : « C'est le parlement qui connaît toutes les lois faites par tous les monarques, qui en a appris la suite, qui en a connu l'esprit. Il sait si une nouvelle loi perfectionne ou corrompt l'immense volume des autres, et il dit : les choses sont ainsi, c'est de là qu'il faut partir, sans quoi vous gâtez tout l'ouvrage. Il dit au prince, vous êtes législateur, mais vous n'êtes pas tous les législateurs, vous faites bien exécuter toutes les lois, mais vous n'avez pas fait toutes les lois. Elles sont avant vous, elles sont avec vous,

elles seront après vous. Vous avez ajouté votre volonté à celle de tous les autres et vos successeurs respecteront votre volonté tout de même » (*Pensées*, n° 2266). Voir également n° 1226.

51. Montesquieu relève ce mot d'un parlementaire : il est « nécessaire qu'il y ait une barrière [c'est-à-dire le parlement] entre la trop grande faiblesse du peuple et la trop grande puissance du prince » (*Spic.*, n° 226).

52. Dans ces États, il faut des lois divines invariables pour pallier la variabilité du régime (*EL*, XXVI, 2). Voir III, 10, *EL*, XII, 29 et *EL*, XXV, 8.

53. Voir V, 14.

54. Voir la plainte du « premier eunuque » à Usbek, despote en voyage, dans les *Lettres persanes* : « Mais tout cela, magnifique seigneur, tout cela n'est rien sans la présence du maître. Que pouvons-nous faire avec ce vain fantôme d'une autorité qui ne se communique jamais tout entière ? » (*LP*, 93 [96]). Sur la communication du pouvoir, voir V, 16.

55. Voir II, 4. Cette loi est fondamentale parce que la transmission du pouvoir au vizir est nécessaire au fonctionnement même de la mécanique despotique Confronter aux « lois fondamentales » dans la monarchie en V, 11 et V, 14.

56. Dans le manuscrit, Montesquieu renvoie à Clément X (Emilio Altieri, pape de 1670 à 1676), réputé pour son népotisme ; voir *OC*, t. III, p. 26.

57. Le grand vizir est « comme un agent, ou vice-gérant général du roi dans toutes les affaires du roi et du royaume. Nul acte du roi, à quelque sceau qu'il soit passé, n'est valide qu'avec le contre-sceau du vizir. Les empires mahométans ont eu de tout temps des grands vizirs, et n'ont jamais pu s'en passer ». Chardin avance deux raisons, l'une tient à la nécessité de pallier l'absence d'un souverain guerrier (« il laissa un vice-roi à sa place, lequel eut la même autorité que le souverain, tant pour entretenir le repos de l'État, que pour mieux prévenir les désordres, ou pour y remédier »), l'autre tient à l'incapacité de régner des rois élevés dans les sérails (« il faut pour le bien des peuples, et pour la sûreté de l'État, qu'on mette quelqu'un sous eux pour gouverner à leur place. Ainsi, l'on peut dire que les rois en Perse, et dans le reste de l'Orient, sont des rois pour la montre, et que leurs grands vizirs sont comme de vrais rois pour avoir soin des affaires ; et comme ces rois de l'Orient ne songent d'ordinaire qu'aux plaisirs des sens, il est d'autant plus nécessaire qu'il y ait quelqu'un qui pense à la conservation et à la gloire de l'empire. Ce sont là les principales raisons du pouvoir extrême des grands vizirs ; et si l'on remonte plus haut que le mahométisme, et jusqu'aux premiers temps, on trouvera que les rois de l'Orient avaient tous leurs grands vizirs », *Voyages en Perse et autres lieux de l'Orient*, Amsterdam, 1711 ; *Catalogue*, n° 2739, t. VI, p. 92-93).

58. Il est tellement facile de devenir despote, que n'importe qui peut faire l'affaire : « Lorsque Osman, empereur des Turcs, fut déposé [...], une voix, qu'on n'a jamais connue, sortit de la foule par hasard, le nom de Mustapha fut prononcé, et soudain Mustapha fut empereur » (*EL*, XIII, 5). Voir *LP*, 78 (80).

## Livre III

1. Voir I, 3.
2. Il ne s'agit pas d'une déduction logique : chaque principe convient à la nature propre de son gouvernement et lui permet de se réaliser effectivement (III, 11). L'ordre d'exposition commence par la nature des gouvernements (livre II), mais la typologie que propose Montesquieu n'est complète qu'avec l'examen des principes. Dans l'ordre des choses, l'existence des régimes dépend de la force des principes (VIII, 11).
3. « Caligula ôta les accusations des crimes de lèse-majesté, mais il faisait mourir militairement tous ceux qui lui déplaisaient, et ce n'était pas à quelques sénateurs qu'il en voulait : il tenait le glaive suspendu sur le Sénat, qu'il menaçait d'exterminer tout entier » (*Romains*, XV, p. 116 ; *OC*, t. II, p. 199).
4. Dans l'avertissement de l'auteur ajouté à l'édition posthume de 1757, Montesquieu précise pour répondre aux critiques : « Il faut observer que ce que j'appelle la *vertu* dans la république est l'amour de la patrie, c'est-à-dire l'amour de l'égalité. Ce n'est point une vertu morale, ni une vertu chrétienne, c'est la vertu *politique* ; et celle-ci est le ressort qui fait mouvoir le gouvernement républicain, comme l'*honneur* est le ressort qui fait mouvoir la monarchie. J'ai donc appelé *vertu politique* l'amour de la patrie et de l'égalité. J'ai eu des idées nouvelles ; il a bien fallu trouver de nouveaux mots, ou donner aux anciens de nouvelles acceptions. Ceux qui n'ont pas compris ceci m'ont fait dire des choses absurdes, et qui seraient révoltantes dans tous les pays du monde, parce que, dans tous les pays du monde, on veut de la morale » (*De l'esprit des lois*, GF-Flammarion, 1979, t. I, p. 111).
5. Seul l'amour des lois peut permettre de *supporter* cette difficulté de l'autocontrainte, voir V, 2-3.
6. Voir VIII, 2.
7. Allusion à la restauration des Stuarts, après la mort de Cromwell (1658) ; voir *Pensées*, nos 372 et 918.
8. Voir *Romains*, XI, p. 87 ; *OC*, t. II, p. 164-165 ; *Dialogue de Sylla et d'Eucrate*, *OC*, t. VIII, p. 321.
9. Voir *Pensées*, no 1399. Sur le sens du mot « tyrannie », voir la note de Montesquieu en XIV, 13.
10. « Une cité est vertueuse par le fait que les citoyens participant à la vie politique sont vertueux » (Aristote, *Politiques*, VII, 13, 1332a, 30, trad. citée).

11. On retrouve cette opposition, non contextualisée historiquement, dans l'apologue des Troglodytes (*LP*, 14). Le thème de l'opposition de la vertu et des richesses est déjà chez Platon (*Lois*, IV, 704d-705c) ; il devient un *leitmotiv* dans la tradition républicaine et le courant de l'humanisme civique. Néanmoins, l'opposition des Anciens et des Modernes n'engage pas à trancher absolument en faveur des uns (éloge de la vertu) ou des autres (apologie du raffinement), car les effets du commerce sont ambivalents (*EL*, XX, 2). Si la rationalité économique et le développement des conduites intéressées semblent exclure du monde moderne une vertu telle qu'elle pouvait exister chez les Anciens, Montesquieu se demande quelles modalités des échanges permettent la constitution de « républiques commerçantes » (*EL*, XX, 4 et 5), et dans quelle mesure un certain esprit civique est compatible avec « l'esprit de commerce » (V, 6).

12. Ce passage imite la présentation que Platon fait de l'« homme démocratique » en exposant la dégradation des régimes politiques ; voir *République*, VIII, 560d-560e.

13. « Il faut que, dans les républiques, il y ait toujours un esprit général qui domine. À mesure que le luxe s'y établit, l'esprit de particularisme s'y établit aussi. À des gens à qui il ne faut rien que le nécessaire, il ne reste à désirer que la gloire de la patrie et la sienne propre. Enfin, une âme corrompue par le luxe est ennemie des lois, qui gênent toujours les citoyens » (*Pensées*, nº 968).

14. *Première harangue contre Aristogiton*, 50.

15. Cette défaite des Athéniens, alliés aux Béotiens (338 av. J.-C.), consacra la domination de Philippe de Macédoine sur la Grèce et la disparition des démocraties grecques.

16. Voir *Romains*, VIII, p. 78 ; *OC*, t. II, p. 152.

17. Allusion à la troisième guerre punique (149 à 146 av. J.-C.). Voir *Romains*, VI.

18. Ce point insiste sur la continuité qui existe entre les traits démocratiques et aristocratiques, pour des républiques dont on ne peut isoler une forme pure. Tout est affaire de degrés.

19. Voir II, 3.

20. Voir *Spic.*, nº 716.

21. Il faut inspirer un esprit démocratique dans « une grande république » ou, au moins, dans le corps des nobles, afin de balancer les tendances spontanées de la classe dirigeante. « L'esprit de modération est ce qu'on appelle la vertu dans l'aristocratie ; il y tient la place de l'esprit d'égalité dans l'État populaire » (*EL*, V, 8).

22. Le terme « modération » peut suggérer le relâchement des règles, la faiblesse. Le manuscrit, plus explicite, ajoutait ce paragraphe : « Sans cette vertu, toute aristocratie tombe d'abord ; jetons les yeux sur ces républiques qui languissent aujourd'hui dans l'Italie ; il semble qu'on ignore leur existence ; elles ne la doivent en effet qu'aux jalousies que pourrait donner leur destruction. » Ailleurs, Montes-

quieu écrit : « Les républiques d'Italie ne sont que de misérables aristocraties [...] où les nobles, sans aucun sentiment de grandeur et de gloire, n'ont d'autre ambition que de maintenir leur oisiveté et leurs prérogatives » (*Voyages*, Pléiade, t. I, p. 715).

23. Cette formule déclencha les critiques les plus vives, notamment dans les *Nouvelles ecclésiastiques* (1749) qui accusent Montesquieu d'exclure de la monarchie les vertus chrétiennes ; voir *Mémoire de la critique*, p. 139-140. Montesquieu répond à ces attaques dans les *Éclaircissements sur l'Esprit des lois*, publiés à la suite de la *Défense de l'Esprit des lois* (p. 467-469). Mais le refus de dissocier monarchie et vertu se trouve également chez Voltaire, qui rapporte la nécessité de cette qualité morale, « fruit de l'éducation et du caractère », pour savoir résister aux tentations de la cour ; voir *Le Siècle de Louis XIV* (1751), chap. 21, dans *Œuvres historiques*, Gallimard, 1957, p. 862. Voir également *Mémoire de la critique*, p. 470.

24. Voir V, 14.

25. L'image de la machine sert traditionnellement à louer la sagesse de la Providence. Montesquieu l'utilise dans l'avertissement : « Il faut faire attention qu'il y a une très grande différence entre dire qu'une certaine qualité, modification de l'âme, ou vertu, n'est pas le ressort qui fait agir un gouvernement, et de dire qu'elle n'est point dans ce gouvernement. Si je disais : telle roue, tel pignon ne sont point le ressort qui fait mouvoir cette montre, en conclurait-on qu'ils ne sont point dans la montre ? Tant s'en faut que les vertus morales et chrétiennes soient exclues de la monarchie, que même la vertu politique ne l'est pas. En un mot, l'honneur est dans la république, quoique la vertu en soit le ressort ; la vertu politique est dans la monarchie, quoique l'honneur en soit le ressort » (*De l'esprit des lois*, GF-Flammarion, 1979, t. I, p. 111).

26. Ce qui définit le dévouement public ; voir IV, 5.

27. « Mais le sanctuaire de l'honneur, de la réputation et de la vertu, semble être établi dans les républiques et dans les pays où l'on peut prononcer le mot de *patrie*. À Rome, à Athènes, à Lacédémone, l'honneur payait seul les services les plus signalés. Une couronne de chêne ou de laurier, une statue, un éloge, était une récompense immense pour une bataille gagnée ou une ville prise » (*LP*, 87 [89]). Pour l'exemple des Grecs et leur « fureur pour la liberté », voir *Pensées*, n^os 212 et 221.

28. Pour la critique de la servilité des courtisans oisifs et des pensions royales, voir *LP*, 35 (37), et lettre supplémentaire 6 (124) ; *Pensées*, n° 1995.

29. « Un honnête homme est un homme qui règle sa vie par les principes de son devoir. Si Caton [d'Utique] fût né dans une monarchie établie par la loi, il aurait été aussi fidèle à son prince qu'il le fut à la République » (*Pensées*, n° 652).

30. « Une basse naissance produit rarement les parties nécessaires au magistrat ; et il est certain que la vertu d'une personne de bon lieu a quelque chose de plus noble que celle qui se trouve en un homme de petite extraction. Les esprits de tels gens sont d'ordinaire difficiles à manier, et beaucoup ont une austérité si épineuse qu'elle n'est pas seulement fâcheuse, mais préjudiciable » (*Testament politique* [1689], chap. 4, section I, Presses universitaires de Caen, 2002, p. 150-151). Une note attribuant cet ouvrage à Richelieu a été retranchée de l'édition de 1757. L'attribution de cet ouvrage à Richelieu, bien établie aujourd'hui, était en effet controversée ; Montesquieu y était favorable, bien qu'il en ait douté un temps sur les conseils de Voltaire (*Pensées*, n° 1962 ; voir *OC*, t. III, p. 899-901). Ce dernier lui reproche d'avoir mal interprété ce passage, où il voit plutôt la crainte qu'une « basse naissance » et une faible fortune rendent le magistrat corruptible : *Supplément au Siècle de Louis XIV* (1753), 3ᵉ partie, p. 1272. Mais Montesquieu cherche surtout à montrer le cynisme de la raison d'État ; voir V, 11.

31. Le terme *préjugé* a ici valeur positive. Cette définition ne pouvait que choquer des esprits habitués à penser que l'honneur est la « récompense de la vertu » (*Éthique à Nicomaque*, IV, 7, 1123b, 35). Cependant l'honneur est-il réservé aux nobles (V, 9) ? Faut-il envisager différemment l'honneur des personnes et l'honneur des conditions ?

32. « Dans les cas même où les lois ont de la force, elles en ont toujours moins que l'honneur. Le devoir est une chose réfléchie et froide ; mais l'honneur est une passion vive, qui s'anime d'elle-même et tient, d'ailleurs, à toutes les autres. Dites à des sujets qu'ils doivent obéir à leur prince, parce que la religion et les lois l'ordonnent, vous trouverez des gens froids. Dites-leur qu'ils doivent lui être fidèles, parce qu'ils le lui ont promis, et vous les verrez s'animer » (*Pensées*, n° 1856).

33. Dans l'avertissement, Montesquieu insiste : « L'homme de bien [...] n'est pas l'homme de bien chrétien, mais l'homme de bien politique, qui a la vertu politique dont j'ai parlé. C'est l'homme qui aime les lois de son pays, et qui agit par l'amour des lois de son pays » (*De l'esprit des lois*, GF-Flammarion, 1979, t. I, p. 111).

34. Montesquieu a fait en 1720 un discours à l'académie de Bordeaux pour récompenser les dissertations qui traitent de cette question (*Discours sur la cause de la pesanteur des corps*, *OC*, t. VIII, p. 227-234). Bouillet, s'inspirant de Malebranche, formule l'idée qui structure ce passage : celle d'une force qui, par effet de retour, change de nature et se compose avec la force de départ pour produire une situation d'équilibre. C'est la même force qui meut et qui lie : l'honneur est à la fois la force qui conduit chacun à ses intérêts particuliers (force centrifuge), et qui repousse malgré eux les individus vers le centre commun (pesanteur). Voir *Pensées*, n° 5.

35. Même idée pour la composition du « corps humain » : « Qu'on considère ce nombre innombrable de parties, qui travaillent toutes pour le bien commun ; ces esprits animaux si impérieux, et si obéissants ; ces mouvements si soumis, et quelquefois si libres ; cette volonté qui commande en reine, et qui obéit en esclave ; ces périodes si réglées ; cette machine si simple dans son action, et si composée dans ses ressorts [...]. Quelles grandes idées de sagesse et d'économie ! » (*Discours sur l'usage des glandes rénales* [1718] ; *OC*, t. VIII, p. 165-166). Pour une première utilisation de l'image, voir *Romains*, IX, p. 82 ; *OC*, t. II, p. 157.

36. L'honneur est défini comme préjugé (III, 6), et ce désir de se distinguer n'engendre que simulacre et faux-semblants (IV, 2). C'est un thème traditionnel chez les moralistes et les théologiens, comme Bossuet, de réduire l'honneur à l'intérêt et de dénoncer l'immoralité de l'éthique aristocratique. Pourtant, cette illusion est bénéfique, puisque l'honneur permet la convergence involontaire des intérêts privés dans le bien public, comme si le paradoxe que Mandeville présente dans la *Fable des abeilles* (1714) trouvait dans l'univers monarchique son application particulière ; voir XIX, 11.

37. Comparer avec la lettre d'Usbek sur le désir de gloire, même si dans celle-ci le mot « honneur » n'a pas le sens spécifique qu'il a dans *L'Esprit des lois* (*LP*, 87 [89]). L'honneur monarchique est sensible à la manifestation extérieure de l'action. Inversement, le sentiment d'infamie tient lieu de peine (VI, 9).

38. Voir VI, 2. « Dans les pays despotiques, tous les hommes sont égaux, parce qu'ils vivent également dans l'esclavage politique. Il n'y a de différence entre les hommes que par l'esclavage civil, et encore cette différence y est-elle moindre » (*Pensées*, n° 1925).

39. Cette légalité extra-juridique peut offrir une résistance occasionnelle aux volontés du prince (IV, 2).

40. Voir II, 5 et V, 16. Le prince despotique laisse son ministre gouverner (*Pensées*, n° 541).

41. Voir V, 11. Ces révolutions sont perpétuelles et imprévisibles dans le despotisme (*LP*, 78 [80]).

42. La crainte permet de réprimer toute passion susceptible de valoriser l'individu et de produire des effets pour le bien public (amour de la patrie, ambition particulière), mais le despote vit également dans la crainte de son armée et des usurpations (V, 11 et V, 14).

43. Première apparition des gouvernements « modérés », flexibles, dans leur opposition au despotisme. Voir *Romains*, IX, p. 82 ; *OC*, t. II, p. 157.

44. *L'État présent de la grande Russie* de John Perry (trad. fr., Paris, 1718, p. 262). Cette affirmation, et de manière générale l'ouvrage de cet ingénieur anglais, a été critiquée (Strube de Piermont, *Lettres russiennes*, Saint-Pétersbourg, 1760) : voir *Mémoire de la critique*, p. 395.

45. Dans les *Lettres persanes*, le peuple des femmes en appelle au despote Usbek pour se protéger de la fureur des eunuques (*LP*, lettre supplémentaire 9 [157]).

46. Voir *Romains*, XV, p. 122 ; *OC*, t. II, p. 208.

47. Une autre image liquide conclut la présentation de la monarchie en VIII, 17.

48. L'ouvrage de Paul Ricaut, *Histoire de l'État présent de l'empire ottoman* (Londres, 1668 ; trad. fr. Amsterdam, 1670), est la principale source de Montesquieu pour la Turquie.

49. *Histoire de la dernière révolution de Perse* (Paris, 1728 ; l'ouvrage n'est pas à La Brède). Montesquieu confond Mir Mahmoud (voir *Pensées*, n° 295) et son fils Mir Vais, comme plus loin (*EL*, XVIII, 19), et dans les *Pensées*, n° 885. Sur ce point voir *Spic.*, n° 302 ; *OC*, t. XIII, p. 302.

50. L'image renvoie au paradigme physicien de l'étude des mouvements des corps, à propos desquels Montesquieu parle d'une « fatalité aveugle » (I, 1).

51. Voir *Pensées*, n° 466.

52. « Il n'y a assurément aucun souverain au monde si absolu que le roi de Perse, car on exécute toujours exactement ce qu'il prononce, sans avoir égard ni au fond ni aux circonstances des choses, quoiqu'on voie clair comme le jour qu'il n'y a la plupart du temps nulle justice dans ses ordres et souvent même pas de sens commun. Sitôt que le prince commande, on fait sur-le-champ tout ce qu'il dit, et lors même qu'il ne sait ce qu'il fait ni ce qu'il dit, comme quand il est ivre » (*Voyage en Perse*, Amterdam, 1711, t. II, p. 211).

53. Ce n'est pas le roi Assuérus (485 à 465 av. J.-C.), petit-fils de Cyrus, mais le vizir Haman, muni du sceau du roi, qui donna l'ordre de massacrer les juifs le 13 Adar, date qu'il avait tirée au hasard. Assuérus publia un nouvel édit pour annuler celui de Haman.

54. « C'est une erreur de croire qu'il y ait dans le monde une autorité humaine à tous les égards despotique ; il n'y en a jamais eu, et il n'y en aura jamais ; le pouvoir le plus immense est toujours borné par quelque coin. [...] Un roi de Perse peut bien contraindre un fils de tuer son père, ou un père de tuer son fils ; mais boire du vin, il ne le peut pas » (*Romains*, XXII, p. 178 ; *OC*, t. II, p. 276-277). Dans les *Romains*, le passage de Chardin sert à illustrer comment la puissance peut « choquer » l'esprit général de la nation. En II, 4, Montesquieu évoque la force de la religion dans les régimes despotiques : elle borne, comme les coutumes et les mœurs, l'autorité du prince qui doit composer, ce qui donne sa forme particulière à chaque gouvernement.

55. « C'est la religion qui corrige un peu la constitution turque » (V, 14).

56. Dans les *Lettres persanes*, c'est l'habileté politique (« science qui apprend aux princes jusqu'à quel point ils peuvent violer la justice

sans choquer leurs intérêts ») qui engage une comparaison avec le gouvernement oriental : « La puissance illimitée de nos sublimes sultans, qui n'a d'autre règle qu'elle-même, ne produit pas plus de monstres que cet art indigne qui veut faire plier la justice, toute inflexible qu'elle est » (*LP*, 91 [94]).

57. Voir III, 7, et IV, 2 ; *Pensées*, n° 1983.

58. Dans les *Lettres persanes*, Usbek note : « Aussi le pouvoir des rois d'Europe est-il bien grand, et on peut dire qu'ils l'ont tel qu'ils le veulent. Mais ils ne l'exercent point avec autant d'étendue que nos sultans : premièrement, parce qu'ils ne veulent point choquer les mœurs et la religion des peuples ; secondement, parce qu'il n'est pas de leur intérêt de le porter si loin » (*LP*, 99 [102]).

59. L'image renvoie ici à l'idée de nécessité. Ailleurs, elle vient souligner une situation d'équilibre ; voir V, 16 ; XI, 6.

60. Sur les rapports du prince aux ministres, voir *Pensées*, n° 1994.

61. « Ils tiennent que les ordres du roi sont au-dessus du droit naturel, et qu'ainsi, le fils doit être le bourreau de son père, ou le père de son fils, lorsque le roi lui commande de le faire mourir. Mais ils tiennent d'une autre part [...] que ses ordres sont au-dessous du droit divin, et que s'il arrive par conséquent que le roi commande quelque chose contre la religion, il ne faut point lui obéir, mais que l'on doit souffrir tout plutôt que de violer la loi de Dieu » (*Voyage en Perse*, *op. cit.*, t. VI, p. 21-22).

62. Le devoir-être et la perfection ne relèvent ici ni du droit ni de la morale. Chaque régime est présenté dans sa cohérence propre, et c'est un impératif de convenance qu'énonce Montesquieu. Relativement à cet accord entre la nature et le principe de chaque gouvernement, il s'agit ensuite d'examiner la convenance des institutions et des lois politiques et civiles.

## Livre IV

1. Pour Aristote, le moyen le plus efficace pour prévenir la corruption est d'éduquer les citoyens dans la perspective de la constitution (*Politiques*, V, 9, 1310a, 10).

2. Dans l'*Essai sur les causes qui peuvent affecter les esprits et les caractères*, Montesquieu distingue « deux sortes d'éducations : celle que nous recevons de nos maîtres et celle que nous recevons des gens du monde. Il faut les recevoir toutes les deux, parce que toutes les choses ont deux valeurs : une valeur intrinsèque et une valeur d'opinion. Ces deux éducations nous font connaître, au juste, ces deux valeurs, et l'esprit nous fait mettre l'une ou l'autre en usage selon le temps, selon les personnes, et selon le lieu » (Pléiade, t. II, p. 56 ; *OC*, t. IX, p. 252). Dans les monarchies, l'éducation du collège, qui repose sur des valeurs morales et religieuses, ne s'accorde pas avec le principe du gouvernement. Il faut donc un apprentissage propre qui engage à

l'amour de soi, au culte de l'ambition, et qui suscite le désir de se distinguer : cet enseignement par l'exemple ne peut consister que dans le commerce avec ses semblables. C'est essentiellement par la parole *in situ* que s'acquiert l'art du simulacre, la « science du monde » (*Pensées*, n° 107).

3. « La sincérité n'a jamais tant d'éclat que lorsqu'on la porte à la cour des princes, le centre des honneurs et de la gloire » (*Éloge de la sincérité*, Pléiade, t. I, p. 104 ; *OC*, t. VIII, p. 142).

4. « Un homme sincère à la cour d'un prince est un homme libre parmi des esclaves » (*Éloge de la sincérité*, Pléiade, t. I, p. 105 ; *OC*, t. VIII, p. 142).

5. « C'est l'envie de plaire qui donne de la liaison à la société, et tel a été le bonheur du genre humain que cet amour-propre, qui devait dissoudre la société, la fortifie, au contraire, et la rend inébranlable » (*Pensées*, n° 464).

6. « Le monarque pourrait même parvenir à rendre la nation grave, s'il l'avait entrepris. Le prince imprime le caractère de son esprit à la cour ; la cour, à la ville ; la ville, aux provinces. L'âme du souverain est un moule qui donne la forme à toutes les autres » (*LP*, 96 [99]).

7. « Les gens délicats sont ceux qui à chaque idée, ou à chaque goût joignent beaucoup d'idées ou beaucoup de goûts accessoires » (*Essai sur le goût*, Pléiade, t. II, p. 1253 ; *OC*, t. IX, p. 501). La délicatesse désigne une capacité à discerner des nuances subtiles avec promptitude. L'esprit, « s'il a plus de rapport à un certain plaisir délicat des gens du monde, [...] se nomme goût » (Pléiade, t. II, p. 1253 ; *OC*, t. IX, p. 491). L'*Essai sur le goût* réfléchit certaines analyses de Dominique Bouhours sur ces points (*La Manière de bien penser dans les ouvrages d'esprit*, Paris, 1688).

8. L'expression ne renvoie pas à une rectitude morale, ce qui suscita des réactions indignées et partagées par les jésuites et les jansénistes.

9. « L'éducation ne multiplie pas nos idées sans multiplier aussi nos manières de sentir » (*Essai sur les causes*, Pléiade, t. II, p. 54 ; *OC*, t. IX, p. 249).

10. Sur la bizarrerie de l'honneur, voir III, 10, et V, 19. « De cette passion générale que la nation française a pour la gloire, il s'est formé dans l'esprit des particuliers un certain je ne sais quoi, qu'on appelle *point d'honneur*. [...] Il me serait bien difficile de te faire sentir ce que c'est : car nous n'en avons point précisément d'idée » (*LP*, 88 [90]).

11. On retrouve les trois origines possibles des devoirs évoquées à la fin de I, 1.

12. Voir III, 6 et *Pensées*, n° 1856.

13. Voir III, 10. Bien servir, ce n'est pas obéir aveuglément. Ce qui participe de la liberté dans la monarchie, et qui la distingue du despotisme, est aussi conforme à l'intérêt du prince (*Pensées*, n° 1983).

14. Henri I$^{er}$ de Lorraine, dit le Balafré, prit la tête de la Ligue catholique. Après la journée des Barricades (12 mai 1588), il laissa le roi

s'enfuir, mais celui-ci l'attira à Blois où il le fit assassiner. Crillon (Louis des Balbes) refusa d'assassiner le duc de Guise comme le lui demandait Henri III (non en duel, mais par un coup imprévu), mais promit de ne pas l'avertir.

15. Sur la manière dont la Saint-Barthélemy fut justifiée à l'époque, voir *Pensées*, nos 186 et 1995. Sur la question de la tolérance religieuse, voir *EL*, XXV, 9 et 10.

16. L'honneur forme la règle de l'obéissance légitime. De ce fait, le monarque ne peut tout exiger, puisque l'honneur peut motiver un refus d'obéir individuel et ponctuel. Cette disposition passionnelle ouvre donc un espace de pourparlers (III, 10) où les nobles peuvent formuler des désaccords, et se retirer sur leurs terres si un compromis acceptable avec le monarque n'est pas trouvé, car l'honneur ne peut supporter certaines actions dégradantes (V, 19). Voir le discours d'un « homme de bon sens », *LP*, 87 (89).

17. D'Aubigné rapporte cette réponse d'Adiran d'Aspremont, vicomte d'Orte au courrier du roi ordonnant de « faire mettre en pièces les hommes, les femmes et enfants, qui avaient cherché leur sûreté en la prison ».

18. Sur l'opposition des « lois de l'honneur » et des « lois de justice », voir *LP*, 88 (90).

19. Voir, III, 10.

20. Tout fonctionne selon un régime de la séparation, ce qui va avec une fusion du politique et du domestique. Le sérail, où règne la séparation (des femmes, des hommes avec eux-mêmes – ce que présente la situation des eunuques), peut ainsi offrir une vue sur le mode de fonctionnement despotique. Le despotisme est présenté comme un régime sans lien social, où des corps morts sont juxtaposés (*Romains*, IX, p. 82 ; *OC*, t. II, p. 157).

21. « Dans un gouvernement despotique, il est également pernicieux qu'on raisonne bien ou mal ; il suffit qu'on raisonne pour que le principe du gouvernement soit choqué » (XIX, 27).

22. En fait le texte d'Aristote dit littéralement l'inverse, puisqu'il distingue des « vertus » propres à l'homme, à la femme, à l'enfant et à l'esclave. Il semble difficile de plaquer le rapport maître/esclave qui intéresse Aristote (dans lequel l'esclave, qui sert les buts d'autrui, profite en contrepartie de ses succès) sur le despotisme tel que l'entend Montesquieu. La qualité de maître suppose une vertu de commandement, et sa volonté n'est pas un pur caprice. Montesquieu semble retenir la remarque sur l'absence de capacité délibérative chez l'esclave (*Politiques*, I, 13, 1260a, 12), qui est pour Aristote le *résultat* d'une absence d'éducation. Il est notable qu'il choisisse de renvoyer à ces analyses, car de fait aucun récit de voyage dans les pays d'Orient ne vient accréditer cette présentation.

23. « Tout y doit rouler sur deux ou trois idées : il n'en faut donc pas de nouvelles » (V, 14). Les barbares « n'ont proprement que les idées

qui ont du rapport à la conservation de leur être » (*Essai sur les causes*, Pléiade, t. II, p. 53 ; *OC*, t. IX, p. 246). La disette d'idées s'accorde avec la crainte animale.

24. Voir III, 9.

25. La crainte animale ne s'enseigne pas ; l'honneur monarchique semble mieux s'accorder avec la nature d'un homme « sujet à mille passions » (I, 1) ; parce qu'elle dépasse l'amour-propre, la vertu, passion tournée vers le bien commun, demande toute la force de l'éducation.

26. Voir V, 2. Sur l'attachement des anciens pour leur patrie et la liberté, voir *Pensées*, nᵒˢ 212, 221 et 731.

27. Sur le lien entre l'autorité paternelle et la pureté des mœurs, voir V, 8. L'enseignement de l'*ethos* citoyen à Sparte peut servir d'exemple (*Essai sur les causes*, Pléiade, t. II, p. 60 ; *OC*, t. IX, p. 256).

28. D'où la nécessaire cohérence des institutions républicaines. Voir *EL*, IV, 4.

29. Ce qui se traduit aussi par le manque de respect pour les vieillards (VIII, 2).

## Livre V

1. Le principe, cause ou ressort, est aussi effet. Des formules analogues présentent le rapport entre frugalité et égalité dans la république (V, 6), et l'honneur (qui est à la fois enfant et père ; voir V, 9).

2. Le rapport des lois au principe tend tous les ressorts seulement si ce rapport est convenable, c'est-à-dire si les lois s'accordent avec le principe du gouvernement et qu'elles favorisent son action. C'est de l'ajustement que découle la tension de l'ensemble des ressorts. Montesquieu insiste, dans cette dynamique des ressorts et des forces, sur la réciprocité des processus, comme en mécanique. Une action n'est jamais simple, dans le sens où elle s'achèverait dans ses simples effets (mouvements consécutifs). La *ré*action est « l'action du corps qui pâtit contre celui qui agit » (Furetière). Comparer cette tension avec la débandade de l'ensemble présentée en VIII, 11, ou les secousses qui agitent l'État anglais en III, 3.

3. Voir VIII, 2.

4. Voir IV, 5.

5. Voir *Romains*, IV, p. 43-44 ; *OC*, t. II, p. 112 ; *Pensées*, nᵒ 210.

6. Machiavel insiste sur le lien entre l'institution de la république et l'égalité. Voir *Discours sur la première décade de Tite-Live*, I, XL.

7. Cette frugalité concerne aussi la religion (*EL*, XXV, 7).

8. Voir *Pensées*, nᵒ 1760.

9. Ce dernier paragraphe reprend des thèmes chers à Aristote qui relie la vie sage (selon la vertu) et la cité qui vise le bien vivre. Il présente ainsi l'excellence des « gens moyens » pour le gouvernement constitutionnel (*politeia*) ; voir *Politiques*, IV, 11, 1295a-1296a.

10. Aristote relève cette remarque de Phaléas de Chalcédoine, *Politiques*, II, 7, 1266a, 40. « Les fondateurs des anciennes républiques avaient également partagé les terres : cela faisait un peuple puissant, c'est-à-dire une société bien réglée ; cela faisait aussi une bonne armée, chacun ayant un égal intérêt, et très grand, à défendre sa patrie » (*Romains*, III, p. 38 ; *OC*, t. II, p. 106). Voir aussi *Pensées*, n° 639.

11. Dans le cas où un testateur ne laisse que des filles, celles-ci sont « épiclères ». Selon la loi athénienne, elles ne sont pas héritières mais « attachées (*épi*) à l'héritage (*klêros*) ». La succession est dévolue aux enfants qu'elles auront, et la loi peut parfois désigner à chacune d'elle un mari. Platon discute ces dispositions dans les *Lois*, XI, 924d-925b. Aristote discute également de la question des filles épiclères à Sparte, *Politiques*, II, 9, 1270a, 20.

12. Aristote parle des « lois d'adoption » que Philolaos donna à Thèbes, *Politiques*, II, 12, 1274b 5.

13. Platon, après la question du partage des terres, examine les conditions nécessaires pour maintenir un nombre de foyers stable (voir *Lois*, V, 740b-740c).

14. Voir *Romains*, X, p. 85-86 ; *OC*, t. II, p. 162.

15. Ce passage reproduit ce que dit Aristote, *Constitution d'Athènes*, VII, 4.

16. Voir Machiavel, *Discours sur la première décade de Tite-Live*, II, VII.

17. Voir Aristote, *Constitution d'Athènes*, VII ; *Politiques*, II, 12, 1274a, 20.

18. Voir l'exemple de Marseille (*EL*, XX, 5). Les effets du commerce sont en fait ambivalents (*EL*, XX, 2), et même si Montesquieu distingue plusieurs façons de commercer, il note qu'un « commerce mène à l'autre ; le petit au médiocre, le médiocre au grand ; et celui qui a eu tant d'envie de gagner peu se met dans une situation où il n'en a pas moins de gagner beaucoup » (*EL*, XX, 4). Le luxe semble indissociable des richesses (*EL*, XXI, 6). Dans les républiques commerçantes, dans un contexte d'austérité des mœurs, l'esprit d'ordre et de règle que suppose le commerce réprime la cupidité ou l'ambition qui découlent pourtant spontanément du commerce. L'esprit de commerce ne corrompt pas la république, et sa disparition la met même en péril. Mais cela ne va pas sans des tensions auxquelles l'intervention législatrice doit sans cesse remédier par un contrôle de l'économie. Voir l'exemple contrasté de la Hollande (Pléiade, t. II, p. 863-872).

19. « Le luxe est toujours en proportion avec l'inégalité des fortunes. Si, dans un État, les richesses sont également partagées, il n'y aura point de luxe ; car il n'est fondé que sur les commodités qu'on se donne par le travail des autres » (*EL*, VII, 1). Montesquieu examine les variables qu'il faut considérer pour mesurer le luxe. Moins il y a de luxe dans une république, plus elle est parfaite. Concernant les

républiques commerçantes, il précise que « l'esprit de commerce, de travail et de vertu fait que chacun y peut et que chacun y veut vivre de son propre bien, et que par conséquent, il y a peu de luxe » (*EL*, VII, 2).

20. On trouve cette comparaison chez Plutarque (*Vie de Solon*, 22). La peine que Dracon avait prononcée contre les gens oisifs était la mort (*ibid.*, 17). Solon en adoucit la rigueur, et commua la peine de mort en infamie. Il faut rappeler que Solon doit sa richesse au commerce (*ibid.*, 3).

21. Les dots participent d'une accumulation des richesses. Platon les interdit (*Lois*, VI, 774c). Aristote souligne également que de mauvaises dispositions législatives sur ces questions encouragent l'amour des richesses (*Politiques*, II, 9, 1270a, 25). Montesquieu indique que les dots « doivent être médiocres dans les républiques, où le luxe ne doit pas régner » (*EL*, VII, 15).

22. Machiavel souligne la nécessité de « ramener » les régimes (la république, mais aussi la monarchie) à leurs principes originels pour échapper à la corruption. Il privilégie les interventions exemplaires des hommes capables de frapper par un grand coup (*Discours sur la première décade de Tite-Live*, III, I). Montesquieu engage plutôt à des rappels insensibles qui vont avec l'invention d'agencements nouveaux.

23. Première apparition de l'opposition entre la corruption et la correction développée au livre VIII. « Un gouvernement libre, c'est-à-dire toujours agité, ne saurait se maintenir, s'il n'est, par ses propres lois, capable de correction » (*Romains*, VIII, p. 78 ; *OC*, t. II, p. 152).

24. « C'est une grande chose de savoir corriger les abus. La moindre difficulté, c'est de les connaître. On ne les connaît ordinairement que trop, et on les sent si bien que, ce qui est venu avec lenteur, on veut le détruire avec violence. On sent, dans cette entreprise, qu'on a pour soi la raison ; on n'examine point si l'on a pour soi la prudence. Le fisc avait été insensiblement dépouillé ; on voulut tout à coup le remplir. Le temps avait fait le mal ; on ne voulut pas laisser faire le bien au temps » (« Rejets de *L'Esprit des lois* » [dossier 2506/7], *OC*, t. III, p. 804 ; Pléiade, t. II, p. 1017-1018).

25. Aristote conteste par là la nomination à vie des magistrats qui à Sparte avaient à juger des procès importants (*Politiques*, II, 9, 1270b, 40).

26. « On est étonné de la punition de cet aréopagite, qui avait tué un moineau qui, poursuivi par un épervier, s'était réfugié en son sein. On est surpris que l'aréopage ait fait mourir un enfant qui avait crevé les yeux à son oiseau. Qu'on fasse attention qu'il ne s'agit point là d'une condamnation pour crime, mais d'un jugement de mœurs dans une république fondée sur les mœurs » (*EL*, V, 19).

27. Sur les vieillards de Sparte, voir *Essai sur les causes*, Pléiade, t. II, p. 60 ; *OC*, t. IX, p. 256.

28. Sur cette « magistrature qui contribua beaucoup à maintenir le gouvernement de Rome », voir *Romains*, VIII, p. 76 ; *OC*, t. II, p. 149 ; et *EL*, XI, 16.

29. Voir *EL*, VII, 10.

30. Voir IV, 5. Sur le lien entre l'autorité paternelle, la pureté des mœurs et la vertu, voir l'exemple des Troglodytes, *LP*, 12 et 14. À propos de cette autorité, Usbek note que « rien ne répand plus de tranquillité dans un État, où les mœurs font toujours de meilleurs citoyens que les lois » (*LP*, 76 [129]).

31. *Constitution des Lacédémoniens*, VIII, 2.

32. Voir p. 327, note 1.

33. Pour servir d'intermédiaire entre les deux extrêmes, la noblesse doit bénéficier d'une assise patrimoniale, garantie par les lois relatives à la propriété et à la succession. Il est donc essentiel de prévenir toute fragmentation des patrimoines nobles et de défendre les privilèges qui y sont associés.

34. La noblesse d'Ancien Régime possédait des privilèges propres, et la « justice des seigneurs » (*EL*, XXX, 20) avait un enracinement territorial qui participait de l'équilibre monarchique, puisque par cette institution tous les pouvoirs n'étaient pas concentrés dans les mains du prince.

35. La fonction politique de la noblesse dans la monarchie suppose donc une théorie de la féodalité : il faut voir comment les « lois féodales » constituent l'esprit de la monarchie française modérée, en suivant les processus historiques qui ont participé à l'« établissement de la monarchie » (livre XXX) et à ses « révolutions » (livre XXXI).

36. Puisque le bien grevé est inaliénable, indivisible et insaisissable.

37. Le droit d'aînesse évite le morcellement des propriétés. Dans les *Lettres persanes*, Montesquieu souligne l'injustice d'un tel droit qui détruit l'« égalité des citoyens » (*LP*, 115 [119]). Il ne le juge pas nécessaire dans une monarchie, mais seulement possible, et étudie son origine sans le critiquer (*EL*, XXXI, 33).

38. « Comme, par la constitution des monarchies, les richesses y sont inégalement partagées, il faut bien qu'il y ait du luxe » (*EL*, VII, 4). L'honneur et le luxe sont associés en raison du système de représentation et de gratification que l'on trouve à la cour (*EL*, V, 18). Si le corps productif est au service des grands, cette prodigalité participe en retour à la circulation des richesses. Montesquieu n'ignore pas les risques des excès auxquels peut mener ce parasitisme des courtisans. Ils apparaissent surtout dans une monarchie corrompue (*Pensées*, n° 737) ou conquérante (*EL*, X, 9), comme participant d'un déséquilibre d'ensemble dont l'origine reste politique (voir VIII, 6-7).

39. Les questions relatives aux revenus de l'État, aux différents types d'impôts, à leur grandeur et à leurs modalités, sont examinées en fonction des différents gouvernements dans le livre XIII. L'enjeu est

de montrer en quel sens ils participent de la liberté dans les gouvernements modérés.

40. La noblesse ne pouvait commercer sans déroger (perdre sa qualité et ses avantages). Voltaire (dans les *Lettres philosophiques*, 1734) et plus tard l'abbé Coyer (dans *La Noblesse commerçante*, 1756) développent l'idée que le commerce n'a rien d'infamant et que l'intérêt général justifie que les nobles soient autorisés à le pratiquer. Le débat est donc très actuel quand Montesquieu écrit que si « le commerce est la profession des gens égaux » (*EL*, V, 8), il est « contre l'esprit du commerce que la noblesse le fasse dans la monarchie » (*EL*, XX, 21), car les nobles seraient en position de faire valoir leurs privilèges dans le champ économique, ce qui serait aussi une forme de concentration des pouvoirs et une source d'abus. D'autre part, en se détournant de la fonction symbolique et politique que le système monarchique lui assigne, la noblesse entre dans une logique de l'intérêt qui ne s'accorde pas avec l'honneur, principe de la monarchie. C'est pourquoi il est également « contre l'esprit de la monarchie, que la noblesse y fasse commerce » (*ibid.*). Sur le cas particulier de la France, où chacun joue une fonction qui contribue à la « grandeur du royaume », voir *EL*, XX, 22.

41. L'avantage du gouvernement monarchique sur le républicain est présenté en V, 10. Les affaires étant menées par un seul, il y a plus de « promptitude dans l'exécution. Mais, comme cette promptitude pourrait dégénérer en rapidité, les lois y mettront une certaine lenteur ». Il faut donc des corps qui tempèrent le rythme propre de la décision politique. Pour la France, Montesquieu pense aux parlements (voir II, 4), et relève que les remarques de Richelieu sur les résistances que le prince peut rencontrer dans son action sont le signe d'une vision despotique de l'exercice du pouvoir.

42. Voir Machiavel, *Discours sur la première décade de Tite-Live*, I, III, et I, LII. En citant Cicéron, Montesquieu insiste plus sur la capacité des tribuns à contenir le peuple.

43. Dans ce rôle, il faut peut-être moins penser à la noblesse en tant que corps qu'aux parlementaires : « *Parlement*. – Sur une sédition qui arriva à cause d'un conseiller au Parlement, la reine-mère dit au premier président de Molé : "Monsieur, le Parlement en fait trop. – Madame, dit-il, il est nécessaire qu'il y ait une barrière entre la trop grande faiblesse du peuple et la trop grande puissance du roi" » (*Spic.*, n° 226).

44. Le passage cité contrebalance les inconvénients du tribunat en faisant voir ses avantages. L'invention d'un compromis (*temperamentum*) contient le peuple qui ne provoque pas par lui-même de conflits destructeurs (III, X, 24). Cette référence, qui rappelle une institution républicaine, rapproche ainsi les gouvernements modérés en les opposant au despotisme.

45. Par « révolution » Montesquieu entend aussi bien les bouleversements politiques (sens habituel) que les simples changements de personnes à la tête de l'État (qui caractérisent le gouvernement
despotique : voir III, 9, et VI, 2). « On s'étonne de ce qu'il n'y a
presque jamais de changement dans les gouvernements des princes
d'Orient. D'où vient cela, si ce n'est qu'il est tyrannique et affreux ? »
(*LP*, 100 [103]). La multiplication des révolutions est ainsi le signe du
devenir despotique : « Les révolutions mêmes firent les révolutions,
et l'effet devint lui-même la cause » (*Romains*, XXI, p. 167 ; *OC*,
t. II, p. 262).

46. Allusion à la Fronde, aux troubles qui agitèrent la France pendant
la minorité de Louis XIV et le gouvernement de Mazarin. Cette
remise en question de l'œuvre de Richelieu et de l'absolutisme com-
bina une opposition parlementaire et nobiliaire, avec des insurrec-
tions populaires ponctuelles (journée des Barricades). Si le pouvoir
royal sort renforcé de ces épreuves, la lecture qu'en fait Montesquieu
ne justifie pas l'absolutisme, mais insiste au contraire sur l'importance des prérogatives des parlementaires, constitutives du bon ordre
public et de la sûreté du prince.

47. Sur la réalité des conseillers et des princes, voir *LP*, 122 (127).

48. Paul de Gondi, cardinal de Retz, intrigua contre Mazarin. Il in-
fluença le parlement de Paris au moment de la fronde parlementaire
et entra en rivalité avec Condé au moment de la fronde des princes.
Ses *Mémoires* (1717 ; *Catalogue*, n° 3040 ; voir *Pensées*, n° 2103) sont
conçus comme une justification de ses actions. Montesquieu oppose
le cardinal, « plus propre à être à la tête d'une faction », à Mazarin
(*Pensées*, n° 1368) et le montre en pamphlétaire auteur d'une « maza-
rinade » (*LP*, lettre supplémentaire 5 [111]).

49. Convoquer la figure de Richelieu à la suite de Retz, c'est d'une
certaine façon renvoyer dos à dos la tentation absolutiste et certaines
prétentions nobiliaires. Cependant, le danger le plus grand est dans
la tentative d'une mise au pas de la noblesse comme celle qu'a tentée
Richelieu ; il est dans l'intérêt bien compris du prince de ne pas abaisser les pouvoirs intermédiaires (et donc aussi les parlements). En
III, 5, Montesquieu fait dire à Richelieu que la vertu n'est pas utile
dans la monarchie, elle serait réservée au ministre d'État (voir p. 321,
note 30) : seul le prince conseillé peut promouvoir un intérêt public,
en jouant, par la contrainte et la persuasion, des intérêts particuliers.
Lorsqu'on s'est attaqué aux corps intermédiaires qui diminuent la
puissance du prince (ce qui est une raison que Naudé invoque pour
justifier les coups d'État, voir *Considérations politiques sur les coups
d'État*, III) la défense de la liberté réside dans des qualités que seule
l'hypocrisie machiavélienne d'un Richelieu peut attribuer au
monarque. « Quand cet homme [Richelieu] n'aurait pas eu le despotisme dans le cœur, il l'aurait eu dans la tête » (*EL*, V, 10).

50. Voir II, 4.

51. Voir *Pensées*, n° 1889.

52. Voir *LP*, 61 (63).

53. Si l'éducation consiste d'abord à « procurer des idées », dans le despotisme tout est fait pour maintenir le cerveau des hommes dans cet état d'engourdissement que connaissent les barbares (« Les fibres de leur cerveau, peu accoutumées à être pliées, sont devenues inflexibles »), ce qui est proprement abrutir les esprits. Voir le début de la seconde partie de l'*Essai sur les causes*, Pléiade, t. II, p. 53-54 ; *OC*, t. IX, p. 246-248.

54. Dans les *Lettres édifiantes*, les jésuites s'inquiétaient de l'incapacité de ces peuples aux travaux agricoles : « Les sauvages pour cueillir le fruit des arbres abattent les arbres mêmes, ce qui fait qu'il n'y a pas d'arbres fruitiers autour des villages », *Geographica*, *OC*, t. XVI, p. 374. On trouve en marge la mention : « C'est l'image des rois despotiques. »

55. Voir III, 10, et IV, 3.

56. « Le plus mauvais parti que les princes d'Asie aient pu prendre, c'est de se cacher comme ils font. Ils veulent se rendre respectables ; mais ils font respecter la royauté, et non pas le roi, et attachent l'esprit des sujets à un certain trône, et non pas à une certaine personne. Cette puissance invisible qui gouverne est toujours la même pour le peuple. Quoique dix rois, qu'il ne connaît que de nom, se soient égorgés l'un après l'autre, il ne sent aucune différence ; c'est comme s'il avait été gouverné successivement par des esprits. » (*LP*, 100 [103]). Ce système impersonnel entraîne des révolutions perpétuelles et imprévisibles. Voir *LP*, 78 (80).

57. « Les princes changent les significations des mots : le roi de Suède, Charles XII, dans l'acte le plus cruel de notre siècle, la condamnation de Patkul, prit le titre de *prince très clément* » (*Pensées*, n° 734). Le brillant conquérant dont Voltaire a écrit l'histoire en 1731 n'est donc qu'un despote.

58. C'est le système qui entraîne cette imprévisibilité : elle est le fait du mode de gouvernement (les caprices du despote) et de la réduction du champ de visibilité (tout se passe dans un espace fermé). Les révolutions, qui ne sont jamais que des révolutions de palais, ne manquent pas d'avoir lieu, et elles peuvent survenir à tout instant. Ce régime extrême ne sert pas l'intérêt du prince, puisqu'il ne garantit pas une véritable sûreté.

59. À savoir les eunuques, que Montesquieu décrit toujours comme des êtres dénaturés (XVI, 9), sauf dans le roman *Arsace et Isménie*, qui offre l'exemple d'un bon ministre, Aspar (*OC*, t. IX, p. 321). Dans la suite de ce chapitre 14, les sérails d'Orient sont présentés comme « ces lieux où l'artifice, la méchanceté, la ruse, règnent dans le silence, et se couvrent d'une épaisse nuit ; où un vieux prince, devenu tous les jours plus imbécile, est le premier prisonnier du palais ». La

confusion du rapport du citoyen à l'État et aux autres citoyens, du public et du privé, est caractéristique du despotisme.

60. Le livre IX développe la question des géographies frontalières et des stratégies de défense. Les États despotiques « sacrifient une partie du pays, ravagent les frontières, et les rendent désertes ; le corps de l'empire devient inaccessible » (*EL*, IX, 4). On retrouve le même thème et les mêmes images à propos de la Moscovie (*Réflexions sur la monarchie universelle*, XIX).

61. Formulation voisine dans *Pensées*, n° 809. « On n'y [dans le sérail] entendait parler ni de divisions, ni de querelles : un profond silence régnait partout » (*LP*, 62 [64]). En réfléchissant aux conditions d'une véritable harmonie sociale, Montesquieu oppose la « vraie paix » à l'absence de trouble que l'on peut trouver dans le despotisme. Tranquillité des plus suspectes, puisque alors « ce ne sont pas des citoyens qui sont unis, mais des corps ensevelis les uns auprès des autres » (*Romains*, IX, p. 82 ; *OC*, t. II, p. 157).

62. *Histoire de Suède*, Amsterdam, 1743, t. III, p. 125.

63. Allusion aux réformes de Pierre I$^{er}$, qui « veut tout changer », qui « s'attache à faire fleurir les arts, et ne néglige rien pour porter dans l'Europe et l'Asie la gloire de sa nation » (*LP*, 49 [51]). Outre les lois de succession évoquées dans la suite du présent chapitre, Montesquieu présente les dispositions fiscales (*EL*, XIII, 6 et 12) et sa volonté de transformer les mœurs (XIX, 14-15). Sous cet angle, le tsar apparaît comme un réformateur violent. Les transformations institutionnelles buttent sur les mœurs et la servitude du peuple, et le volontarisme du prince ne fait que perpétuer un mode de gouvernement despotique. Ainsi, examinant la question du commerce, la pratique du change qu'il suppose et son incompatibilité avec la réalité russe, Montesquieu indique : « La Moscovie voudrait descendre de son despotisme, et ne le peut » (*EL*, XXII, 14).

64. La religion apparaît comme nécessaire pour susciter une adhésion des sujets (au prince, à l'État) essentielle à la conservation du régime, puisqu'en lui-même le principe du despotisme ne peut la provoquer positivement. Elle prend la place, dans l'économie passionnelle, de ce qui joue ce rôle dans les régimes modérés (l'honneur et l'amour de la patrie). La religion est ambivalente, car si, par les passions qu'elle peut inspirer, elle semble s'accorder avec le principe du despotisme, elle est en même temps ce qui est susceptible d'en adoucir les effets, par la résistance qu'elle peut offrir aux caprices du despote. Voir II, 4, III, 10, et XII, 29.

65. Voir III, 7.

66. Montesquieu met en évidence les effets pervers d'une souveraineté qui, s'appropriant tout, ne reconnaît aucun droit de propriété privée, ou seulement d'une façon conditionnelle (voir Hobbes, *Léviathan*, XXIX). Voir la description de la Turquie (*LP*, 18 [19]). L'activité économique est incompatible avec l'incertitude qui règne dans le

despotisme (*EL*, V, 15), car on ne saurait investir sans garanties (*EL*, XIII, 14). Voltaire conteste l'idée que la propriété privée soit inconnue dans les pays d'Orient (*Mémoire de la critique*, p. 530-531).

67. Voir *EL*, XX, 19, « Que le prince ne doit point faire le commerce ».

68. « Le despotisme se suffit à lui-même ; tout est vide autour de lui » (*EL*, VI, 1). Dans les *Lettres persanes*, Usbek rapporte le désert des pays d'Orient à l'opinion religieuse des mahométans (*LP*, 120 [125]). S'il peut y avoir des raisons climatiques qui inclinent à une « paresse naturelle » (XIV, 6), Montesquieu insiste sur les systèmes de croyances et les institutions qui renforcent ces effets du climat.

69. Après avoir souligné que la précarité des propriétés dans le despotisme augmentait paradoxalement la cupidité des grands, Montesquieu note que seules les coutumes peuvent offrir un point de résistance et modérer l'avidité du prince. Il aborde ensuite la question des successions et illustre le désordre et les « mille révolutions » qui caractérisent le despotisme : « Dans les États où il n'y a point de lois fondamentales, la succession à l'empire ne saurait être fixe. »

70. « Il est aisé de connaître par ce que nous venons de dire, pourquoi les arts sont si fort négligés en Turquie ; pourquoi les Turcs ont si peu soin de faire valoir les terres, et de bâtir des maisons de durée », Ricaut, *Histoire de l'état présent de l'empire ottoman*, chap. 17 (*op. cit.*, p. 144).

71. Voir les différentes versions de ce passage, *Pensées*, nos 831, 892, 918 et 935. En III, 9, en comparaison avec le despotisme, Montesquieu indique que le gouvernement modéré peut relâcher ses « ressorts ». Ce jeu du système des puissances se retrouve dans la fin du chapitre sur la constitution d'Angleterre (XI, 6).

72. L'expression « chef-d'œuvre » se retrouve à propos de la distribution des pouvoirs, pour souligner la difficulté qu'il y a à bien « placer la puissance de juger » (*EL*, XI, 11). Cette logique de la bonne disposition des puissances est mise en avant dans l'exemple anglais. L'équilibre que souligne l'image des lests est singulier, précaire et donc à renouveler.

73. En I, 1, l'uniformité est présentée comme une catégorie physicienne (action uniforme de la nature matérielle), ce que l'on retrouve dans les images qui caractérisent la mécanique despotique. Pour un examen circonstancié des « idées d'uniformité », voir *EL*, XXIX, 18.

74. Voir III, 9.

75. « Toute la puissance et l'autorité du sultan résident en sa personne » (Ricaut, *Histoire de l'état présent de l'empire ottoman*, chap. 11, Amsterdam, 1670, p. 80). Dans les *Lettres persanes*, l'eunuque est la figure de ce double inquiétant du despote.

76. « Ainsi la lumière de Phébus n'est jamais plus douce que lorsque ce dieu est près de se cacher dans l'onde » (Sénèque, *Les Troyennes*, acte V, v. 1141-1142).

77. À la hiérarchie exclusivement verticale du despotisme s'oppose la hiérarchie complexe de la monarchie, où chaque personne investie d'une autorité la tient en partie directement du roi.

78. Voir la fin de V, 14.

79. Voir III, 10 et IV, 3. Pour illustrer comment on peut devenir le despote en faisant sien son désir, en prévenant le désir du despote, voir la lettre de Solim, premier eunuque, qui informe Usbek de ses intentions (*LP*, Lettre supplémentaire 11 [160]).

## Livre VIII

1. Avant d'être théorisée comme corruption des principes, cette question interroge d'abord le devenir de la monarchie (*LP*, 99 [102]). Mais c'est aussi un thème du républicanisme que Montesquieu reprend ici plus systématiquement dans le cadre typologique.

2. Le développement de l'inégalité mène à l'aristocratie, où le pouvoir des nobles peut devenir arbitraire (*EL*, VIII, 5). Machiavel insistait sur cette dangereuse dérive des puissants par suite d'un développement excessif des inégalités (*Discours sur la première décade de Tite-Live*, I, v). Montesquieu met plutôt l'accent sur le risque d'anarchie (« Telle est la différence entre la démocratie réglée et celle qui ne l'est pas, que, dans la première, on n'est égal que comme citoyen, et que, dans l'autre, on est encore égal comme magistrat, comme sénateur, comme juge, comme père, comme mari, comme maître », *EL*, VIII, 3).

3. « À Rome, gouvernée par les lois, le peuple souffrait que le sénat eût la direction des affaires : à Carthage, gouvernée par les abus, le peuple voulait tout faire par lui-même » (*Romains*, IV, p. 43 ; *OC*, t. II, p. 111).

4. Voir V, 7.

5. Écho de Platon, qui décrit la généalogie de la tyrannie à partir de la corruption d'une démocratie assoiffée de liberté (*République*, VIII, 562d-563c). Voir également la reprise que Cicéron fait de ce thème dans sa *République*, I, XLIII-XLIV.

6. Voir V, 3. Parce qu'il est considération de la chose publique, cet amour va avec la reconnaissance des « distinctions » qui « naissent du principe d'égalité ». Distinguer des citoyens pour leur dévouement ou ce qu'ils apportent à la république par leurs qualités propres, c'est finalement célébrer la vertu qui doit être commune à tous. Mais cette compatibilité entre égalité et hiérarchie ne va pas de soi.

7. Xénophon, *Banquet*, IV, 30-32.

8. Voir les exemples de César, puis d'Auguste, qui fonde l'Empire romain, dans *Romains*, XIII, p. 106 ; *OC*, t. II, p. 186-187.

9. Le devenir despotique ne concerne pas que la monarchie. « La monarchie dégénère ordinairement dans le despotisme d'un seul ; l'aristocratie, dans le despotisme de plusieurs ; la démocratie, dans le

despotisme du peuple » (*Pensées*, n° 1893). L'essentiel pour évaluer les processus historiques est l'opposition entre les gouvernements modérés et le despotisme (VIII, 8).

10. Voir *Geographica*, OC, t. XVI, p. 256-257. La rapidité (*EL*, V, 10) et l'immédiateté (V, 14) dans l'exécution sont des caractéristiques du pouvoir despotique. Voir la place stratégique réservée au cas de la Chine (VIII, 21).

11. Dans les *Lettres persanes*, l'analogie entre le sérail et la société de cour met en scène cette pente despotique de l'absolutisme de Louis XIV, et montre comment le système de récompenses et de contrôle des mouvements des grands est un puissant instrument d'asservissement.

12. La prison dans laquelle vit le despote ne saurait lui assurer une réelle sûreté (V, 14).

13. *Description de la Chine*, t. II, p. 648.

14. Cette opposition normative entre gouvernements modérés et despotisme doit être complétée par la distinction entre correction et corruption. Voir *EL*, XI, 13, et *Romains*, VIII, p. 78 ; *OC*, t. II, p. 152.

15. Voir VIII, 2.

16. L'Europe se distingue par son climat. Alors que l'examen des climats chauds révèle des causes physiques de la servitude (XVII, 3-6), de sorte que le despotisme y semble presque comme nécessaire, en Europe, tout est possible, même le pire : le devenir despotique n'est alors pas une fatalité, mais le résultat d'un défaut d'application des hommes et d'un aveuglement sur ce qu'ils doivent entreprendre.

17. En écho à la présentation de l'équilibre délicat que suppose la constitution d'un gouvernement modéré (V, 14). Ce point justifie que ces questions soient examinées avec toute l'attention requise au livre XI (voir XI, 4).

18. La monarchie se caractérise par l'esprit de conquête (VIII, 16) ; la question de la modération territoriale s'articule à l'exercice interne du pouvoir du prince (VIII, 17). La conquête est déjà un élément essentiel de la perte de la République romaine (*EL*, XI, 19).

19. « Le despotisme s'accable lui-même » (*Pensées*, n° 671). Voir n° 885. Montesquieu use aussi de la métaphore médicale : « Ce corps malade ne se soutient pas par un régime doux et tempéré, mais par des remèdes violents, qui l'épuisent et le minent sans cesse » (*LP*, 18 [19]).

20. Voir XII, 29.

21. Comment se fait-il que le despotisme subsiste ? C'est qu'il n'existe jamais sous une forme pure, des limites non politiques forçant cette structure à prendre un certain ordre (*Romains*, XXII, p. 178).

22. Cet impératif de convenance est dicté par la logique interne du régime, mais du coup les républiques sont facilement vulnérables. L'association de plusieurs républiques dans une « république fédérative » est le moyen de pourvoir à leur défense (*EL*, IX, 1-3).

23. Voir *Romains*, IX. La taille du territoire a des incidences sur l'exercice du pouvoir, mais aussi sur la défense extérieure. Aristote aborde ces questions de mesure, envisageant l'ordre interne (*Politiques*, VII, 4) et les questions stratégiques (*ibid.*, VII, 5).

24. Voir *Pensées*, n° 777.

25. De ce point de vue, la France et l'Espagne ont une grandeur exemplaire (*EL*, IX, 6 ; *Réflexions sur la monarchie universelle*, XX, *OC*, t. II, p. 361). Voir l'opposition entre le territoire de la France et l'Empire perse (*Pensées*, n° 271).

26. Voir *Réflexions sur la monarchie universelle*, X, *OC*, t. II, p. 349 ; *EL*, XXXI, 23.

27. Voir *Romains*, XIX, p. 152 ; *OC*, t. II, p. 243.

28. Ces deux aspects sont présentés ensemble en VIII, 8.

29. Ce passage est tiré des *Réflexions sur la monarchie universelle*, VIII, *OC*, t. II, p. 347.

30. Les récits des missionnaires jésuites partis en Chine, publiés dans les *Lettres édifiantes* et nourrissant la *Description de la Chine* du père Du Halde, exaltent le régime politique, la puissance économique et le système moral de ce pays dont ils cherchent à évangéliser les populations. Présenté comme une mise à l'épreuve du cadre typologique, le cas chinois relève aussi d'un examen critique d'un régime qui apparaît comme un modèle de régime « éclairé » pour la monarchie française. Montesquieu utilise les récits jésuites pour montrer comment la civilité joue un rôle essentiel dans le système chinois (*EL*, XIX, 16), et que l'ordre despotique a besoin de cet encadrement des comportements par les « manières » pour maintenir la tranquillité du peuple. Mais un régime où les manières tiennent lieu de lois est-il vraiment souhaitable ? L'enjeu porte aussi bien sur la nature du régime monarchique (car la Chine n'est peut-être pas le modèle que l'on croit, voir *EL*, XXIX, 18) que sur la religion comme phénomène social. On voit le rôle que peut jouer la religion dans l'ordre intérieur (*EL*, XIX, 19, et XXIV, 19) et comment elle peut offrir une résistance au tyran, alors même que l'empereur de Chine est également souverain pontife (*EL*, XXV, 8).

31. Montesquieu présente lui-même la Chine comme un « gouvernement mêlé, qui tient beaucoup au despotisme, par le pouvoir immense du prince ; un peu de la république, par la censure et une certaine vertu fondée sur l'amour et le respect paternel ; de la monarchie, par des lois fixes et des tribunaux réglés, par un certain honneur attaché à la fermeté et au péril de dire la vérité. Ces trois choses bien tempérées et des circonstances tirées du physique du climat l'ont fait subsister ; et, si la grandeur de l'empire en a fait un gouvernement despotique, c'est peut-être le meilleur de tous » (*Pensées*, n° 1880).

32. Ajout de 1757 (la première traduction française du *Voyage de l'amiral Anson* n'a paru qu'en 1749).

33. La compilation par le père Du Halde des lettres des pères jésuites en quatre volumes, parue sous le titre *Description de la Chine* (1735), vise à conforter l'image du modèle chinois et à lever les doutes que pouvait entraîner l'idéalisation du régime que l'on trouve dans les *Lettres édifiantes*. Montesquieu emprunte donc aux admirateurs du régime chinois les éléments qui permettent de nourrir les accusations contre lui. Il relève ce propos dans les *Geographica* (*OC*, t. XVI, p. 228) : « Le gouvernement chinois ne subsiste guère que par le bâton. »

34. Le récit de Lange, ingénieur suédois au service du tsar en Chine, permet à Montesquieu de donner à entendre un autre discours que l'éloge des jésuites. Voir *Geographica*, *OC*, t. XVI, p. 38-43.

35. Famille princière convertie à la religion chrétienne, dont le père jésuite Parrenin expose la résistance et la vertu dans sa lettre au père Du Halde du 26 septembre 1727. Voir *Geographica*, *OC*, t. XVI, p. 395.

36. Voir VIII, 10.

37. Sur l'empereur mandchou Cang-Hi, ou Kangxi (1662-1722), qui protégea longtemps les missionnaires, voir *Geographica*, *OC*, t. XVI, p. 263.

38. « Je suis persuadé que ce grand nombre de gens qu'il y a à la Chine ne vient que de ce que la plupart du peuple y vit de riz », *Pensées*, n° 906. Voir également, *Pensées*, n° 234, et *Geographica*, *OC*, t. XVI, p. 156.

39. Ce paragraphe est tiré des *Réflexions sur la monarchie universelle*, XXII, *OC*, t. II, p. 361-362. Voir *Spic.*, n° 483.

40. L'examen de la « nature des choses », aussi bien la situation climatique que l'ordre des mœurs, confirme ce premier jugement sur le gouvernement chinois : « Ainsi, malgré le climat de la Chine, où l'on est naturellement porté à l'obéissance servile, malgré les horreurs qui suivent la trop grande étendue d'un empire, les premiers législateurs de la Chine furent obligés de faire de très bonnes lois, et le gouvernement fut souvent obligé de les suivre » (*EL*, XVIII, 6).

41. Montesquieu relève également les institutions qui encouragent l'agriculture (*EL*, XIV, 8).

42. « Cet empire est formé sur l'idée du gouvernement d'une famille » (*EL*, XIX, 19). Les législateurs chinois ayant en vue la tranquillité de l'empire, pour inspirer la subordination propre à la maintenir, déploient le « respect des pères » (*Pensées*, n° 1792).

43. Cette conclusion nourrit les critiques de Quesnay dans le *Despotisme de la Chine* (1767) et de Voltaire dans *L'A, B, C, ou Dialogues entre A, B, C*, Premier entretien, et dans *Le Commentaire sur l'Esprit des lois* (1777), XXXIV ; voir *Mémoire de la critique*, p. 457-461, 471 et 519-520.

## III. UNE ENQUÊTE SUR LES SOCIÉTÉS HUMAINES

### Livre XIV

1. « Ce que j'en ai conclu c'est que ceux qui donnent des lois aux nations du monde doivent les donner assortissantes à ses mœurs et à ses caractères », ms 2506/1 (3) : f. 7r°, cité dans Catherine Volpilhac-Auger, *L'Atelier de Montesquieu. Manuscrits inédits de La Brède*, Naples, Liguori Editore, 2001, p. 156.

2. Abandonnant la conception humorale de la médecine se réclamant de Galien et d'Hippocrate, Montesquieu mobilise une théorie fibril-laire dans un cadre mécaniste, en s'inspirant, entre autres, de Giorgio Baglivi (1668-1706) et de Herman Boerhaave (1668-1738). Dans l'*Essai sur les causes*, le corps est machine, et l'ordre qui constitue l'état du corps dépend d'une mécanique des fibres et d'une dyna-mique des fluides. La fibre est un « tuyau » dont la contexture varie selon les endroits du corps ; les différents fluides viennent animer les fibres, en les remplissant ou les compressant. La qualité de l'air, mais aussi l'alimentation, joue sur le ressort des fibres : voir *Pensées*, n° 2091.

3. Le passage du physique au moral n'est pas direct : ce n'est pas la disposition des fibres qui induit une disposition morale, mais la per-ception (conscience de soi) des caractéristiques du corps qui consti-tue un état d'esprit.

4. L'examen physiologique porte sur la structure du corps, et la réflexion se situe au niveau des peuples et non des individus. Parlant des « causes physiques », Montesquieu précise : elles « deviennent moins arbitraires à mesure qu'elles ont un effet plus général. Ainsi nous savons mieux ce qui donne un certain caractère à une nation que ce qui donne un certain esprit à un particulier, ce qui modifie un sexe que ce qui affecte un homme, ce qui forme le génie des sociétés qui ont embrassé un genre de vie que celui d'une seule personne » (*Essai sur les causes*, Pléiade, t. II, p. 39 ; *OC*, t. IX, p. 219).

5. Elle s'est déroulée à la fois en Espagne et en Flandre (de 1702 à 1713), donc dans deux « climats » différents.

6. Les aliments se rapportent aussi à la qualité du terrain : « Voilà les esprits et les caractères véritablement soumis à la différence des terroirs » (*Essai sur les causes*, Pléiade, t. II ; p. 44 ; *OC*, t. IX, p. 234).

7. Le corps est tissage de fibres, et le modèle vibratoire permet d'inter-roger les variations et les formes que prend la sensibilité : « L'âme est, dans notre corps, comme une araignée dans sa toile. Celle-ci ne peut se remuer sans ébranler quelqu'un des fils qui sont étendus au loin, et, de même, on ne peut remuer un de ces fils sans la mouvoir » (*Essai sur les causes*, Pléiade, t. II, p. 49 ; *OC*, t. IX, p. 240).

8. Le rôle de l'imagination, qui se développe par la finesse de la sensibilité, est essentiel dans les formes que revêt la sensibilité au plaisir,
dont elle amplifie également en retour les effets. Le début de l'*Essai
sur le goût* rapporte également notre « manière d'être » à la « constitution » et à la « contexture » des organes de notre machine (voir
Pléiade, t. II, p. 1241 ; *OC*, t. IX, p. 489).

9. Il s'agit ici de la sensibilité morale, qui varie par degrés et se rapporte
à une variété de petites perceptions : « Comme le sentiment de l'esprit
est presque toujours un résultat de tous les différents mouvements
qui sont produits dans les divers organes de notre corps, les hommes
en qui la communication des mouvements est aisée peuvent avoir
plus de délicatesse dans le sentiment, plus de finesse dans l'esprit,
que ceux en qui elle est difficile » (*Essai sur les causes*, Pléiade, t. II,
p. 48 ; *OC*, t. IX, p. 240). Pour tous ces points, Montesquieu insiste,
dans la continuité de Malebranche, sur la qualité des fibres du cerveau. La délicatesse féminine s'accorde ainsi avec une grande flexibi-
lité fibrillaire. « On ne sait trop quelle disposition particulière du
cerveau est requise pour la vivacité de l'esprit, mais on peut conjectu-
rer quelque chose » (*Essai sur les causes*, Pléiade, t. II, p. 43 ; *OC*,
t. IX, p. 232).

10. Ces « mamelons » et « pyramides », qui seraient « organe du
goût », sont des termes que l'on retrouve dans les traités d'anatomie
qu'a consultés Montesquieu.

11. Montesquieu a écrit un *Essai d'observations sur l'histoire naturelle*
(1721), dans lequel il consigne des observations anatomiques et sur
la génération des plantes. Il ne distingue pas « observation » et
« expérience », mais son discours manifeste une pratique qui vise
leur reproductibilité.

12. La température affecte donc à la fois le système musculaire et le
système nerveux, mais pour des raisons inverses. L'état général du
corps est caractérisé à la fois par sa force (vigueur) et sa sensibilité,
ce qui conduit à distinguer les traits du « caractère de l'esprit » et
ceux des « passions du cœur ».

13. S'il n'y a pas de témoignage de Montesquieu sur les opéras anglais,
on trouve dans ses *Voyages* des notes sur le goût des Italiens pour
les castrats et l'opéra, qu'il a connus à Rome et à Florence ; voir
Pléiade, t. I, p. 657 et 678-679.

14. Plaisir et douleur ne sont donc pas considérés comme deux pôles
opposés : la sensibilité à l'un et à l'autre n'ont pas les mêmes conséquences sur l'ordre des mœurs ; si la première est un terrain favorable
à toutes sortes de vices relatifs à la morale privée, la seconde favorise
la crainte et la paresse, ce qui s'accorde avec une certaine docilité et
servilité politique.

15. « C'est de la différente constitution de la machine que naît la différente force des passions : dans un pays où l'amour est le plus grand

intérêt, la jalousie est la plus grande passion » (*Essai sur les causes*, Pléiade, t. II ; p. 40 ; *OC*, t. IX, p. 225).

16. La dimension sociale et culturelle, esquissée dans cette physiologie de l'amour, est déployée dans le livre XXIII, qui combine la perspective démographique (propre à l'économie politique) et juridique (lois sur le mariage et la famille). Le livre s'ouvre avec un extrait de l'hymne à Vénus de Lucrèce.

17. « La jalousie me semble nécessaire dans les pays chauds » (*Pensées*, n° 757). Montesquieu a esquissé une histoire de la jalousie, voir *Pensées*, n°s 483-509, 719, 757, 1622, 1630, 1726. Voir également, *EL*, XVI, 13.

18. Particulièrement la France, « cette nation changeante », soumise aux « caprices de la mode » (*LP*, 96 [99]).

19. S'il y a « de tels climats où le physique a une telle force que la morale n'y peut presque rien » (*EL*, XVI, 8), il en est d'autres où l'inverse est vrai. Même dans les pays non tempérés, les causes physiques n'ont d'effet qu'en jouant avec des causes morales qui renforcent ou modifient leur détermination.

20. Sur la « paresse naturelle », voir XIV, 6-8.

21. La servitude civile, domestique et politique : ces points sont examinés dans les livres XV, XVI et XVII.

22. Voir *EL*, XXIV, 21, et *LP*, 120 (125). Cette coutume avait vivement frappé tous les voyageurs occidentaux et nombre de philosophes au XVIIIe siècle.

23. Les questions relatives à l'éducation occupent toute la seconde partie de l'*Essai sur les causes*. « Lorsque, outre la disposition particulière du cerveau, rarement construit de manière à recevoir les idées dans une juste proportion, l'éducation est encore mauvaise, tout est perdu » (Pléiade, t. II, p. 56-57 ; *OC*, t. IX, p. 251-252).

24. « Quand vous instruisez une bête [...] vous frappez son cerveau par deux ou trois mouvements, et pas davantage » (*EL*, V, 14). Sur le dressage qui tient lieu d'éducation dans le despotisme, voir IV, 3.

25. « L'éducation [...] consiste à nous donner des idées, et la bonne éducation à les mettre en proportion. Le défaut d'idées produit la stupidité ; le peu d'harmonie des idées, la sottise ; l'extrême défaut d'harmonie, la folie » (*Essai sur les causes*, Pléiade, t. II, p. 57 ; *OC*, t. IX, p. 252).

26. Voir *LP*, 125 (131). Cette valorisation de la composante « barbare » de la nation française oppose Montesquieu à Voltaire et à beaucoup de ses contemporains.

27. Mais Tavernier dit aussi qu'ils auraient beaucoup de mal à s'accommoder à la vie sobre des Indiens : « À quoi il faut ajouter que la chaleur ferait mourir nos soldats » (*Voyage en Turquie, en Perse, et aux Indes*, Paris, 1676, t. II, p. 246).

28. Voir *Geographica*, *OC*, t. XVI, p. 332.

29. La doctrine de Foë engage à une vie trop contemplative (*EL*, XXIV, 11). Par ailleurs, le climat de l'Inde est « heureux » : il engendre des mœurs qui vont avec des lois douces (XIV, 15). Cet esprit des Indiens induit aussi un certain mode de commerce avec les Indes (*EL*, XXI, 1).

30. Panamanack : surnom donné à Brahma.

31. Foë : transcription du chinois *Fó*, qui désigne Bouddha. Pour le passage invoqué, voir *Geographica*, *OC*, t. XVI, p. 261.

32. « C'est particulièrement dans les ouvrages de Confucius qu'il faut puiser les maximes du gouvernement et de la morale des Chinois : il est en même temps leur philosophe et leur législateur, et l'on ne peut à la Chine parvenir à aucune dignité sans les avoir étudiés » (Étienne de Silhouette, *Idée générale du gouvernement et de la morale des Chinois tirée particulièrement des ouvrages de Confucius*, Paris, 1729, p. 1-2). Voir *Essai sur les causes*, Pléiade, t. II, p. 58 ; *OC*, t. IX, p. 254. Sur la Chine, voir VIII, 21, et XIX, 16.

33. Voir *LP*, 115 (119). « Les Chinois peuplent par religion, afin de donner aux ancêtres des gens qui puissent leur rendre un culte » (*Pensées*, n° 234). Montesquieu présente l'inconvénient de l'introduction du bouddhisme et du taoïsme en Chine (*Pensées*, n° 1544).

34. « Les causes morales forment plus le caractère général d'une nation et décident plus de la qualité de son esprit que les causes physiques » (*Essai sur les causes*, Pléiade, t. II, p. 60 ; *OC*, t. IX, p. 257). Voir XIX, 14, et *Pensées*, n° 2035.

35. « Les hommes, par leurs soins et par de bonnes lois, ont rendu la terre plus propre à être leur demeure » (*EL*, XVIII, 7). L'ensemble du livre XVIII est consacré à la « nature du terrain », et à l'examen de la façon dont les peuples assurent leur subsistance.

36. « Les fiefs restèrent à vie ou plutôt continuèrent à être donnés ou ôtés par la volonté capricieuse du prince. Bientôt l'esprit précaire détruisit dans l'Indolestan les villages, les paysans, les terres, et le rendit le plus grand désert du monde » (*Pensées*, n° 1730). À l'inverse, c'est cet esprit de propriété que l'on trouve en Chine (*Pensées*, n° 1839). Comme les régimes despotiques se caractérisent par l'absence du droit de propriété (tout appartient au despote), la Chine apparaît comme une exception, voir VIII, 21.

37. « Les hommes étant faits pour se conserver, pour se nourrir, pour se vêtir, et faire toutes les actions de la société, la religion ne doit pas leur donner une vie trop contemplative » (*EL*, XXIV, 11). Sur le monachisme et ses méfaits, voir *Pensées*, n°s 80 et 902.

38. Confronter à XV, 8.

39. Le « malheureux partage » (*EL*, XXIV, 5), division entre religion protestante (des peuples du nord) et catholique (des peuples du midi), n'est pas sans raison climatique, comme on le voit dans l'*Essai sur les causes* (Pléiade, t. II, p. 62 ; *OC*, t. IX, p. 259). Dans les *Lettres persanes*, Montesquieu expose les conséquences démographiques

liées aux préceptes de la religion catholique, les dangers sociaux du célibat des ecclésiastiques et de leur grand nombre ; voir *LP*, 113 (117).

40. *EL*, XIX, 8.

41. Voir *Romains*, XII, p. 101-102 ; *OC*, t. II, p. 181-182.

42. « Les Romains ne se tuaient que pour éviter un plus grand mal ; mais les Anglais se tuent sans autre raison que celle de leur chagrin. Les Romains devaient se tuer plus aisément que les Anglais, à cause d'une religion qui ne laissait presque aucun compte à rendre. Les Anglais sont riches, ils sont libres ; mais ils sont tourmentés par leur esprit. Ils sont dans le dégoût ou dans le dédain de tout. Ils sont réellement assez malheureux avec tant de sujets de ne l'être pas » (*Pensées*, n° 26 ; voir aussi n° 310).

43. Voir *Pensées*, n° 1890. Des lois peuvent punir pour des motifs différents, voir *EL*, XXIX, 9.

44. « Les lois sont furieuses en Europe contre ceux qui se tuent eux-mêmes ; on les fait mourir, pour ainsi dire, une seconde fois ; ils sont traînés indignement par les rues ; on les note d'infamie ; on confisque leurs biens. Il me paraît, Ibben, que ces lois sont bien injustes. Quand je suis accablé de douleur, de misère, de mépris, pourquoi veut-on m'empêcher de mettre fin à mes peines, et me priver cruellement d'un remède qui est en mes mains ? » (*LP*, 74 [76]). Voir *OC*, t. I, p. 336-337.

45. Cette note a été ajoutée dans l'édition posthume de 1757, pour donner satisfaction aux critiques d'inspiration religieuse (notamment les *Nouvelles ecclésiastiques* : voir *Mémoire de la critique*, p. 141) et permettre à Montesquieu de maintenir tel quel ce chapitre.

46. Voir *Essai sur les causes*, *OC*, t. IX, p. 236. Cette interprétation toute physique du suicide des Anglais par le *spleen* a scandalisé, voir *DEL*, I$^{re}$ partie, II, 10$^e$ objection, p. 432-434. Sur les maladies et les passions, voir *Pensées*, n° 2035.

47. « Le caractère des Anglais marqué dans tous les temps est une certaine impatience que le climat leur donne, et qui ne leur permet ni d'agir longtemps de la même manière, ni de souffrir longtemps les mêmes choses : caractère qui n'est point grand en lui-même, mais qui peut le devenir beaucoup, lorsqu'il n'est point mêlé avec de la faiblesse, mais avec ce courage que donne le climat, la liberté et les lois » (*Pensées*, n° 889).

48. Voir XI, 6, et XIX, 27.

49. « Comme on voit un fleuve miner lentement et sans bruit les digues qu'on lui oppose, et, enfin, les renverser dans un moment et couvrir les campagnes qu'elles conservaient, ainsi la puissance souveraine sous Auguste agit insensiblement et renversa sous Tibère avec violence » (*Romains*, XIV, p. 111 ; *OC*, t. II, p. 193). « La liberté ne s'obtient que par des coups d'éclat, mais se perd par une force insensible » (*Pensées*, n° 577).

50. « Il n'y a point de plus cruelle tyrannie que celle que l'on exerce à l'ombre des lois » ; « il n'est jamais arrivé qu'un tyran ait manqué d'instruments de sa tyrannie », *Romains*, XIV, p. 111-112.

51. « Les lois tyrannisent le Japon » (*Pensées*, n° 854). Sur l'excès des peines au Japon, voir VI, 13. Ce despotisme sert de repoussoir pour promouvoir une modération des peines et une action insensible du législateur. Dans un relevé qu'il effectue sur l'*Histoire du Japon* (Londres, 1727) de Kæmpfer, Montesquieu note : « Je remarque aussi que, moins une religion est réprimante, plus il faut que les lois civiles soient sévères, car la religion des shintos n'ayant presque point de dogme ni d'enfer, il a fallu que les lois y suppléassent. Aussi n'y a-t-il point de pays où les lois soient si sévères qu'au Japon, ni si ponctuellement exécutées » (*Spic.*, n° 517).

52. Voir *Geographica*, *OC*, t. XVI, p. 339.

53. Montesquieu a été obligé de revenir sur la formulation initiale (« C'est peut-être ce qui a fait dire à Diodore, qu'aux Indes il n'y avait ni maître ni esclave »), qui lui avait été reprochée par la critique janséniste des *Nouvelles ecclésiastiques* (*Mémoire de la critique*, p. 141), mais il ne cède rien sur le fond. Il relève d'autres passages de Diodore qui vont dans son sens (*Pensées*, n° 1882).

54. Voir *Geographica*, *OC*, t. XVI, p. 385.

55. Voir *ibid.*, p. 367.

## Livre XIX

1. Machiavel note qu'il est difficile qu'un peuple accoutumé à vivre sous l'autorité d'un prince puisse conserver sa liberté, si par hasard il devient libre. Il compare alors le peuple à une « bête brute », dressée par la servitude et incapable d'aller par elle-même, qui retombe sous le joug d'un nouveau maître. Voir *Discours sur la première décade de Tite-Live*, I, XVI.

2. Une des premières formulations pouvant renvoyer à l'idée d'esprit général sert à mettre en évidence un « esprit d'obéissance » qui dispense les princes d'être habiles, puisqu'il « gouverne pour eux » (*De la politique*, Pléiade, t. I, p. 114 ; *OC*, t. VIII, p. 515).

3. À confronter à ce rire des Goths : « La raison qui fit établir aux Goths, qui envahirent l'Empire romain le gouvernement républicain, c'est qu'ils n'en connaissaient point l'idée d'un autre, et, si, par hasard, un prince s'était avisé, dans ces temps-là, de parler d'autorité sans borne et de puissance despotique, il aurait fait rire toute son armée, et on l'aurait regardé comme un insensé » (*Pensées*, n° 699).

4. Quintilius Varus avait voulu changer les mœurs des Germains et leur avait imposé la « chicane » judiciaire. La citation de Montesquieu rapporte les supplices que les Germains révoltés font subir aux juristes qui accompagnent Varus, lors du massacre des légions romaines à Teutobourg (Florus, *Abrégé de l'histoire romaine*, IV, 12).

5. Le roi grec exhorte ses soldats à chasser les Romains de l'Asie.

6. *Calumnias litium* : « procès intentés par chicane ».

7. « Son abord facile et son humeur prévenante, qualités ignorées des Parthes, n'étaient pour eux que des vices nouveaux » (*Annales*, II, 2). Il est question, dans cette citation, de Vonon, le plus âgé des enfants de Phraatès IV, qu'Auguste avait reçu à Rome en otage, et que les Parthes réclamèrent pour régler la succession.

8. Le royaume de Pegu (du nom de sa capitale) se trouve en Birmanie. Le paragraphe reprend fidèlement le récit de la réaction du roi lorsque le joaillier vénitien lui rapporte que sa cité est gouvernée par un « conseil des principaux et par le peuple ».

9. Auguste, « rusé tyran », refuse également le titre de « dictateur ». Voir *Romains*, XIII, p. 106-107.

10. Du point de vue des Romains (et déjà des Grecs), peuples non libres, dominés par des rois et non gouvernés par la loi.

11. « Il y a dans chaque nation un esprit général, sur lequel la puissance même est fondée ; quand elle choque cet esprit, elle se choque elle-même, et elle s'arrête nécessairement » (*Romains*, XXII, p. 178 ; *OC*, t. II, p. 277). Montesquieu a donné antérieurement des énumérations légèrement différentes de ce qui constitue l'esprit général ; voir *Pensées*, n[os] 542 et 854.

12. Dans le livre XVIII, Montesquieu examine les rapports des lois avec la nature du terrain et distingue les peuples sauvages, petites nations dispersées vivant de la chasse, des barbares, peuples pasteurs (*EL*, XVIII, 11). Dans l'*Essai sur les causes*, les sauvages de l'Amérique servent à montrer comment le défaut d'exercice des esprits les rend incapables de s'instruire : cette grossièreté des esprits s'accorde avec l'image d'hommes formés par le climat ; Pléiade, t. II, p. 53 ; *OC*, t. IX, p. 247.

13. « Les manières, les mœurs, les lois, la religion y étant la même chose, on ne peut changer tout cela à la fois » (*EL*, XIX, 18). L'exemple chinois occupe une place importante dans le livre XIX, 16-20.

14. Voir VI, 13 ; XIV, 21.

15. Voir *EL*, IV, 6, et V, 7.

16. « Plusieurs exemples reçus dans la nation en formèrent l'esprit général et firent les mœurs, qui règnent aussi impérieusement que les lois » (*Romains*, XXI, p. 167 ; *OC*, t. II, p. 263).

17. La France.

18. Voir IV, 2.

19. Le « duel » apparaît pour les nobles français comme la seule façon de régler les questions d'honneur. Voir *LP*, 88 (90) ; *EL*, XVIII, 20 ; *EL*, XXVIII, 17.

20. Rica montre dans les *Lettres persanes* l'importance de la société des femmes en France : « Ce badinage, naturellement fait pour les toilettes, semble être parvenu à former le caractère général de la

nation » (*LP*, 61 [63]). Il oppose explicitement l'esprit de leurs discussions à l'enfermement qui règne dans le sérail. Voir *EL*, XVI.

21. Si le luxe est « singulièrement propre aux monarchies » (*EL*, VII, 4), il se rapporte aussi à la condition des femmes nobles : « Les femmes ont peu de retenue dans les monarchies, parce que la distinction des rangs les appelant à la cour, elles y vont prendre cet esprit de liberté qui est à peu près le seul qu'on y tolère. Chacun se sert de leurs agréments et de leurs passions pour avancer sa fortune ; et comme leur faiblesse ne leur permet pas l'orgueil, mais la vanité, le luxe y règne toujours avec elles » (*EL*, VII, 9).

22. Dans les *Lettres persanes*, Montesquieu vante les bienfaits de l'« intérêt » et du luxe : « Paris est peut-être la ville du monde la plus sensuelle, et où l'on raffine le plus sur les plaisirs ; mais c'est peut-être celle où l'on mène une vie plus dure. Pour qu'un homme vive délicieusement, il faut que cent autres travaillent sans relâche. Une femme s'est mise dans la tête qu'elle devait paraître à une assemblée avec une certaine parure ; il faut que, dès ce moment, cinquante artisans ne dorment plus et n'aient plus le loisir de boire et de manger : elle commande, et elle est obéie plus promptement que ne le serait un monarque, parce que l'intérêt est le plus grand monarque de la Terre » (*LP*, 103 [106]). Voir, XIX, 8.

23. Voir IV, 2.

24. Voir *Réflexions sur la monarchie universelle*, VII ; *OC*, t. II, p. 345-346.

25. Voir XVI, 11.

26. Si l'esprit « a plus de rapport à un certain plaisir délicat des gens du monde, il se nomme goût » (*Essai sur le goût*, Pléiade, t. II, p. 1243 ; *OC*, t. IX, p. 491). Voir IV, 2.

27. La corruption des mœurs semble caractériser, en Occident, « nos temps modernes » (*EL*, IV, 6 ; *Pensées*, n° 737). Montesquieu présente le « changement des mœurs » arrivé en France et la corruption des femmes, liée à la vie en société (*Pensées*, n° 1272).

28. Voir *LP*, 96 (99).

29. Sur la frivolité des Français, voir *LP*, 97 (100).

30. Mandeville, dans la *Fable des abeilles* (1714 ; édition augmentée en 1723, trad. fr. en 1740), vante les bienfaits sociaux du luxe et de la vanité. Dénonçant la fausseté morale des valeurs nobles, il montre comment les intérêts particuliers s'harmonisent. Voir *Pensées*, n° 1553. « L'effet du commerce sont les richesses ; la suite des richesses, le luxe ; celle du luxe, la perfection des arts » (*EL*, XXI, 6).

31. « L'orgueil d'un Espagnol le portera à ne pas travailler [...]. Toute nation paresseuse est grave ; car ceux qui ne travaillent pas se regardent comme souverains de ceux qui travaillent » (*EL*, XIX, 9).

32. « Il faut que l'Espagne périsse, parce qu'elle est composée de trop d'honnêtes gens. La probité des Espagnols a transporté tout le commerce aux étrangers, qui n'y auraient point pris de part s'ils n'avaient

point trouvé des gens à qui ils pouvaient donner une confiance sans bornes. Si, d'un côté, la vertu perd les Espagnols, l'honneur, qui les fait rougir du commerce et de l'industrie, ne les perd pas moins » (*Pensées*, n° 323). Voir également *Pensées*, n^os 169, 170, 262, 264, 1979, et *Spic.*, n° 467.

33. Voir *Spic.*, n° 517.

34. Dans l'avertissement, Montesquieu distingue également la « vertu politique », dont il parle dans l'ouvrage, de la « vertu morale ». Il reprend à Mandeville l'idée que les vices privés peuvent faire les vertus publiques, et que la gloire peut être une fiction nécessaire à l'intérêt public (III, 5).

35. Voir *Geographica*, *OC*, t. XVI, p. 233.

36. Voir V, 14.

37. Le cas chinois confirme cette analyse. Les « rites » sont nécessaires au bon gouvernement (XIX, 16), mais certains princes qui, « au lieu de gouverner par les rites, gouvernèrent par la force des supplices, voulurent faire faire aux supplices ce qui n'est pas dans leur pouvoir, qui est de donner des mœurs. Les supplices retrancheront bien de la société un citoyen qui, ayant perdu ses mœurs, viole les lois ; mais si tout le monde a perdu ses mœurs, les rétabliront-ils ? Les supplices arrêteront bien plusieurs conséquences du mal général, mais ils ne corrigeront pas ce mal. Aussi, quand on abandonna les principes du gouvernement chinois, quand la morale fut perdue, l'État tomba-t-il dans l'anarchie, et l'on vit des révolutions » (*EL*, XIX, 17).

38. Voir XIX, 8.

39. Pour la distinction, voir XIX, 16.

40. Voir livre XVI.

41. Voir *LP*, 61 (63).

42. Voir la France, « cette nation changeante » : « Il en est des manières et de la façon de vivre comme des modes : les Français changent de mœurs selon l'âge de leur roi » (*LP*, 96 [99]).

43. Voir XIX, 12, § 2.

44. Voir XIX, 3.

45. Voir XI, 2. John Perry évoque dans l'*État présent de la grande Russie* (trad. fr., Paris, 1718, p. 237-238) l'attachement des Russes à leur barbe et la taxe mise en place par le tsar pour ceux qui désireraient la conserver. Le port de la barbe était une marque de foi religieuse pour les Russes orthodoxes. Nargum, envoyé de Perse en Moscovie, note également que Pierre I^er « a eu de grands démêlés avec eux au sujet de leur barbe » (*LP*, 49 [51]).

46. Pierre I^er (1672-1725) est présenté comme le « plus barbare de tous les hommes » (*Spic.*, n° 551), brute ivre et sans « aucune religion » (*Spic.*, n° 553). Son dessein réformateur ne laisse pas Montesquieu indifférent, surtout lorsque Pierre le Grand affronte le clergé et les moines ignorants ; voir *LP*, 49 (51), et *Romains*, XXII, p. 172.

47. Pour abolir cette manière de s'habiller en robe longue, Pierre I$^{er}$ ordonna que l'on mette aux portes de Moscou un modèle d'habit à l'anglaise. Ceux qui passaient en robe longue étaient obligés de payer une taxe ou de « se mettre à genoux aux portes de la ville, et de souffrir qu'on leur coupât tout ce qui toucherait à terre » (*État présent de la grande Russie*, *op. cit.*, p. 239).

48. Voir livre VI.

49. Voir V, 14. Pierre I$^{er}$ « excusait ses cruautés sur ce que sa nation était faite pour être traitée ainsi, mais les hommes se ressemblent partout. Ils ne sont pas ici des bêtes, là les anges. C'est la faute du législateur s'ils ne valent pas mieux » (*Spic.*, n° 551).

50. « Les femmes aussi, particulièrement les dames de la cour, eurent l'ordre de s'habiller à l'anglaise. Elles obéirent à cet ordre d'autant plus volontiers et plus promptement, qu'elles obtenaient par ce même ordre une liberté qu'elles n'avaient jamais eue auparavant » (John Perry, *État présent de la grande Russie*, *op. cit.*, p. 240). Le tsar ordonne effectivement la participation commune aux fêtes des hommes et des femmes, et modifie la pratique du mariage.

51. Cette formule suscita les objections les plus virulentes (voir notre notice introductive au livre XIV). Montesquieu n'indique pas une primauté d'influence, mais simplement une antériorité chronologique ; les causes morales se combinent aux causes physiques : « La nature agit toujours ; mais elle est accablée par les mœurs » (*Pensées*, n° 1296).

52. Voir *Romains*, XI, p. 95 ; *OC*, t. II, p. 173.

53. « Les mœurs contribuent encore plus au bonheur d'un peuple que les lois » (*Pensées*, n° 32). Incitant par l'exemple plutôt que contraignant par la sanction, le « législateur sage » sait agir « d'une manière sourde et insensible » (VI, 13). Voir l'exemple de Saint Louis : « Inviter, quand il ne faut pas contraindre ; conduire, quand il ne faut pas commander ; c'est l'habileté suprême » (*EL*, XXVIII, 38).

54. « Dans cet État [l'Angleterre], les peines seront modérées, parce que toute peine qui ne dérive point de la nécessité est tyrannique. La loi n'est pas un pur acte de puissance. Toute loi inutile est une loi tyrannique : comme celle qui obligeait les Moscovites à se faire couper la barbe. Les choses indifférentes par leur nature ne sont pas du ressort de la loi. Comme les hommes aiment passionnément à suivre leur volonté, la loi qui les gêne est tyrannique, parce qu'elle gêne le bonheur public » (*Pensées*, n° 815).

55. Ainsi, Montesquieu s'efforce de faire « sentir le rapport que peuvent avoir, avec la constitution fondamentale de la Chine, les choses qui paraissent les plus indifférentes ». Il rapporte ces éléments et conclut : « Retranchez une de ces pratiques, et vous ébranlez l'État » (*EL*, XIX, 19).

56. Cette servitude ne prend pas la même forme en Moscovie qu'en Perse. Voir le mot d'une femme moscovite qui se plaint de ne pas être battue par son mari (*LP*, 49 [51]).

57. Voir *EL*, VII, 9.

58. « Les législateurs de la Chine firent plus, ils confondirent la religion, les lois, les mœurs et les manières : tout cela fut la morale, tout cela fut la vertu. Les préceptes qui regardaient ces quatre points furent ce que l'on appela les rites » (*EL*, XIX, 17).

59. Voir VIII, 21, et *EL*, XXIX, 18.

60. « Les manières gouvernent les Chinois » (*Pensées*, n° 854).

61. Voir *Pensées*, nos 1248 et 1911.

62. Voir *Geographica*, *OC*, t. XVI, p. 223.

63. « Il conserva tout ce qui lui parut supportable ; il ne voulut pas trancher dans le vif et appliquer mal à propos des remèdes violents, de peur qu'après avoir changé et bouleversé toute la ville, il n'eût pas assez de force pour la rétablir et lui donner une meilleure forme de gouvernement. Il ne se permit que les changements qu'il crut pouvoir faire adopter par persuasion, ou recevoir d'autorité, en unissant, comme il le disait lui-même, la force à la justice. On lui demanda quelque temps après s'il avait donné aux Athéniens les lois les meilleures. "Oui, répondit-il, les meilleures qu'ils pussent recevoir" » (Plutarque, *Vie de Solon*, 15).

64. Citation d'Ézéchiel, XX, 25. Voir *EL*, XXVI, 2.

65. La tradition donne Moïse pour auteur du Pentateuque et pour le législateur qui, sur le mont Sinaï, reçut de Dieu les lois qu'il transmit au peuple juif. La « critique biblique » porte à la fois sur l'attribution du Pentateuque, la personnalité de Moïse et la teneur de son discours (voir par exemple la critique voltairienne : les articles « Apocryphes » et « Moïse » du *Dictionnaire philosophique*). Une question centrale est de savoir si les prétendus textes sacrés, sur lesquels se fondent les religions, ne sont pas simplement des œuvres humaines. Le principe de convenance énoncé par Solon permet de lever (d'oublier, de « passer l'éponge sur ») cette difficulté : un Dieu législateur aurait soin d'adapter ses lois aux mœurs du peuple auquel il s'adresse.

66. Après avoir examiné comment « les lois suivent les mœurs », Montesquieu se propose dans ce dernier chapitre de voir « comment les mœurs suivent les lois » (*EL*, XIX, 26). Les Anglais se distinguent en effet par leur attachement à leur lois : « La nation anglaise n'a guère de manières, ni même de mœurs, qui lui soient propres. Elle n'a, tout au plus, qu'un respect éclairé pour la religion. Elle est prodigieusement attachée à des lois qui lui sont particulières ; et ces lois doivent avoir une force infinie quand elles choquent ou favorisent le climat » (*Pensées*, n° 854).

67. L'Angleterre envisagée à travers les mœurs de son peuple incarne ainsi un régime républicain des libertés, où la liberté politique, la liberté religieuse et la liberté de commerce sont liées. « C'est le peuple du monde qui a le mieux su se prévaloir à la fois de ces trois grandes choses : la religion, le commerce et la liberté » (*EL*, XX, 7). Faut-il s'étonner dès lors que le cas anglais soit présenté à la fin du

livre XIX, juste avant les parties concernant le commerce et la religion ?

68. Les chapitres 12 et 13 du livre XIV, qui articulent l'examen de la « machine » des Anglais et leur sensibilité, font aussi le lien entre XI, 6, et XIX, 27.

69. XI, 6, § 14.

70. Ce jeu des passions s'accorde avec la dynamique des corps politiques présentée en XI, 6.

71. Les *tories*, partisans du pouvoir royal, et les *whigs*, partisans d'un Parlement fort, qui jouèrent un rôle important dans la révolution de 1688. Proche de la dynastie détrônée des Stuarts, le parti *tory* devient suspect à George I$^{er}$ de Hanovre, qui préfère s'appuyer sur les *whigs* lorsqu'il arrive au pouvoir en 1714.

72. Les changements de majorité mettent le roi dans la nécessité de choisir des ministres dans le parti qui était auparavant minoritaire.

73. XI, 6, § 28. Voir également II, 2.

74. Voir *Pensées*, n° 1924.

75. Voir V, 1, et *EL*, XI, 13.

76. Les lois fondamentales sont celles qui suivent directement la nature du gouvernement (II, 1).

77. Allusion à la Glorieuse Révolution de 1688, au cours de laquelle les intellectuels *whigs* décident d'appeler à l'aide les Hollandais et les réfugiés huguenots français en Hollande pour se débarrasser du dernier représentant de la dynastie catholique Stuart, Jacques II. Guillaume III, prince d'Orange, accède au trône ; en contrepartie, il doit contresigner, en février 1689, la Déclaration des droits (*Bill of Rights*) qui inscrit dans la loi les acquis constitutionnels du XVII$^e$ siècle.

78. « Tous les peuples d'Europe ne sont pas également soumis à leurs princes : par exemple, l'humeur impatiente des Anglais ne laisse guère à leur roi le temps d'appesantir son autorité ; la soumission et l'obéissance sont les vertus dont ils se piquent le moins » (*LP*, 101 [104]).

79. « En Angleterre, comme on voit, une liberté effrénée dans les papiers [les *political papers*, pamphlets politiques], on croit d'abord que le peuple va se révolter ; mais là, comme ailleurs, le peuple est mécontent des ministres, et l'on y écrit ce que l'on pense ailleurs » (*Pensées*, n° 814 ; une version voisine figure dans les *Notes sur l'Angleterre*, Pléiade, t. I, p. 878). Le manuscrit contient un paragraphe supplémentaire : « Là ceux qui écriraient contre la puissance exécutrice ne s'embarrasseraient pas de savoir si elle serait offensée, mais ils consulteraient des avocats pour savoir si l'offense serait au nombre de celles que la loi punit. » Montesquieu donne l'exemple du *Craftsman*, dirigé par Bolingbroke, pour illustrer à la fois cette liberté d'expression et cet attachement aux lois : « On le fait conseiller par

trois avocats avant de l'imprimer, pour savoir s'il y a quelque chose qui blesse la loi » (*Notes sur l'Angleterre*, Pléiade, t. I, p. 876).

80. « Règle générale : on peut lever des tributs plus forts, à proportion de la liberté des sujets ; et l'on est forcé de les modérer à mesure que la servitude augmente. [...] Il y a dans les États modérés un dédommagement pour la pesanteur des tributs : c'est la liberté. Il y a dans les États despotiques un équivalent pour la liberté : c'est la modicité des tributs » (*EL*, XIII, 12).

81. Voir *EL*, XXII, 17.

82. Si, après la guerre de Cent Ans, l'Angleterre n'a plus en vue de conquérir des territoires continentaux, elle constitue cependant des colonies.

83. Les constitutions des colonies anglaises imitent la constitution métropolitaine ; c'est l'inverse de l'Empire romain (*EL*, XI, 19).

84. Montesquieu fait cette remarque sur les colonies anglaises d'Amérique : « Je ne sais ce qui arrivera de tant d'habitants que l'on envoie d'Europe et d'Afrique dans les Indes occidentales ; mais je crois que si quelque nation est abandonnée de ses colonies, cela commencera par l'Angleterre » (*Notes sur l'Angleterre*, Pléiade, t. I, p. 883).

85. Dans son histoire du commerce, Montesquieu rapproche « cet empire de la mer qu'eut Athènes » avec la situation anglaise (*EL*, XXI, 7).

86. Voir *Pensées*, n° 901.

87. Peut-être une allusion aux traités d'Utrecht (1713) après lesquels Bolingbroke, négociateur au nom de l'Angleterre, fut poursuivi.

88. Tant que le Parlement n'était pas assez puissant pour s'opposer à l'absolutisme royal, sous les Tudors notamment.

89. « Point de religion en Angleterre ; quatre ou cinq de la chambre des Communes vont à la messe ou au sermon de la chambre, excepté dans les grandes occasions, où l'on arrive de bonne heure. Si quelqu'un parle de religion, tout le monde se met à rire » (*Notes sur l'Angleterre*, Pléiade, t. I, p. 883).

90. L'Église anglicane cohabite de fait avec d'autres courants : presbytériens, congrégationalistes, baptistes ou quakers.

91. L'analyse du cas anglais permet d'intégrer la question des athées et des catholiques. Ce sont les deux limites à la tolérance défendue par Locke dans la *Lettre sur la tolérance* (1689) : il exclut en effet les athées parce que l'on ne saurait accorder de confiance aux serments qu'ils prêtent (destruction de la promesse au fondement de tout contrat), et il exclut également les catholiques soumis à Rome, car on ne peut être assuré de leur loyauté à l'égard de la nation.

92. Si les athées sont favorables à la liberté religieuse, c'est que celle-ci, dans le cas anglais, est *inséparable* des autres libertés civiles.

93. La religion catholique, à laquelle Jacques II s'était converti. Avant même de devenir roi, il annonce qu'il veut rétablir le catholicisme et gouverner sans le Parlement. En 1687, par la Déclaration d'indul-

gence, il accorde la liberté de culte aux sectes dissidentes et aux catholiques. Par ce moyen, il cherche à se rallier tous les non-conformistes pour isoler l'Église anglicane et le Parlement.

94. Le *Test Act* de 1673 exclut pratiquement les catholiques de toutes les fonctions d'État. Si Montesquieu prend acte de l'interdiction faite aux catholiques, dans l'esprit de la tolérance lockéenne, il souligne une certaine modération des peines à leur égard : les lois et la liberté anglaises peuvent bien être répressives, mais elles n'ont rien à voir avec les institutions sanguinaires de l'Espagne et du Portugal (voir *EL*, XXV, 13).

95. Ainsi, le clergé anglican ne forme pas dans la nation un ordre à part.

96. Allusion probable à Samuel Clarke (1675-1729), chapelain de l'évêque de Norwich, puis de la reine Anne, recteur de Saint James, auteur de *Traités de l'existence et des attributs de Dieu* (1705).

97. Voir *Pensées*, n° 767. « L'argent est ici souverainement estimé ; l'honneur et la vertu peu » (*Notes sur l'Angleterre*, Pléiade, t. I, p. 878).

98. Voir IV, 2. « Les Anglais font peu de politesses, mais jamais d'impolitesses » (*Notes sur l'Angleterre*, Pléiade, t. I, p. 883).

99. « Les Anglais sont occupés ; ils n'ont pas le temps d'être polis » (*Pensées*, n° 780). « Il faut faire comme eux, vivre pour soi, ne se soucier de personne, n'aimer personne » (*Notes sur l'Angleterre*, Pléiade, t. I, p. 877).

100. Voir XIV, 13.

101. Allusion à William Petty, *Essais d'arithmétique politique* (1682). Principalement axé sur la prospective démographique, la méthode élaborée doit permettre d'éclairer les gouvernants sur les événements « complexes et embrouillés du monde ».

102. Voir IV, 3.

103. « Les Anglais se tuent au moindre revers, parce qu'ils sont accoutumés au bonheur. Les gens malheureux conservent leur vie, parce qu'ils sont accoutumés aux malheurs » (*Pensées*, n° 1570).

104. L'existence même d'écrits satiriques est le signe d'une vitalité du régime ; voir XII, 13. Ces deux poètes latins correspondent à deux formes de l'écrit satirique : Horace est un modèle d'humour léger, mêlant exagération et autodérision ; Juvénal déploie ironie et sarcasme. On pourrait trouver cet esprit chez des auteurs comme John Dryden (1631-1700), Alexander Pope (1688-1744) ou Jonathan Swift (1667-1745).

105. Montesquieu peut ici faire allusion à des auteurs comme Edward Hyde de Clarendon (1609-1674), *Histoire de la rébellion, depuis 1641 jusqu'au rétablissement de Charles II* (posth., 1704-1709). « Ce sont ici les historiens d'Angleterre, où l'on voit la liberté sortir sans cesse des feux de la discorde et de la sédition ; le prince toujours chancelant sur un trône inébranlable ; une nation impatiente, sage dans sa

fureur même, et qui, maîtresse des mers (chose inouïe jusqu'alors), mêle le commerce avec l'empire » (*LP*, 130 [136]).
106. Montesquieu peut penser au poète John Milton (1608-1674). Pour une comparaison des poètes et des peintres, voir *Pensées*, n^os 1198 et 1215.

# IV. LA LIBERTÉ

## Livre XI

1. Pour cette distinction, voir XII, 1.
2. « Ce mot de *liberté* dans la politique ne signifie pas, à beaucoup près, ce que les orateurs et les poètes lui font signifier. Ce mot n'exprime proprement qu'un rapport et ne peut servir à distinguer les différentes sortes de gouvernements : car l'état populaire est la liberté des personnes pauvres et faibles et la servitude des personnes riches et puissantes ; et la monarchie est la liberté des grands et la servitude des petits » (*Pensées*, n° 884).
3. *Lettres à Atticus*, VI, 1.
4. Voir XIX, 14, et note 45, p. 348.
5. « Les Cappadociens envoyèrent à Rome, pour déclarer que la liberté leur serait insupportable, et pour demander un roi. On dut être étonné d'un tel goût, qui préférait la servitude à la liberté. Mais il est des peuples à qui le gouvernement monarchique convient beaucoup mieux que le gouvernement républicain, et l'on en trouve peu qui soient capables d'user d'une pleine et entière liberté » (Charles Rollin, *Histoire ancienne des Égyptiens, des Carthaginois, des Assyriens, des Babyloniens, des Mèdes et des Perses, des Macédoniens, des Grecs*, Paris, 1735, t. IX, p. 602).
6. Aristote relève ces points dans l'analyse des causes de la corruption de la démocratie, *Politiques*, V, 9, 1310a, 30. Pour la critique (très ironique) de la liberté républicaine, voir Hobbes, *Léviathan*, XXI ; *Du citoyen*, II, X, 7.
7. « La liberté consiste principalement à ne pouvoir être forcé à faire une chose que la loi n'ordonne pas ; et on n'est dans cet état que parce qu'on est gouverné par des lois civiles » (*EL*, XXVI, 20).
8. Dans le fragment intitulé « De la liberté politique », Montesquieu note : « Un peuple libre n'est pas celui qui a telle ou telle forme de gouvernement ; c'est celui qui jouit de la forme de gouvernement établi par la loi, et il ne faut pas douter que les Turcs ne se crussent esclaves s'ils étaient soumis par la république de Venise, et que les peuples des Indes ne regardent comme une cruelle servitude d'être gouvernés par la compagnie de Hollande. De là, il faut conclure que la liberté politique concerne les monarchies modérées comme les

républiques, et n'est pas plus éloignée du trône que d'un sénat ; et tout homme est libre qui a un juste sujet de croire que la fureur d'un seul ou de plusieurs ne lui ôteront pas la vie ou la propriété de ses biens » (*Pensées*, n° 884).

9. Voir VIII, 8.

10. « Le gouvernement de Rome fut admirable en ce que, depuis sa naissance, sa constitution se trouva telle, soit par l'esprit du peuple, la force du sénat, ou l'autorité de certains magistrats, que tout abus du pouvoir y pût toujours être corrigé » (*Romains*, VIII, p. 78 ; *OC*, t. II, p. 152).

11. « La république fut opprimée, et il n'en faut pas accuser l'ambition de quelques particuliers ; il en faut accuser l'homme, toujours plus avide du pouvoir à mesure qu'il en a davantage, et qui ne désire tout que parce qu'il possède beaucoup » (*Romains*, XI, p. 94 ; *OC*, t. II, p. 172). Voir *Spic.*, n° 525.

12. Pour Locke, « là où il n'y a pas de loi, il n'y a pas de liberté. Car la liberté consiste à être délivré de la contrainte et de la violence exercées par autrui, ce qui ne peut être lorsqu'il n'y a point de loi ; mais la liberté n'est pas ce que l'on nous dit, à savoir une liberté pour tout homme de faire ce qu'il lui plaît (car qui peut être libre quand n'importe quel homme peut nous imposer ses humeurs ?). Mais c'est une liberté de disposer et d'ordonner comme on l'entend sa personne, ses actions, ses biens et l'ensemble de sa propriété, dans les limites de ce qui est permis par les lois auxquelles on est soumis ; et, dans ces limites, de ne pas être assujetti à la volonté arbitraire de quiconque, mais de suivre librement sa propre volonté » (*Second Traité du gouvernement civil*, VI, § 57, trad. fr. J.-F. Spitz, PUF, 1994, p. 42 ; désormais, toutes les références au traité de Locke renvoient à cette édition).

13. « Rome était faite pour s'agrandir, et ses lois étaient admirables pour cela » (*Romains*, IX, p. 83 ; *OC*, t. II, p. 158). Voir *EL*, XI, 19.

14. « Lacédémone [Sparte] avait conservé sa puissance, c'est-à-dire cet esprit belliqueux que lui donnaient les institutions de Lycurgue » (*Romains*, V, p. 53 ; *OC*, t. II, p. 122).

15. Voir XIX, 21.

16. *EL*, XX, 4-5.

17. *EL*, XXI, 7.

18. *EL*, XVIII, 11 et 14.

19. Voir II, 5.

20. Voir III, 5.

21. « Les législateurs de la Chine eurent pour principal objet du gouvernement la tranquilité de l'empire » (*EL*, XIX, 19).

22. Droit de veto. La diète polonaise (en polonais *Sejm*) devait décider à l'unanimité. Le veto d'un seul de ses membres la réduisait à la paralysie, ce qui participa au long déclin du pays soumis à de nom-

breuses invasions au cours du siècle (suédoises, russes, turques, prussiennes).

23. « L'Angleterre est à présent le plus libre pays qui soit au monde, je n'en excepte aucune république ; j'appelle libre, parce que le prince n'a le pouvoir de faire aucun tort imaginable à qui que ce soit, par la raison que son pouvoir est contrôlé et borné par un acte ; mais si la chambre basse devenait maîtresse, son pouvoir serait illimité et dangereux, parce qu'elle aurait en même temps la puissance exécutive ; au lieu qu'à présent le pouvoir illimité est dans le parlement et le roi, et la puissance exécutive dans le roi, dont le pouvoir est borné. Il faut donc qu'un bon Anglais cherche à défendre la liberté également contre les attentats de la couronne et ceux de la chambre » (*Notes sur l'Angleterre*, Pléiade, t. I, p. 884). L'*acte* auquel il est fait allusion renvoie au *Bill of Rights* de 1689 et à l'*Act of Settlement* de 1714, qui définissent, à la suite du détrônement de Jacques II, les grandes lignes du *Revolution Settlement*. Selon ces lois, le pouvoir législatif est détenu par « the King in Parliament » : le roi a le droit de donner ou de refuser son consentement aux projets de loi, mais non celui de légiférer par ordonnance ; il détient seul le pouvoir exécutif.

24. Voir la fin de XI, 6.

25. Le titre de ce chapitre a connu de nombreuses modifications avant que Montesquieu retienne la formulation la plus simple. On trouve, entre autres : « Des principes de la liberté politique, comment on les trouve dans la constitution d'Angleterre » ; voir *OC*, t. III, p. 228. « Qu'elle est donc la constitution d'Angleterre ? C'est une monarchie mêlée, comme Lacédémone, surtout avant la création des éphores, fut une aristocratie mêlée [...] comme Rome, quelque temps après l'expulsion des rois, fut une démocratie mêlée » (*Pensées*, n° 1744).

26. Aristote engage l'enquête proprement politique de son ouvrage en distinguant les « trois parties » de toute constitution (celle qui délibère sur les affaires communes, celle qui concerne les magistratures, celle qui rend la justice). Il examine selon une combinatoire comment peuvent être remplies ces fonctions ; voir *Politiques*, IV, 14. Locke élabore une réflexion importante sur les rapports des pouvoirs législatif et exécutif, mais ne traite pas du pouvoir judiciaire ; voir *Second Traité du gouvernement civil*, XII, § 143-148.

27. Voir Locke : « Puisque par hypothèse [dans une monarchie absolue], il concentre en lui seul l'ensemble du pouvoir, tant le législatif que l'exécutif, il est impossible de trouver un juge auquel tout le monde serait en mesure de faire appel, capable de décider en toute équité et en toute impartialité, qui aurait l'autorité de trancher, et dont la décision serait susceptible de faire justice et d'apporter réparation à ceux qui auraient subi un dommage ou une incommodité de la part du prince » (*Second Traité du gouvernement civil*, VII, § 91, *op. cit.*, p. 65).

28. Voir VI, 2.

29. Voir *EL*, V, 8.

30. Cela se traduit aussi par une complexité des lois et des jugements ; voir *EL*, VI, 1.

31. Tous ces tribunaux ou conseils sont effectivement composés de nobles. Le *grand conseil* est composé de tous les nobles ; le *prégadi*, devant surveiller les actes du doge, est composé de six membres désignés par le conseil ; les *quaranties*, composés de quarante magistrats, jugent des appels et les affaires criminelles.

32. Montesquieu simplifie le rôle des jurys populaires, il oublie l'existence de juges professionnels. Constatant ces lacunes, Charles Yorke (1722-1770) donne des précisions sur l'organisation des cours de justice en Angleterre que Montesquieu note. Voir *Pensées*, n° 1645.

33. Voir Aristote, *Constitution d'Athènes*, LXIII.

34. Voir VI, 3.

35. Voir plus loin : les nobles ne peuvent être jugés devant les tribunaux ordinaires de la nation.

36. Allusion à l'*Habeas Corpus*, qui assure une protection contre les arrestations illégales et arbitraires ordonnées par le roi ou ses fonctionnaires de police. Si le principe de cette liberté remonte à la Grande Charte de 1215, c'est l'*Habeas Corpus Act* (1679) qui institue le droit pour les prisonniers de requérir auprès de la haute cour de justice (siégeant à Westminster) pour qu'elle adresse au geôlier un *writ of habeas corpus* (un « ordre d'avoir le corps »). Celui-ci doit présenter le prisonnier à la cour pour qu'elle examine le motif de son arrestation.

37. Cette dérogation à l'*Habeas Corpus* accordée par le Parlement n'est possible que pour les suspects de trahison et pour une période d'un an.

38. « Parmi nous, les républiques d'Italie, qui se vantent de la perpétuité de leur gouvernement, ne doivent se vanter que de la perpétuité de leurs abus ; aussi n'ont-elles pas plus de liberté que Rome n'en eut du temps des décemvirs » (*Romains*, VIII, p. 78 ; *OC*, t. II, p. 152).

39. Voir II, 2.

40. Algernon Sidney (1622-1683) explique que dans les Provinces-Unies ou en Suisse chaque province ou canton est un « corps à part ou dépendant de l'autre », alors qu'en Angleterre « chaque comté ne fait pas un corps séparé, et n'a pas en soi le pouvoir souverain, mais est membre de ce grand corps qui comprend toute la nation » (*Discours sur le gouvernement*, trad. fr., La Haye, 1702, t. III, p. 407). Les députés de Hollande n'ont pas le pouvoir d'engager les provinces sur des points qui n'auraient pas été prévus et validés par ceux qu'ils représentent. Noble de naissance, Sidney est élu au Parlement et ne cesse de s'opposer au roi. Il est impliqué à tort dans une conspiration, et son procès et son exécution en 1683 feront de lui, pour la postérité, un martyr de la cause républicaine. Ses *Discours sur le*

*gouvernement* (1698) sont une réfutation des thèses de Filmer, qui légitime le pouvoir monarchique en renvoyant à l'autorité paternelle. Sidney réfléchit aux fondements naturels du gouvernement et défend l'idée que la meilleure forme de gouvernement est « mixte », combinant monarchie, aristocratie et démocratie.

41. Voir la situation du bas peuple à Athènes, II, 2.

42. « Le peuple est admirable pour choisir ceux à qui il doit confier quelque partie de son autorité » (II, 2).

43. Ce point est déjà relevé en V, 9. Mais alors Montesquieu a surtout en vue la monarchie française. Dans le cas anglais, le corps des nobles ne constitue pas une « puissance intermédiaire » (qui est également subordonnée et dépendante), mais il prend part à la puissance législative. Il dispose d'une liberté politique qui fait défaut à la noblesse française, mais cette liberté n'existe qu'en raison de la dynamique particulière des puissances. Voir II, 4.

44. « Le gouvernement monarchique a un grand avantage sur le républicain : les affaires étant menées par un seul, il y a plus de promptitude dans l'exécution » (*EL*, V, 10).

45. « Le gouvernement d'Angleterre est plus sage, parce qu'il y a un corps qui l'examine continuellement, et qui s'examine continuellement lui-même, et telles sont ses erreurs qu'elles ne sont jamais longues, et que, par l'esprit d'attention qu'elles donnent à la Nation, elles sont souvent utiles » (*Romains*, VIII, p. 78 ; *OC*, t. II, p. 152).

46. Voir ce qu'en dit Aristote, qui estime que la magistrature des cosmes crétois est pire que celle des éphores à Sparte, *Politiques*, II, 10, 1272a, 35. En Angleterre, les ministres doivent « rendre compte de leur administration » et « justifier leur conduite » (XIX, 27).

47. *Animones* (sans reproche) ou *amnémones* (sans mémoire), car dispensés de rendre des comptes. Bodin utilise cet exemple : « Les Cnidiens tous les ans élisaient soixantes bourgeois, qu'on appelait amymones, c'est-à-dire, sans reproche, avec puissance souveraine, sans qu'on les pût appeler, ni pendant leur charge, ni après celle-ci passée, pour chose qu'ils eussent faite » (*République*, I, 8 ; il renvoie à Plutarque, *Questions grecques*, § 4 ; Grotius le reprend, *Le Droit de la guerre et de la paix*, I, 3, § 8 [12]).

48. Génutius assigne les deux consuls de l'année précédente à comparaître au tribunal du peuple (*Antiquités romaines*, IX, 9, § 4).

49. La Chambre des communes porte une accusation criminelle devant la Chambre des lords. Cette procédure d'*impeachment* était utilisée contre les ministres, comme Montesquieu le relève plus haut.

50. Voir *EL*, XI, 17.

51. « Les lois de Rome avaient sagement divisé la puissance publique en un grand nombre de magistratures qui se soutenaient, s'arrêtaient et se tempéraient l'une l'autre, et comme elles n'avaient toutes qu'un

pouvoir borné, chaque citoyen était bon pour y parvenir » (*Romains*, XI, p. 89 ; *OC*, t. II, p. 166). Voir la fin de V, 14.

52. L'union dans le « corps politique » est dynamique. Pour une première formulation de cette idée d'un repos qui résulte du mouvement des parties, parce qu'elles sont liées ensemble dans leurs mouvements mêmes, voir *Romains*, IX, p. 81 ; *OC*, t. II, p. 157. La suite du livre XI examine en suivant l'histoire romaine le mouvement d'harmonisation des pouvoirs. On passe d'une situation exceptionnelle de gouvernement mixte (*EL*, XI, 12), qui correspond à l'époque des rois, à la correction de la constitution romaine (*EL*, XI, 13) dans laquelle les différents corps se tempèrent pour arriver à un certain équilibre (*EL*, XI, 14), puis on voit comment la liberté se perd (*EL*, XI, 15). Après l'analyse fonctionnelle de la distribution de la puissance législatrice, exécutive et de juger (*EL*, XI, 16-18), Montesquieu explique comment « cette harmonie des trois pouvoirs ne fut plus » (*EL*, XI, 19).

53. Le *Bill of Right* de 1689 indique que le roi doit demander chaque année au Parlement l'autorisation d'entretenir une armée en temps de paix et d'engager des dépenses publiques. Voir les débats de la Chambre que Montesquieu consigne, *Notes sur l'Angleterre*, Pléiade, t. I, p. 879.

54. « Marius prit toutes sortes de gens dans les légions, et la république fut perdue » (*EL*, XI, 18). Les réformes du consul Caius Marius (en 107 av. J.-C.) portent aussi bien sur l'organisation des légions que sur le mode de recrutement. C'est ce dernier point que commente Montesquieu.

55. Sur les troupes « réglées », et les « soldats, la plus vile partie de toutes les nations », voir *Réflexions sur la monarchie universelle*, II, *OC*, t. II, p. 342. Même expression dans *Romains*, II, p. 35.

56. Voir *Romains*, IX, p. 79-80 ; *OC*, t. II, p. 154.

57. Voir *Pensées*, n° 1645.

58. « Les États libres durent moins que les autres » (*Romains*, IX, p. 80 ; *OC*, t. II, p. 154). À la suite de la publication de *L'Esprit des lois*, Montesquieu répond à une demande de Domville concernant la corruption de l'Angleterre ; voir *Pensées*, n° 1960.

59. Rome et Lacédémone (Sparte) servent de points de comparaison pour l'Angleterre (*Pensées*, n° 1744). Le rapprochement entre l'Angleterre et Rome, qui structure le livre XI, est un lieu commun de l'époque. Voir dans la notice du livre XI le rapport avec les *Considérations sur les causes de la grandeur des Romains et de leur décadence*. Le titre choisi par Montesquieu souligne cet horizon de corruption. L'ouvrage de 1734 suit pas à pas la liberté romaine pour saisir comment elle a pu se perdre, et comment les Romains ont pu, en un sens, y renoncer. Avec *L'Esprit des lois*, Montesquieu examine positivement les conditions de possibilité de la liberté politique. Comme elle réside dans l'équilibre fragile qui existe dans la dyna-

mique des puissances, on voit alors comment l'approche structurelle des gouvernements est aussi un principe d'intelligibilité du devenir historique.

60. Les mœurs de ce « peuple libre » jouent cependant leur rôle dans le fonctionnement de ces institutions, voir XIX, 27.

61. Voir XI, 20. Montesquieu se donne les moyens d'envisager historiquement cette question avec la problématique posée en I, 3.

62. Voir XI, 5.

63. Adaptation d'un mot de Mégabyse, général perse du Ve siècle av. J.-C., rapporté par Hérodote : « Étant à Byzance, il apprit que les Chalcédoniens avaient bâti leur ville dix-sept ans avant que les Byzantins eussent fondé la leur. Là-dessus, il dit qu'ils étaient sans doute alors aveugles, puisque, sans cela, ils n'auraient pas choisi pour leur ville une situation désagréable, lorsqu'il s'en présentait une plus belle » (*Histoire*, IV, 144).

64. « Les petites affaires sont soumises à la délibération des chefs ; les grandes à celle de tous. Et cependant celles mêmes dont la décision est réservée au peuple sont auparavant discutées par les chefs » (*Mœurs des Germains*, XI). Voir *EL*, XI, 8.

65. Voir III, 7.

66. Dans les *Lettres persanes*, Usbek constate que « la plupart des gouvernements d'Europe sont monarchiques ». L'idée d'un certain équilibre est formulée, mais la perspective est différente, puisque la dégénérescence de la monarchie conduit au despotisme ou à la république (*LP*, 99 [102]).

67. Les lois « doivent se rapporter au degré de liberté que la constitution peut souffrir » (I, 3).

## Livre XV

1. *Pensées*, n° 176.

2. Voir XV, 7.

3. Voir *LP*, 32 (34).

4. « Dans les pays despotiques, tous les hommes sont égaux, parce qu'ils vivent également dans l'esclavage politique. Il n'y a de différence entre les hommes que par l'esclavage civil, et encore cette différence y est-elle moindre » (*Pensées*, n° 1925). Voir II, 5, et XV, 6.

5. Voir VIII, 8.

6. Voir V, 5.

7. Voir II, 3 ; *EL*, V, 8.

8. Voir *EL*, VII, 2.

9. Montesquieu avait fait l'éloge de l'esclavage tel qu'il était pratiqué chez les Romains pour dénoncer indirectement celui qui est pratiqué dans les colonies antillaises (*LP*, 111 [115]). Il le fait plus ouvertement dans *L'Esprit des lois* (XV, 5), ce qui explique aussi la plus grande sévérité à l'égard des Romains dans les textes qui leur sont consacrés

(*EL*, XV, 12 et 16). Mais ici, c'est moins la pratique elle-même que la justification qui est donnée dans le droit romain, et à travers elle, celle que l'on trouve chez les jusnaturalistes modernes. Grotius indique : « Naturellement, c'est-à-dire, indépendamment de tout fait humain, ou dans l'état primitif de la nature humaine, aucun homme n'est esclave [...]. Et c'est en ce sens qu'on peut fort bien admettre ce que disent les jurisconsultes romains, que l'esclavage est contraire à la nature. Il ne répugne pourtant pas à la justice naturelle, que les hommes deviennent esclaves par un fait humain, c'est-à-dire en vertu de quelque convention, ou par une suite de quelque délit » (*Le Droit de la guerre et de la paix*, trad. fr. 1724, III, 7, § 1). De nombreux points de ce chapitre ont été analysés dans un long fragment (*Pensées*, n° 174).

10. Voir *EL*, XXIX, 2.

11. « À Athènes et à Rome il fut d'abord permis de vendre les débiteurs qui n'étaient pas en état de payer » (*EL*, XII, 21). L'asservissement des débiteurs (l'institution du *nexum*) fut aboli à Rome en 326 av. J.-C.

12. Ces trois origines, le droit de guerre, l'aliénation volontaire et contractuelle, la naissance, qui structurent le chapitre, apparaissent bien dans le passage des *Institutes* cité.

13. Elles sont reprises ou discutées avec des options diverses par Hobbes (*Du citoyen*, VIII), Grotius (*Le Droit de la guerre et de la paix*, II, 5, § 27-29), Pufendorf (*Le Droit de la nature et des gens*, VI, 3).

14. « L'esclavage qui serait introduit à l'occasion du droit des gens d'une nation qui passerait tout au fil de l'épée serait peut-être moins cruel que la mort, mais il ne serait point conforme à la pitié. De deux choses contraires à l'humanité, il peut y en avoir une qui soit plus contraire que l'autre : j'ai prouvé ailleurs [*EL*, X, 3] que le droit des gens tiré de la nature ne permet de tuer qu'en cas de nécessité. Or, dès qu'on fait un homme esclave, il n'y a pas eu de nécessité de le tuer » (lettre à Grosley du 8 avril 1750, Masson, t. III, p. 1294).

15. Le droit de retenir prisonnier jusqu'à la conclusion de la paix. « Du droit de tuer dans la conquête, les politiques ont tiré le droit de réduire en servitude ; mais la conséquence est aussi mal fondée que le principe » (*EL*, X, 3).

16. Il semble que Montesquieu ait aussi en vue dans ce passage l'idée de convention défendue par les jusnaturalistes. Voir la remarque de Jean Barbeyrac concernant le passage des *Institutes* évoqué par Pufendorf : « On ne peut guère douter que la servitude ne se soit introduite peu à peu, et par degrés, et qu'elle n'ait été d'abord fondée sur des conventions libres, quoique la nécessité pût souvent y donner lieu [...]. Il est surprenant que les jurisconsultes romains ne fassent pas même mention nulle part de cette servitude volontaire dans son principe, laquelle est pour le moins aussi conforme à la raison natu-

relle, par où ils veulent qu'on juge de ce qui se rapporte au droit des gens, que l'esclavage où l'on tombe par le sort des armes. Peut-être ce silence vient-il des idées de leur droit civil, selon lequel personne ne pouvait directement vendre ou transférer à autrui sa liberté par aucune convention ; comme le suppose l'exception même alléguée ici [dans le § 3 des *Institutes*] d'un jeune homme, qui ayant vingt ans passés, se laisse vendre, comme esclave, par un tiers, de qui il reçoit une partie du prix : car alors, en punition de la tromperie qui accompagne le mépris qu'il a fait de sa liberté, le droit civil le déclare esclave » (dans Pufendorf, *Le Droit de la nature et des gens*, trad. fr. 1740, VI, 3, § 3, note 1).

17. Ce qu'un esclave amassait par son épargne pour racheter sa liberté. Dans les *Lettres persanes*, Montesquieu met en avant l'idée que seule la perspective de l'affranchissement rend l'esclavage acceptable (*LP*, 111 [115]).

18. La critique de Montesquieu ne repose donc pas sur le droit naturel de l'individu. C'est en tant que citoyen que l'individu a des droits, et « un homme ne peut contracter que comme citoyen » (*Pensées*, n° 174) : dans ce cadre, l'aliénation de la liberté est incompatible avec la citoyenneté.

19. Le paragraphe 3 du titre III ne parle pas de « pitié », mais indique seulement que le nom d'esclave vient de l'usage de vendre les prisonniers de guerre, et par là de les conserver au lieu de les tuer. « L'esclavage est une institution du droit des gens, par laquelle un homme est soumis contre nature à la domination d'un autre [§ 2]. Les chefs d'armées ont coutume de vendre les captifs, et par ce moyen leur laissent la vie sauve [*servare*] au lieu de les mettre à mort. De là, l'origine du mot *servus*. Les esclaves sont également appelés *mancipia*, parce que l'ennemi les a capturés de force [*manu*, § 3]. On naît esclave ou on le devient. Les enfants de nos servantes naissent esclaves. Mais on devient esclave ou par le droit des gens, c'est-à-dire lorsqu'on a été fait prisonnier, ou par le droit civil, comme il arrive, par exemple, à un homme libre âgé de vingt ans au moins, qui a commis le délit de se vendre en vue de partager la somme [§ 4] », trad. Derathé, dans *Rousseau et la science politique de son temps* (1950), Paris, Vrin, 1995, p. 198.

20. L'idée que l'homme ne peut se rendre esclave par contrat a été critiquée par Locke, lequel fait valoir le droit naturel à se conserver (voir le *Second Traité du gouvernement civil*, IV, § 23). « Il n'est pas au pouvoir de l'homme de se soumettre à autrui de telle sorte que celui-ci ait la liberté de le détruire ; Dieu et la nature ne permettent jamais à l'homme de s'abandonner ainsi lui-même au point de négliger le soin de sa propre préservation ; et puisqu'on ne peut s'ôter la vie, on ne peut pas non plus donner à autrui le pouvoir de nous la prendre » (*ibid.*, XIV, § 168, p. 123). En déplaçant l'argumentation sur le terrain politique, en n'invoquant plus un impératif divin, Mon-

tesquieu infléchit considérablement le sens de l'énoncé tel qu'on le trouve chez Locke. Celui-ci admet en effet un droit sur la vie des vaincus dans le cas d'une guerre *juste* (*ibid.*, VII, § 85 ; XV, § 172 ; XVI, § 196). Il se trouve donc inclus, même si son argumentation diffère de celle de Grotius, dans la critique que Montesquieu fait du « droit de conquête ».

21. « La liberté, ce bien qui fait jouir des autres biens » (*Pensées*, n° 1574).

22. Locke invalidait l'asservissement par filiation en faisant valoir la limitation du pouvoir paternel : le pouvoir du conquérant vainqueur ne peut s'étendre au-delà de ceux qu'il a soumis, puisque les pères eux-mêmes n'ont pas pouvoir sur la vie et la liberté de leurs enfants, qui n'appartient qu'à Dieu (voir le *Second Traité du gouvernement civil*, XVI, § 189). Tandis que chez Montesquieu, l'invalidation de ce point découle de celle des précédents.

23. Voir XII, 4.

24. C'est là le critère décisif : ce sont les avantages garantis par la société qui justifient la soumission à l'autorité politique. Il s'agit ici de discuter ce qui constitue un point essentiel de l'argumentation de Grotius : « Cette sujétion ainsi entendue, et renfermée dans les bornes de la nature, n'a rien de trop dur en elle-même : car l'obligation perpétuelle où est l'esclave de servir son maître est compensée par l'avantage qu'il a d'être assuré d'avoir toujours de quoi vivre, au lieu que les gens de journée ne savent la plupart du temps comment subsister » (*Le Droit de la guerre et de la paix*, trad. citée, II, 5, § 27).

25. « Comme les hommes ont renoncé à leur indépendance naturelle pour vivre sous des lois politiques, ils ont renoncé à la communauté naturelle des biens pour vivre sous des lois civiles : ces premières lois leur acquièrent la liberté, les secondes la propriété » (*EL*, XXVI, 15). Si l'esclave est celui qui se trouve exclu des bienfaits de l'État, on ne saurait dire que l'esclavage puisse être fondé en droit.

26. Pufendorf indique : « Pour moi, voici de quelle manière je conçois que la servitude a été originairement établie. Lorsque le genre humain s'étant multiplié, on eût commencé à se lasser de la simplicité des premiers siècles, et à chercher tous les jours quelque nouveau moyen d'augmenter les commodités de la vie, et d'amasser des richesses superflues ; il y a beaucoup d'apparence que les gens un peu riches, et qui avaient de l'esprit, engagèrent ceux qui étaient grossiers et peu accommodés à travailler pour eux moyennant un certain salaire. Cela ayant ensuite paru commode aux uns et aux autres, les derniers se résolurent insensiblement à entrer pour toujours dans la famille des premiers, à condition que ceux-ci leur fourniraient la nourriture et toutes les autres choses nécessaires à la vie. Ainsi la servitude a été d'abord établie par un libre consentement des parties, et par un contrat de faire, afin que l'on nous donne » (*Le Droit de la nature et des gens*, trad. citée, VI, 3, § 4).

27. Montesquieu s'oppose à l'argumentation de Pufendorf (*ibid.*, VI, 3, § 9) qui reprend les termes de Grotius (*Le Droit de la guerre et de la paix*, II, 5, § 29).

28. Tel qu'il est invoqué par les jurisconsultes : « L'esclavage est contre le droit naturel, par lequel tous les hommes naissent libres et indépendants » (*Pensées*, n° 174).

29. L'esclave n'a pu s'engager à obéir, puisqu'il n'en retirait rien d'utile. Cédant à la contrainte, il peut, non pas désobéir, mais fuir s'il en a l'occasion (*Pensées*, n° 174).

30. Voir *Pensées*, n° 1638.

31. On est proche de Montaigne, *Essais*, I, 31. Mais si chacun juge selon ses usages, il reste que ce sont les Espagnols qui ont montré jusqu'où pouvait être portée la « cruauté » (*Pensées*, n° 207).

32. Voir préface, § 13.

33. Montesquieu cite indirectement Francisco López de Gómara (vers 1510-vers 1560) qui est l'auteur d'une *Histoire générale des Indes occidentales* (1552-1553) traduite en français en 1569 et utilisée entre autres par Montaigne (*Essais*, I, 23).

34. « Si la politique a été le motif, la religion a été le prétexte. Il y a longtemps qu'un poète [Lucrèce] s'est plaint que la religion avait enfanté les plus grands maux, et il faut bien que cela fût vrai dans la religion païenne, puisque cela n'est pas même toujours faux dans celle de Jésus-Christ. Quel abus de faire servir Dieu à ses passions et à ses crimes ? Y a-t-il de plus mortelle injure que celle que l'on fait sous prétexte d'honorer ? » (*Pensées*, n° 207). Voir également *LP*, 73 (75).

35. Les *Lettres persanes* insistent sur ce double mouvement de dépopulation et cette extermination en deux temps qui laisse l'Amérique comme un désert (*LP*, 114 [118]).

36. Antonio de Solís (1610-1686), *Histoire de la conquête du Mexique* (1684 ; trad. fr. 1691 ; *Catalogue*, n° 3175) ; Garcilaso de La Vega (1530-1586), *Histoire des guerres civiles des Espagnols dans les Indes & le Commentaire royal des Incas* (1609 ; trad. fr. 1744) ; *Histoire des Incas, rois du Pérou* (1616 ; trad. fr. 1633-1658). Sur les crimes des Espagnols, voir *EL*, X, 4 ; *LP*, 117 (121).

37. Voir *Pensées*, n° 175.

38. La couleur de la peau des Africains est l'objet de débat chez les Européens (le sujet est proposé par l'académie de Bordeaux en 1741), qui renvoient à une dégénérescence ou qui cherchent des causes physiologiques liées au climat. Voir *OC*, t. VIII, p. 197.

39. Le blanc est symbole d'innocence pour l'Européen chrétien. Montesquieu fait dire à Rica : « Je ne suis pas surpris que les Nègres peignent le diable d'une blancheur éblouissante et leurs dieux noirs comme du charbon » (*LP*, 57 [59]).

40. Dans le sérail, les eunuques noirs sont destinés à imposer l'autorité du maître. Ils ont subi une mutilation complète, au lieu d'une abla-

tion des testicules comme les eunuques blancs. Voir *LP*, 2. Sur la laideur de ce « monstre noir » (*LP*, 4), voir *LP*, 19 (20).

41. Les Égyptiens sont souvent considérés au XVIII$^e$ siècle comme superstitieux.

42. « Condamner à l'esclavage un homme né d'une certaine femme est une chose aussi injuste que la loi des Égyptiens qui condamnait à mort tous les hommes roux ; injuste, en ce qu'elle était défavorable à un certain nombre de gens, sans pouvoir leur être utile » (*Pensées*, n° 174). Aux XVII$^e$ et XVIII$^e$ siècles, l'argument principal qui justifie l'infériorité des peuples noirs et leur mise en esclavage est d'ordre religieux. Il est fondé sur l'épisode biblique au cours duquel Canaan est maudit par Noé, son grand-père, pour une faute commise par Cham, son père (Genèse, IX, 20-27). Cette malédiction du fils de Cham suit les peuples qui descendent de Canaan.

43. « Il y a longtemps que les princes chrétiens affranchirent tous les esclaves de leurs États, parce que, disaient-ils, le christianisme rend tous les hommes égaux. Il est vrai que cet acte de religion leur était très utile parce qu'ils abaissaient par là les seigneurs, de la puissance desquels ils retiraient le bas peuple. Ils ont ensuite fait des conquêtes dans des pays où ils ont vu qu'il leur était avantageux d'avoir des esclaves ; ils ont permis d'en acheter et d'en vendre, oubliant ce principe de religion qui les touchait tant » (*LP*, 73 [75]). Voir *Pensées*, n° 207.

44. Voir XV, 1.

45. Confronter à XV, 2, où l'idée d'utilité et de contrat étaient récusées. Pour commenter cet « esclavage très doux », que Montesquieu distingue de la servitude ordinaire, Grosley indique que ces « esclaves du chapitre 6, livre XV, ressemblent moins aux esclaves qu'aux clients des Romains, ou aux vassaux et arrières-vassaux ». Montesquieu répond dans la lettre du 8 avril 1750 : « Je n'ai point cherché, au chapitre 6 du livre XV, l'origine de l'esclavage qui a été, mais l'origine de l'esclavage qui peut ou doit être. »

46. « Les Moscovites estiment si peu l'avantage de la liberté, que ceux qui sont nés libres, mais pauvres, se vendent avec toute leur famille pour peu de chose, et ils ne font pas difficulté de se vendre encore une fois après avoir recouvré la liberté par la mort de leur maître, ou par quelque autre occasion », *op. cit.*, p. 53.

47. « D'où peut venir cette férocité que nous trouvons dans les habitants de nos colonies, que cet usage continuel des châtiments sur une malheureuse partie du genre humain ? Lorsqu'on est cruel dans l'état civil, que peut-on attendre de la douceur et de la justice naturelle ? » (*Romains*, XV, p. 117 ; *OC*, t. II, p. 200). Cette remarque suit le passage où Montesquieu rend compte du fait que les Romains « ne pouvaient guère connaître cette vertu que nous appelons humanité ». Sur ce point, voir *Pensées*, n° 2194.

48. Voir XIV, 2-3, et XVII, 2.

49. *Pensées*, n° 174.

50. *Parallèle entre Lycurgue et Numa*, I, 5.

51. Voir *Pensées*, n° 1782.

52. On trouve déjà dans les *Lettres persanes* cette question des mines (espagnoles et portugaises), qui fournit ici un argument aux esclavagistes (jamais des hommes libres n'accepteraient de faire ce travail) ; *LP*, 114 (118).

53. « Il vaut mieux des gens payés à la journée que des esclaves : quoi qu'on dise des pyramides et des ouvrages immenses que ceux-ci ont élevés, nous en avons fait d'aussi grands sans esclaves » (lettre à Grosley du 8 avril 1750, Masson, t. III, p. 1294).

54. Les effets des machines sont cependant ambivalents : « Ces machines dont l'objet est d'abréger l'art, ne sont pas toujours utiles. Si un ouvrage est à un prix médiocre, et qui convienne également à celui qui l'achète, et à l'ouvrier qui l'a fait, les machines qui en simplifieraient la manufacture, c'est-à-dire, qui diminueraient le nombre des ouvriers, seraient pernicieuses » (*EL*, XXIII, 15).

55. Montesquieu oppose également les mines d'Allemagne et de Hongrie à celles que les Espagnols et les Portugais établirent au Mexique et au Pérou (*EL*, XXI, 22).

56. Voir XIV, 5-8 ; *Pensées*, n° 1886.

57. Montesquieu a constitué des *Mémoires sur les mines* durant ses voyages, où il examine ensemble les questions purement techniques liées à la production, mais aussi la salubrité des lieux et les conditions de travail (voir Pléiade, t. I, p. 885-907).

58. Le chapitre parut pour la première fois dans l'édition posthume de 1757. C'est à la suite d'une objection de Grosley que Montesquieu, dans la lettre déjà citée, dit qu'on ne peut retenir comme critère l'intérêt d'un petit nombre.

59. Le chapitre se présente comme une réponse à ceux qui, comme Jean-François Melon (1675-1738), un Bordelais ami de Montesquieu devenu secrétaire de Law, puis du Régent, proposaient d'étendre l'esclavage en Europe : « L'usage des esclaves, autorisé dans nos colonies, nous apprend que l'esclavage n'est contraire ni à la religion ni à la morale. Ainsi nous pouvons examiner librement, s'il serait plus utile de l'étendre partout. [...] Les colonies sont nécessaires à la nation, et les esclaves sont nécessaires aux colonies » (*Essai politique sur le commerce* [1734], chap. 5, dans Eugène Daire, *Économistes financiers du XVIII<sup>e</sup> siècle*, 1843, p. 724-725). Gabriel Bonnot de Mably (1709-1785) soutient avec enthousiasme le projet d'extension de l'esclavage : « Je ne m'arrêterai point à réfuter ce qu'on a dit contre l'esclavage. Puisque la morale l'autorise dans les colonies d'Amérique, elle doit le permettre parmi nous, dès que la politique qui en connaît l'utilité voudra en établir l'usage » (*Le Droit public de l'Europe fondé sur les traités conclus jusqu'en l'année 1740*, 1748, t. II, chap. 11, p. 202-204).

60. « Multiplication d'esclaves, multiplication de luxe » (*Pensées*, n° 2194).

61. C'est cette félicité qu'invoque Melon. L'intérêt économique est compatible avec un bon usage des esclaves, qui doit être encadré pour les prémunir d'une autorité capricieuse. Selon Melon, le Code noir irait dans ce sens : « L'idée de barbarie a toujours été attachée à celle de l'esclavage, parce que l'esclave, dans son origine, était un prisonnier de guerre, sur la vie duquel le vainqueur ne perdait jamais son droit acquis pour la lui avoir conservée ; et il n'y avait ni autorité, ni convention, qui arrêtât le caprice du maître. Si des conventions particulières, toujours tempérées par la loi, réglaient la destinée des esclaves, l'idée de barbarie s'effacerait bientôt, et il n'est peut-être pas bien difficile de tourner l'esclavage de telle sorte qu'il aura une compensation avantageuse sur la liberté des domestiques, des soldats et des engagés pour les colonies » (*Essai politique sur le commerce*, éd. citée, p. 25). Le Code noir, ordonnance donnée par Louis XIV en 1685, correspond à un encadrement légal des traitements pratiqués par les maîtres, ce qui a pour but de prévenir l'arbitraire colonial. L'esclave a le statut de marchandise, et les dispositions sont désormais perçues comme inhumaines (voir Voltaire, *Candide* [1759], chap. 19, « Le nègre de Surinam »).

62. Montesquieu oppose peut-être ce principe de réciprocité à Melon, qui repousse l'idée de prendre en compte le point de vue des esclaves pour ne pas promouvoir une égalité dévastatrice : « C'est avoir peu examiné la police générale, de dire qu'il faudrait laisser juger la question de l'esclavage aux esclaves, et non aux maîtres. Proposez la question s'il doit y avoir des laboureurs, des valets, des soldats de milice, et faites-la-leur juger : ils proposeront tous l'égalité ; mais comme le législateur sait l'impossibilité de cette égalité, c'est à lui d'examiner et de juger quelles subordinations assurent mieux la tranquillité et le bien-être du total de sa nation » (*Essai politique sur le commerce*, éd. citée, p. 25). Montesquieu semble reprendre cette « question » à son compte, et donne aussi au « législateur » le moyen de bien en juger.

## Livre XVI

1. Pour Aristote, « une famille achevée se compose d'esclaves et de gens libres » (*Politiques*, I, 3, 1253b, trad. fr. P. Pellegrin, GF-Flammarion, 1990).

2. Montesquieu sépare l'examen du cas des esclaves et des femmes, alors que chez Aristote ils relèvent également de la sphère domestique (*domus*, la famille au sens de maisonnée), même si la communauté des époux est distincte de celle du maître et de l'esclave (*Politiques*, I, 2, 1252a, 10). Montesquieu aborde l'institution de la famille en liaison avec des considérations démographiques dans le livre XXIII.

3. Ce passage récrit une des *Pensées*, n° 757. Dix ans, c'est l'âge auquel les filles peuvent prendre un époux et auquel elles sont confiées « aux eunuques noirs » (*LP*, 60 [62]).

4. Montesquieu confond deux des femmes de Mahomet, Khadidja et Aïcha. Voir *Spic.*, n° 178.

5. Confronter à *LP*, 36 (38).

6. Usbek, despote loin de son sérail, note que « la pluralité des femmes nous sauve de leur empire ; elle tempère la violence de nos désirs » (*LP*, 54 [56]).

7. « Femmes d'Orient. Leur jeunesse est au commencement de leur âge, au lieu qu'à nos femmes la jeunesse est au milieu » (*Pensées*, n° 1069).

8. Voir *EL*, XIV, 10.

9. Voir *Pensées*, n° 1726.

10. « En Orient, on a de tout temps multiplié l'usage des femmes, pour leur ôter l'ascendant prodigieux qu'elles ont sur nous dans ces climats » (*Romains*, XX, p. 160 ; *OC*, t. II, p. 254).

11. L'affirmation ne peut que choquer l'Église qui se fait un devoir et un mérite d'envoyer des missionnaires. « Il semble, humainement parlant, que ce soit le climat qui a prescrit les bornes à la religion chrétienne et à la religion mahométane » (*EL*, XXIV, 26). Sur la propagation de la religion, voir *EL*, XXV, 15.

12. Allusion à la providence divine. La phrase est ajoutée dans l'édition de 1757 pour prévenir les critiques.

13. Voir p. 293, note I.

14. La polygamie est alors liée au nomadisme (*EL*, XVIII, 13).

15. « Dans les États despotiques, les femmes n'introduisent point le luxe ; mais elles sont elles-mêmes un objet du luxe. Elles doivent être extrêmement esclaves » (*EL*, VII, 9). Sur la définition du luxe, voir *EL*, VII, 1.

16. Voir le cas de la Chine, où les raisons sont contraires, *EL*, VII, 6.

17. Le titre a été modifié dans l'édition de 1757. Dans le manuscrit et les éditions antérieures, on trouvait : « Que la loi de la polygamie est une affaire de calcul », ce qui suscita les plus vives critiques des ecclésiastiques. Montesquieu justifie son titre : « Oui, elle l'est quand on veut savoir si elle est plus ou moins pernicieuse dans de certains climats, dans de certains pays, dans de certaines circonstances, que dans d'autres : elle n'est point affaire de calcul quand on doit décider si elle est bonne ou mauvaise par elle-même. Elle n'est point une affaire de calcul quand on raisonne sur sa nature : elle peut être une affaire de calcul, quand on combine ses effets ; enfin, elle n'est jamais une affaire de calcul quand on examine le but du mariage ; et elle l'est encore moins quand on examine le mariage comme établi par Jésus-Christ » (*DEL*, seconde partie, p. 440-441).

18. Les *Mémoires de Trévoux* et les *Nouvelles ecclésiastiques* voient dans ce chapitre une justification de tous les abus. Voir *Mémoire de la critique*, p. 113-114, 141 et 166-168.

19. Montesquieu s'attaque à l'usage des statistiques démographiques dans l'argumentation providentialiste. Arbuthnot entend démontrer la sagesse divine à partir des régularités mises au jour par l'arithmétique : la terre est également peuplée, et le nombre des naissances comme la proportion des hommes et des femmes (permettant de remédier à la surmortalité masculine) expliquent l'équilibre démographique qui assure la longévité de l'espèce. En utilisant des données empiriques portant sur la population de Londres, Arbuthnot tire une conclusion à valeur universelle, où la polygamie est considérée comme contraire à « la loi de la nature, de la justice, comme à la propagation de l'espèce » (dans « An argument for Divine Providence, taken from the constant regularity observed in the births of both sexes », *Philosophical Transactions*, n° 328, 1710, vol. 27, p. 186-190). S'attachant aux *circonstances* locales, Montesquieu refuse l'idée d'un dessein d'ensemble qui se manifesterait dans ces calculs et promeut un savoir des choses humaines disjoint du discours apologétique. Ces passages peuvent aussi viser William Petty ou le Hollandais Bernard Nieuwentyt (1654-1718). Montesquieu désigne « Bernard N. » sans le nommer : dans l'imprimé, il ne fait que supprimer le nom propre pour éviter la polémique (voir *OC*, t. III, p. 406-407). Voir *EL*, XXIII, 12 ; *Spic.*, n° 523.

20. Voir *Geographica*, *OC*, t. XVI, p. 283.

21. Eusèbe Renaudot, *Anciennes Relations des Indes et de la Chine de deux voyageurs mahométans qui y allèrent dans le neuvième siècle*, Paris, 1718. Voir *Geographica*, *OC*, t. XVI, p. 95.

22. Examinant les causes de la dépopulation, Montesquieu souligne combien « cette pluralité de femmes permises par le saint Alcoran » (autrement dit le Coran) n'est pas favorable à la propagation de l'espèce (*LP*, 110 [114]).

23. Voir *EL*, préface.

24. Pour répondre aux critiques, Montesquieu renvoie à ce chapitre : « L'auteur a donc établi que la polygamie était par sa nature et en elle-même une chose mauvaise ; il fallait partir de ce chapitre, et c'est pourtant de ce chapitre que l'on n'a rien dit » (*DEL*, seconde partie, p. 439-440).

25. Cet argument est présenté pour soutenir que « la polygamie est déraisonnable » (*Pensées*, n° 1118). Les despotes « ont tant d'enfants, qu'ils ne peuvent guère avoir de l'affection pour eux, ni ceux-ci pour leurs frères » (*EL*, V, 14).

26. Voir *Pensées*, n° 1661.

27. Dans les gouvernements despotiques, « les princes se jouent de la nature humaine, ils ont plusieurs femmes, et mille considérations les obligent de les renfermer » (*EL*, VII, 9).

28. L'homosexualité, alors condamnée comme un « vice » et punie de mort par le feu.

29. Le sultan Ahmed III est renversé en octobre 1730. Voir *Spic.*, n° 536.

30. La métaphore montre que dans cette perspective la femme est une marchandise qu'il faut empêcher les autres de posséder ou de « reprendre ».

31. « Dans les républiques, les femmes sont libres par les lois, et captivées par les mœurs ; le luxe en est banni, et avec lui la corruption et les vices » (*EL*, VII, 9).

32. « Elles doivent être extrêmement esclaves. Chacun suit l'esprit du gouvernement, et porte chez soi ce qu'il voit établi ailleurs. Comme les lois y sont sévères et exécutées sur-le-champ, on a peur que la liberté des femmes n'y fasse des affaires » (*EL*, VII, 9).

33. Voir *Geographica*, *OC*, t. XVI, p. 265.

34. Voir les lettres d'Usbek à Zachi (*LP*, 19 [20]) et à Roxane (*LP*, 24 [26]).

35. Voir XIX, 8.

36. « Les lois de la pudicité sont du droit naturel, et doivent être senties par toutes les nations du monde » (*EL*, XV, 12).

37. Voir la lettre d'Usbek à Roxane, *LP*, 24 (26).

38. Voir *Pensées*, n° 719.

39. Voir *EL*, XIV, 5.

40. « Si le divorce est conforme à la nature, il ne l'est que lorsque les deux parties, ou au moins une d'elles, y consentent ; et lorsque ni l'une ni l'autre n'y consentent, c'est un monstre que le divorce. Enfin, la faculté du divorce ne peut être donnée qu'à ceux qui ont les incommodités du mariage, et qui sentent le moment où ils ont intérêt de le faire cesser » (*EL*, XXVI, 3).

41. Voir *LP*, 112 (116). Cette lettre, à propos de la défense du divorce par la religion chrétienne, examine ensemble les conséquences sur l'attachement mutuel des époux, et donc sur les mœurs, et sur la dépopulation. C'est en écrivain politique que Montesquieu cherche à évaluer les effets. Sur le cas romain, évoqué comparativement dans la lettre, voir *EL*, XVI, 16 et XXVI, 9.

## Livre XVII

1. Le passage entre guillemets n'est pas une reproduction textuelle, mais une synthèse d'extraits venants des trois sources indiquées. Voir *Geographica*, *OC*, t. XVI, p. 43 (pour l'extrait des *Voyages du Nord*, Amsterdam, 1727, t. VIII) ; p. 299 et 312 (pour l'extrait de l'*Histoire généalogique des Tartares* d'Aboul Gazi Bahadour Khan, Leyde, 1726) ; p. 271-272 et 279-280 (pour l'extrait de la *Description de la Chine* de J.-B. Du Halde, Paris, 1735).

2. Voir *Pensées*, n° 1356.

3. Dans la seconde partie de son traité *Des airs, des eaux, des lieux*, Hippocrate dresse une ethnologie différenciée qui se structure autour

de cette opposition entre les peuples aux mœurs douces et les peuples courageux. Montesquieu en a réalisé des extraits, voir *OC*, t. XVII.

4. « C'est cette différence entre les climats d'Asie et d'Europe qui en produit bien d'autres, point de pays tempéré en Asie, aussi il y a de fréquentes invasions, etc. » (*Geographica*, *OC*, t. XVI, p. 272).

5. Aristote oppose le cœur des peuples d'Europe et la liberté grecque à la servitude asiatique (*Politiques*, VII, 7, 1327b, 25). Selon Montesquieu, plusieurs causes peuvent jouer ensemble pour rendre compte de l'opposition entre l'Europe et l'Asie du point de vue ethnologique et politique, et l'examen du climat de l'Asie complète les analyses du livre XIV qui fournissaient les bases physiologiques de cette approche des situations. Les climats se rapportent aux « histoires de toutes les nations » : dans les mouvements de conquête, et dans la constitution des empires qui en découle, les facteurs climatiques et territoriaux continuent à jouer, mais ils ne sont déterminants qu'en se combinant à l'esprit des peuples et aux formes politiques qui règlent les rapports humains.

6. Sans doute Ivan le Terrible, d'après le manuscrit (*OC*, t. IV, p. 427).

7. « Nous voyons aujourd'hui les rois de Danemark exercer le pouvoir le plus arbitraire qu'il y ait en Europe » (*Romains*, XV, p. 120 ; *OC*, t. II, p. 205).

8. Voir *Réflexions sur la monarchie universelle*, XIV, Pléiade, t. II, p. 29 ; *OC*, t. II, p. 353.

9. Cela fait seulement douze… Le manuscrit (*OC*, t. IV, p. 428) mentionnait aussi les Parthes, oubliés dans toutes les éditions imprimées.

10. Sur le flux de population et « invasions » en Europe, voir *Réflexions sur la monarchie universelle*, IX-XI.

11. Montesquieu remarque aussi cette opposition entre les légions romaines d'Europe et d'Asie, dans *Romains*, XVI, p. 127 ; *OC*, t. II, p. 214.

12. Voir *LP*, 125 (131) ; *Réflexions sur la monarchie universelle*, X ; *Pensées*, n° 699.

13. Sur ce peuple « vrai dominateur de l'univers », tout occupé à « sa gloire présente », et sur la grandeur de ses conquêtes, voir *LP*, 79 (81). Montesquieu explique pourquoi les Tartares ne purent faire de grands progrès en Europe (*Réflexions sur la monarchie universelle*, XIII ; *OC*, t. II, p. 352).

14. L'esclavage politique des Tartares est également lié aux luttes continuelles que se livrent les hordes sur un territoire qui n'offre pas de défenses naturelles (*EL*, XVIII, 19).

15. Voir VIII, 21.

16. Voir *EL*, XXIX, 18.

17. Voir p. 339, note 33.

18. Voir *Pensées*, n° 699. C'est la souche commune entre le système anglais, trouvé dans les bois (XI, 6), et le système monarchique reposant sur les corps intermédiaires. La question de l'origine de la

monarchie française occupe toute la fin de *L'Esprit des lois* : *EL*, XXVIII, XXX, XXXI.

19. Voir Du Halde, *Description de la Chine*, t. I, p. 384 ; *Geographica*, *OC*, t. XVI, p. 176.

20. Passage tiré des *Réflexions sur la monarchie universelle*, VIII ; *OC*, t. II, p. 346.

21. Jordanès, historien du Vᵉ siècle, est connu pour sa chronique des Goths, *De origine actibusque Getarum*.

22. « Un grand empire suppose une autorité despotique dans celui qui le gouverne » (*EL*, VIII, 19).

23. « Un État monarchique doit être de grandeur médiocre » (*EL*, VIII, 17). Les princes ne doivent pas aspirer à étendre et unifier l'espace européen dans un empire. Montesquieu s'oppose à la « monarchie universelle », et à la politique guerrière, comme celle de Louis XIV, qui préside à ce dessein. La question de la *modération* des régimes trouve ainsi un sens territorial. Ce type de questionnement a été inauguré par Aristote, qui s'interroge sur la *mesure* de la grandeur de la cité (*Politiques*, VII, 4, 1326-a, 35). Il est au fondement de toute la seconde moitié des *Considérations sur les Romains*.

24. Passage tiré des *Réflexions sur la monarchie universelle*, VIII ; *OC*, t. II, p. 348.

# V. La justice

## Livre VI

1. Montesquieu vise ici ceux qui se plaignent de la lenteur des formalités de justice, thème récurrent de la satire de la justice.

2. Voir les « connaissances » évoquées en XII, 2.

3. Sur les excès de ces formalités, voir *LP*, 97 (100).

4. « Les formalités de la justice sont nécessaires à la liberté. Mais le nombre en pourrait être si grand qu'il choquerait le but des lois mêmes qui les auraient établies : les affaires n'auraient point de fin ; la propriété des biens resterait incertaine ; on donnerait à l'une des parties le bien de l'autre sans examen, ou on les ruinerait toutes les deux à force d'examiner. Les citoyens perdraient leur liberté et leur sûreté, les accusateurs n'auraient plus les moyens de convaincre, ni les accusés le moyen de se justifier » (*EL*, XXIX, 1).

5. Voltaire, dans le *Commentaire sur l'Esprit des lois*, considère que ce trait relève de la farce. Il se demande si les procédures de la justice française, « cet effroyable chaos vaut mieux que la jurisprudence des Turcs, fondée sur le sens commun, l'équité, et la promptitude » (*Mémoire de la critique*, p. 518).

6. Voir *LP*, 78 (80) et V, 11.

7. Voir XII, 4.

8. Voir III, 8 ; *Pensées*, n° 1925.

9. Voir III, 9.

10. Voir III, 7.

11. Voir III, 3.

12. « Le désespoir de l'infamie vient désoler un Français condamné à une peine qui n'ôterait pas un quart d'heure de sommeil à un Turc » (*LP*, 78 [80]). L'opposition entre le gouvernement « doux » et le gouvernement « cruel » ou « sévère » structure cette lettre.

13. La peine de mort en elle-même n'est pas remise en cause, mais elle est réduite au simple fait de supprimer la vie : « Point d'autre peine de mort que d'être pendu ou avoir la tête tranchée » (*Pensées*, n° 274).

14. Les peuples sauvages, présentés au livre XVIII, ne sont pas caractérisés par leur cruauté, mais ils offrent une image du despotisme (V, 13). Montesquieu met sur le même plan les supposés sauvages, qui mangent leurs semblables (*Pensées*, n° 2068) et les conquérants espagnols (*Pensées*, n° 206). Pour une mise en scène comique des préjugés en la matière, voir *Pensées*, n° 1638.

15. Voir VI, 17. « Le despotisme cause à la nature humaine des maux effroyables » (II, 4). Voir également VII, 9, VIII, 8, et XII, 10.

16. Une disposition de Lycurgue permettait de prêter sa femme à un ami non marié pour qu'il en eût une postérité, les enfants issus de cette union n'héritant pas du patrimoine paternel ; voir Xénophon, *République des Lacédémoniens*, I.

17. Tout tient à la convenance de la qualification (ici l'accord entre l'énoncé légal et les mœurs spartiates). L'arbitraire législatif peut ainsi fabriquer des criminels : Sylla « sembla ne faire des règlements que pour établir des crimes. Ainsi, qualifiant une infinité d'actions du nom de meurtre, il trouva partout des meurtriers ; et, par une pratique qui ne fut que trop suivie, il tendit des pièges, sema des épines, ouvrit des abîmes sur le chemin de tous les citoyens » (*EL*, VI, 15).

18. « Dans un État, les peines plus ou moins cruelles ne font pas que l'on obéisse plus aux lois. Dans les pays où les châtiments sont modérés, on les craint comme dans ceux où ils sont tyranniques et affreux » (*LP*, 78 [80]). Voir *Pensées*, n° 815.

19. Relative aux mœurs, la façon dont les sujets perçoivent des peines est encore influencée par l'imagination et les passions, et donc se rapporte au climat. Ainsi, Montesquieu rend-il compte d'une loi « fort singulière » des Germains, « qui mesurait la grandeur des outrages faits à la personne des femmes, comme on mesure une figure de géométrie » (XIV, 15), par les passions calmes et le défaut d'imagination de ce peuple. « L'imagination se plie d'elle-même aux mœurs du pays où l'on est » (*LP*, 78 [80]).

20. « Parmi nous les désertions sont fréquentes, parce que les soldats sont la plus vile partie de chaque nation, et qu'il n'y en a aucune qui

ait ou croie avoir un certain avantage sur les autres » (*Romains*, II, p. 35 ; *OC*, t. II, p. 102).

21. Dans l'ordonnance du 2 juillet 1716.

22. N'est-ce pas sous-entendre que certains privilèges dérèglent l'exercice de la justice et la rendent incertaine (des procédures et des délits sortent du droit commun) ?

23. Ce point s'oppose à ce que l'on pourrait considérer comme une doctrine d'État, la rigueur des châtiments apparaissant comme le meilleur moyen d'intimider les criminels. Le préambule de l'ordonnance criminelle de 1670 fixe l'objectif de « contenir par la crainte des châtiments ceux qui ne sont pas retenus par la considération de leur devoir ». La crainte de la mort, principe des régimes despotiques, ne suffit pas à prévenir les crimes.

24. Voir VI, 9.

25. L'ordonnance du 4 décembre 1684 assortissait cette mutilation d'une peine de galère et du marquage de deux fleurs de lys aux joues.

26. Voir livre VIII. La « correction » législatrice s'oppose à la corruption (*EL*, XI, 13).

27. L'expression peut sembler paradoxale, puisque le principe du despotisme est « corrompu par sa nature » (VIII, 10).

28. *Spic.*, n° 524.

29. Sur ce point, à travers l'exemple japonais, c'est bien la monarchie française qui est visée. Le livre XII montre que le souverain n'est plus la source d'où coule la puissance, ni l'étalon à partir duquel se mesurent tous les autres crimes

30. La défense naturelle est définie pour les individus et les États (*EL*, X, 2) comme le droit de faire ce qui est nécessaire pour conserver sa vie quand elle est menacée.

31. L'*Historia imperii japonici* fournit l'essentiel de la documentation de Montesquieu sur le Japon, très peu connu à l'époque (voir *DEM*, art. « Japon »). Voir *Spic.*, n° 517.

32. Voir XIV, 15.

33. Ils seraient moins sensibles à la souffrance (*Pensées*, n° 1566).

34. « Lorsque les peines ont été établies trop cruelles, la meilleure manière de les ramener à la douceur, c'est de les y ramener insensiblement, et plutôt par des voies particulières que par des voies générales : c'est-à-dire que l'ordonnance publique doit être précédée de commutation de peines ; *secundo*, de diminution de peines dans les cas les plus favorables, laissant cela à l'arbitrage des juges, et préparer ainsi les esprits jusqu'à la révocation entière de la loi. Tout cela dépend des circonstances, de l'esprit de la nation, de la fréquence de la violation, des facilités, des changements, du rapport avec les principes du gouvernement. C'est là que doit éclater la sagesse du législateur » (*Pensées*, n° 1897). Dans le jeu des lois et des mœurs, le législateur doit intervenir « d'une main tremblante » (*LP*, 76 [129]), ce qui n'est pas le signe d'une hésitation maladroite, mais d'une atten-

tion à la valeur des lois existantes qui fait défaut au législateur violent.

35. Voir l'« habileté » de Saint Louis, qui incite plutôt qu'il ne contraint : « Il ôta le mal, en faisant sentir le meilleur » (*EL*, XXVIII, 38).

36. Allusion aux tentatives entreprises par les missionnaires pour établir le christianisme au Japon et qui se sont soldées par un échec. Voir *Pensées*, n° 710.

37. Les Hollandais sont les seuls étrangers, avec les Chinois, autorisés à commercer au Japon (*Spic.*, n° 517) ; le commerce lui-même souffre d'un tel régime (*EL*, XX, 9).

38. « L'usage où [nos princes] sont de faire mourir tous ceux qui leur déplaisent, au moindre signe qu'ils font, renverse la proportion qui doit être entre les fautes et les peines, qui est comme l'âme des États et l'harmonie des empires ; et cette proportion, scrupuleusement gardée par les princes chrétiens, leur donne un avantage infini sur nos sultans » (*LP*, 99 [102]).

39. Voir Léon le Grammairien traduit par Louis Cousin, *Histoire des empereurs de Constantinople depuis l'ancien Justin jusqu'à la fin de l'empire*, Paris, 1672, t. III (« Vie de l'empereur Constantin », X, § 7), p. 642.

40. Voir XII, 17.

41. Voir XII, 12 et 13. Sur les *political papers* en Angleterre, voir p. 351, note 79. Montesquieu note pourtant : « Je crois que c'est du temps de Charles II que l'on fit le procès à un homme pour avoir dit que le roi d'Angleterre ne guérissait pas des écrouelles » (*Pensées*, n° 584).

42. Léon le Grammairien, *Histoire des empereurs de Constantinople depuis l'ancien Justin jusqu'à la fin de l'empire, op. cit.*, t. III (« Vie de l'empereur Basile », § 22-23), p. 575-576.

43. Techniquement, l'ordonnance de 1670 permet d'appliquer la peine de mort au vol de grand chemin non aggravé de meurtre, mais dans la pratique ce recours reste rare.

44. Si l'exercice de la justice par le prince est un signe du despotisme (voir *EL*, VI, 5), le fait que l'autorité du prince joue dans le sens de l'indulgence relève de la modération du pouvoir qui caractérise les monarchies. « Les rois d'Europe, législateurs et non pas exécuteurs de la loi, princes et non pas juges, se sont déchargés de cette partie de l'autorité qui peut être odieuse, et, faisant eux-mêmes les grâces, ont commis à des magistrats particuliers la distribution des peines » (*Romains*, XVI, p. 126 ; *OC*, t. II, p. 213).

45. Voir *LP*, 99 (102).

46. Voir *Geographica*, *OC*, t. XVI, p. 142 et 216.

47. Sur l'opposition entre vengeance et pardon, voir *Pensées*, n° 29. Les peines qui ne sont que vengeance font souhaiter aux criminels de recommencer ; le pardon peut inspirer le repentir.

48. Détournement de la formule de Machiavel : « Il faut que le fondateur d'un État et que le législateur supposent par avance que tous les
hommes sont méchants, et qu'ils sont prêts à mettre en œuvre leur
méchanceté toutes les fois qu'ils en ont l'occasion » (*Discours sur la
première décade de Tite-Live*, I, III, *op. cit.*, p. 195). Montesquieu dit
ailleurs : « Les hommes, fripons dans le détail, sont en gros de très
honnêtes gens ; ils aiment la morale » (*EL*, XXV, 2).

49. Voir XII, 3.

50. Torture à laquelle on soumet le criminel pour le faire avouer, l'aveu
étant *probatio probatissima*, la « preuve la plus probante » du crime
vers laquelle est orientée toute la procédure criminelle.

51. Montesquieu reprend ici presque textuellement une phrase de Barbeyrac, qui renvoie à Grotius sur ce point, dans une note de sa traduction de Pufendorf, *Le Droit de la nature et des gens*, VIII, 3, § 4,
note 10, *op. cit.*, t. II, p. 345.

52. Augustin, *La Cité de Dieu*, XIX, 6 ; Montaigne, *Essais*, II, 5 ; Char-
ron, *De la sagesse*, I, *Faiblesse* ; Giacomo Menochius, *De arbitrariis
judicum quæstionibus* (1605) ; La Bruyère, *Les Caractères. De
quelques usages*, 51 ; Augustin Nicolas, *Si la torture est un moyen sûr
à vérifier les crimes secrets* (1682).

53. Dans un fragment sur la « question », Montesquieu relève son lien
avec l'esclavage : « La question vient de l'esclavage » (*Pensées*,
n° 643).

54. Si la pratique de la torture s'accorde avec le despotisme et l'esclavage qui convient à ce régime, elle n'en est pas moins contraire à
l'humanité. Montesquieu renvoie à l'universalité et à l'unité du genre
humain pour invalider des pratiques, mais la seule considération
d'une « nature de l'homme » ne permet pas d'établir positivement
des « lois ». C'est lorsque certaines limites sont franchies, lorsque
cette « nature » est violée, qu'elle se fait *sentir* : il y a un lien indes-
tructible entre les hommes, celui de la sensibilité (ou du cœur, voir
XV, 8), qui s'oppose à la logique destructrice et aveugle du
despotisme.

## Livre XII

1. Voir XI, 6.

2. Repris en XII, 2. Montesquieu insiste sur la perception subjective
que les hommes peuvent avoir de leur liberté : « Les hommes qui
jouissent du gouvernement dont j'ai parlé [l'Angleterre] sont comme
les poissons qui nagent dans la mer sans contrainte. Ceux qui vivent
dans une monarchie ou aristocratie sage et modérée semblent être
dans de grands filets, dans lesquels ils sont pris, mais se croient libres.
Mais ceux qui vivent dans les États purement despotiques sont dans
des filets si serrés que d'abord ils se sentent pris » (*Pensées*, n° 828).

Il reprend cette « idée des Chinois » (*Pensées*, n° 434), et en donne plusieurs formulations (*Pensées*, n°s 597, 874 et 943).

3. Ces éléments déterminent l'opinion que les citoyens se font de la liberté, ils constituent également un terrain dans lequel doit s'insérer l'intervention législatrice. De ce fait, ils peuvent s'opposer à l'arbitraire despotique (XII, 29).

4. La réflexion sur les principes est inséparable de l'enquête historique, car ceux-ci n'apparaissent que dans les modalités pratiques qui les mettent en œuvre en situation.

5. Montesquieu disjoint la question métaphysique du statut de la liberté de la question politique, mais elles peuvent avoir un certain rapport en tant que l'opinion que l'individu se fait de la première peut l'engager à juger dans un certain sens sa condition de citoyen (*Pensées*, n° 943).

6. Voir p. 307, note 17.

7. Il peut y avoir un écart entre les deux, et donc une illusion de liberté. Dès lors, éclairer le peuple sur les conditions objectives de sa sûreté, c'est également modifier l'opinion qu'il peut avoir de sa liberté.

8. Il y a des conditions objectives qui doivent permettre de mettre les citoyens à l'abri d'accusations erronées. Les accusés doivent avoir le droit d'être entendus pour leur défense (c'était le cas en France, mais la procédure d'instruction était secrète et les accusés n'avaient pas droit à une assistance judiciaire, sauf en appel), et il faut décourager les faux témoignages (ce qui implique la possibilité de réviser un témoignage). Voir XII, 20.

9. L'Angleterre, notamment avec l'*Habeas Corpus* (voir p. 357, note 36) et la constitution des jurys (XI, 6).

10. Voir VI, 17.

11. Voir VI, 9.

12. Il n'y a pas de véritable échelle des peines en France au moment où Montesquieu écrit. L'article 13 de l'ordonnance de 1670 classe bien les peines selon leur sévérité, mais elles ne sont pas reliées à des crimes déterminés, ce qui laisse une grande latitude au juge dans sa décision.

13. Voir *EL*, XXV, 12.

14. Cas juridique qui consiste dans la décision d'une affaire par la parité des suffrages. L'accusé est acquitté, « par le vote de Minerve » (*calculo Minervæ*).

15. Ces recommandations vont à l'encontre de ce qui était alors établi : un édit royal de 1682 impose la peine de mort pour les sacrilèges, peine diminuée par un édit de 1724 (qui condamne les hommes aux galères et les femmes à une forme d'enfermement).

16. Voir Locke : les lois ecclésiastiques « doivent être établies par des moyens conformes à la nature d'un ordre de choses dont l'observation extérieure est inutile, si elle n'est accompagnée de la persuasion du cœur. En un mot, les exhortations, les avis et les conseils sont les

seules armes que [la société religieuse] doivent employer pour retenir ses membres dans le devoir. Si tout cela n'est pas capable de ramener les égarés, et qu'ils persistent dans l'erreur ou dans le crime, sans donner aucune espérance de leur retour, il ne lui reste alors d'autre parti à prendre qu'à les éloigner de sa communion » (*Lettre sur la tolérance* [1686], trad. fr. J.-F. Spitz, GF-Flammarion, 1992, p. 175).

17. Voir *EL*, XXVI, 12.

18. Phrase relevée par Mgr Bottari dans son rapport à la congrégation de l'Index qui devait aboutir à la condamnation de *L'Esprit des lois*.

19. Proposition qu'en 1752 la Sorbonne se proposait de censurer (elle renonça finalement à condamner l'ouvrage). Dans les *Réponses et explications données à la faculté de théologie* (4ᵉ proposition ; Pléiade, t. II, p. 1175), Montesquieu dit avoir « ôté cela », mais n'en fait rien. C'est également un des motifs de la condamnation de *L'Esprit des lois* par la congrégation de l'Index.

20. Il n'y a pas de règlements arrêtés en France pour ces délits et crimes (adultère, polygamie, inceste, etc.). Dans ce domaine aussi, la latitude du juge est très grande.

21. Rapporter la seconde classe de crimes à la « juridiction correctionnelle » (qui vise à corriger), c'est dire qu'ils ne relèvent pas d'une « juridiction criminelle » (qui vise à punir). Il s'agit moins d'encadrer la sentence du juge par la loi, que d'indiquer qu'elle ne relève que d'un règlement de police : « Il y a des criminels que le magistrat punit, il y en a d'autres qu'il corrige. Les premiers sont soumis à la puissance de la loi, les autres à son autorité ; ceux-là sont retranchés de la société, on oblige ceux-ci de vivre selon les règles de la société. Dans l'exercice de la police, c'est plutôt le magistrat qui punit, que la loi : dans les jugements des crimes, c'est plutôt la loi qui punit que le magistrat » (*EL*, XXVI, 24).

22. Dans les républiques, où la pureté des mœurs est nécessaire, la situation est différente. Voir les lois sur l'adultère (V, 7 ; *EL*, VII, 10).

23. Voir *EL*, XXVI, 24.

24. Les matériaux historiques consignés dans les manuscrits du père Bougerel sont considérables, et donnent lieu à une publication partielle, juste avant sa mort : *Mémoires pour servir à l'histoire de plusieurs hommes illustres de Provence*, Paris, 1752.

25. « Les États despotiques, qui aiment les lois simples, usent beaucoup de la loi du talion. Les États modérés la reçoivent quelquefois ; mais il y a cette différence, que les premiers la font exercer rigoureusement, et que les autres lui donnent presque toujours des tempéraments » (*EL*, VI, 19).

26. Voir XV, 2.

27. L'argumentation mêle une justification rétributiviste (la peine de mort revient justement à ceux qui menacent la sûreté de l'individu ou de l'État) et une argumentation utilitariste, qui examine les effets de la peine. S'il est juste que l'atteinte aux biens soit punie par la

confiscation des biens, la considération de l'inégalité des fortunes conduit à maintenir la peine de mort, sans quoi il n'y aurait plus de dissuasion. Il faut réduire et encadrer l'application de la peine de mort, car c'est lorsqu'elle est placée au sommet d'une échelle des peines correctement graduée qu'elle peut jouer un rôle dissuasif efficace. Montesquieu loue les peuples germains qui préféraient des arrangements et des peines pécuniaires, réservant la mort aux deux seuls « crimes capitaux », la traîtrise et la lâcheté (*EL*, XXX, 19).

28. Voir *LP*, lettre supplémentaire 8 (145).

29. Voir *Pensées*, n° 1781.

30. En VI, 21, Montesquieu fait allusion à la clémence de l'empereur byzantin Maurice, Flavius Mauricius Tiberius (582-602). Théophylacte est l'historien de son règne.

31. Dans un autre contexte, Montesquieu donne les raisons de « l'épreuve par le fer chaud ou par l'eau bouillante », en rapportant ces « preuves judiciaires » aux mœurs des Germains. Voir *EL*, XXVIII, 17, et *Pensées*, n° 1540. Ce qui est supporté par les mœurs d'un peuple rude, travaillant de ses mains, ne peut l'être dans une ville dont la principale richesse est le commerce.

32. Voir *LP*, 27 (29). L'empire d'Orient donne un bon exemple des effets d'une « haine si violente aux hérétiques » (*Romains*, XXI, p. 166).

33. « Il faut éviter les lois pénales en fait de religion » (*EL*, XXV, 12).

34. Sur Justinien qui favorise la faction des bleus contre les verts (noms des deux partis entre lesquels se divise le peuple de Constantinople), voir *Romains*, XX, p. 161 ; *OC*, t. II, p. 255.

35. Malgré l'opposition des parlements, les monarques pouvaient désigner des juges spécialement commis pour juger un procès sur la base de cette accusation, et on ne pouvait faire appel de leur décision.

36. Voir VI, 13.

37. Avec Tibère, ce qui permettait de préserver la liberté sous la république devient moyen d'asservissement : « Les empereurs étant revêtus de la puissance des tribuns, ils en obtinrent les privilèges, et c'est sur ce fondement qu'on fit mourir tant de gens, que les délateurs purent enfin faire leur métier tout à leur aise, et que l'accusation de lèse-majesté, ce crime, dit Pline, de ceux à qui on ne peut point imputer de crime, fut étendue à ce qu'on voulut » (*Romains*, XIV, p. 113-114 ; *OC*, t. II, p. 196).

38. La rédaction des lois doit être suffisamment claire pour permettre à tout individu de savoir ce qui est précisément interdit et ce qu'il risque en cas d'infraction. Le vague des formulations permet d'introduire de l'arbitraire et est susceptible d'inquiéter le citoyen (*EL*, XXIX, 16).

39. Voir *Geographica*, *OC*, t. XVI, p. 214.

40. « Il y avait une *loi de majesté* contre ceux qui commettaient quelque attentat contre le peuple romain. Tibère se saisit de cette loi

et l'appliqua, non pas aux cas pour lesquels elle avait été faite, mais à tout ce qui put servir sa haine ou ses défiances. Ce n'étaient pas seulement les actions qui tombaient dans le cas de cette loi, mais des paroles, des signes et des pensées même : car ce qui se dit dans ces épanchements de cœur que la conversation produit entre deux amis ne peut être regardé que comme des pensées » (*Romains*, XIV, p. 111 ; *OC*, t. II, p. 193). Pour un exemple lié à la république de Venise, voir *Pensées*, n° 1842.

41. « Si le délit auquel s'applique la lettre de la loi ou qu'il faut punir en s'inspirant de la loi, n'est pas tel. »

42. « Il ne faut pas châtier celui dont la langue a fourché. »

43. Voir p. 379, note 40.

44. En Angleterre, ils sont qualifiés de « sanglants ». Voir XIX, 27.

45. Sur Sylla, voir *Romains*, XI, p. 88 ; *OC*, t. II, p. 165-166 ; *Dialogue de Sylla et d'Eucrate*, Pléiade, t. I, p. 501-507. Pour la critique des réformes judiciaires de Sylla, voir également *EL*, VI, 15, et *Pensées*, n° 1905.

46. « Plus l'accusateur était distingué, plus il obtenait d'honneurs et il était comme protégé. » Voir aussi *Romains*, XIV.

47. Guerre civile qui finit par la dictature de Sylla (82 av. J.-C.). Voir *Romains*, XI.

48. « Pour le bonheur et la prospérité. »

49. Voir *EL*, VI, 5.

50. « Qu'on donne aujourd'hui un festin et qu'on fasse une cérémonie : sinon, on sera proscrit. »

51. En 336 av. J.-C., Ctésiphon propose de voter l'attribution d'une couronne en or à Démosthène, pour s'être bien conduit dans l'exercice de ses charges. Eschine saisit l'occasion et attaque Ctésiphon en illégalité, mais n'obtient pas le nombre de voix nécessaire.

52. Voir *Pensées*, n° 1539.

53. Des commissions criminelles extraordinaires étaient nommées par lettre du roi pour juger de grands personnages accusés le plus souvent de crimes de lèse-majesté. La Fronde fit supprimer ces instruments politiques en 1648, mais Louis XIV les ressuscita sous le nom de « chambres de justice ».

54. Sur la cruauté du règne d'Henri VIII d'Angleterre, voir *Pensées*, n°s 373 et 583.

55. Dans le manuscrit, la fin du chapitre porte sur les lettres de cachet : « Les lettres du prince pour emprisonner un sujet ne sont pas moins étrangères à la monarchie, mais comme dans quelques États elles sont au nombre des anciens malheurs, si l'on ne veut pas les abolir, on devrait du moins chercher à les régler » (*OC*, t. III, p. 319). Montesquieu a préféré supprimer ce passage, qui apparaissait comme une critique directe de la monarchie française.

56. « Il n'y a que le ciel dont on puisse dire qu'il voit et qu'il entend tout par lui-même. Il n'y a que les bons rois qui s'efforcent d'imiter en cela le ciel » (*Geographica*, *OC*, t. XVI, p. 237).

57. L'illusion de la liberté découlerait ici d'une manipulation qui serait le fait du prince. Voir *EL*, XIII, 8.

58. Voir V, 14.

59. Le gouvernement despotique « est uniforme partout » (V, 14).

60. Voir XIX, 12.

61. Ce sont les circonstances qui contraignent le despotisme à prendre un certain ordre particulier, et qui « forcent sa nature sans la changer » (VIII, 10).

62. *EL*, XIX, 19. Voir *Geographica*, *OC*, t. XVI, p. 209 et 225.

63. « Les Indiens ne se règlent, dans les jugements, que sur de certaines coutumes. Le *Vedam* et autres livres pareils ne contiennent point de lois civiles, mais des préceptes religieux » (*EL*, VI, 1), note *a* de Montesquieu.

64. Voir *Geographica*, *OC*, t. XVI, p. 236-242.

65. Voir p. 334, note 64. Inversement, Montesquieu remarque que « moins une religion est réprimante, plus il faut que les lois civiles soient sévères » (*Spic.*, n° 517), ce qui rend raison de la sévérité des peines au Japon.

66. *Geographica*, *OC*, t. XVI, p. 303.

# CHRONOLOGIE

**1689** : Naissance à La Brède, près de Bordeaux, de Charles Louis de Secondat, le 18 janvier.

**1700-1705** : Études chez les oratoriens de Juilly.

**1705-1708** : Études de droit à Bordeaux.

**1709-1713** : Séjour à Paris.

**1714** : Reçu conseiller au parlement de Bordeaux.

**1715** : Épouse une protestante, Jeanne de Lartigue.

**1716** : Hérite de son oncle le nom de Montesquieu et la charge de président à mortier au parlement de Bordeaux. Élu à l'académie de Bordeaux où il lit sa première communication : *Dissertation sur la politique des Romains dans la religion*.

**1717-1721** : Écrit des discours académique sur des sujets de morale ou de physique.

**1721** : Publie anonymement les *Lettres persanes*, qui connaissent immédiatement un grand succès. Partage son temps entre Paris et Bordeaux.

**1724** : Composition possible du *Dialogue de Sylla et d'Eucrate* (publié en 1745).

**1725** : Publie anonymement le *Temple de Gnide*.

**1726** : Vend sa charge de président pour pouvoir résider à Paris comme il l'entend.

**1727** : Écrit les *Considérations sur les richesses de l'Espagne*.

**1728** : Élu à l'Académie française.

**1728-1729** : Voyage en Autriche, Hongrie, Italie, Allemagne, Hollande. Il rédige de nombreuses notes de voyage.

**1729-1731** : Séjourne en Angleterre. Élu membre de la Société royale de Londres et introduit à la loge maçonnique de Westminster.

**1731-1733** : Séjourne à Bordeaux et rédige des *Réflexions sur la sobriété des habitants de Rome comparée à l'intempérance des anciens Romains* (1732), et des *Réflexions sur le caractère de quelques princes* (1733 ?).

**1734** : Rédige les *Réflexions sur la monarchie universelle en Europe* et publie anonymement à Amsterdam les *Considérations sur les causes de la grandeur des Romains et de leur décadence*.

**1734-1738** : Première rédaction de ce qui deviendra le chapitre de *L'Esprit des lois* sur la constitution d'Angleterre. Travaille à un *Essai sur les causes qui peuvent affecter les esprits et les caractères*, à des œuvres historiques (une *Histoire de France* et une *Histoire de Louis XI* – accidentellement perdue) et à un roman (*Histoire véritable*).

**1739-1748** : Compose *L'Esprit des lois*.

**1742** : Compose *Arsace et Isménie*, qui sera plusieurs fois remanié.

**1747** : Élu à l'Académie royale de Prusse. Reçu à Lunéville par le roi Stanislas.

**1748** : Publie à Genève *L'Esprit des lois*. Nouvelle édition revue et augmentée des *Considérations*, avec le *Dialogue de Sylla et d'Eucrate*.

**1749-1752** : Querelle de *L'Esprit des lois*. Les attaques le conduisent à publier une *Défense de l'Esprit des lois* et des *Éclaircissement sur l'Esprit des lois* (1750).

**1753** : Compose pour l'*Encyclopédie* l'article « Goût », qui sera publié en 1757 dans le tome VII (sous le titre *Essai sur le goût*).

**1754** : Écrit un *Mémoire sur le silence à observer sur la constitution Unigenitus* et publie *Lysimaque* (composé en 1751).

**1755** : Mort à Paris, le 10 février.

# BIBLIOGRAPHIE

## *Œuvres de Montesquieu*

L'édition des *Œuvres complètes de Montesquieu*, publiée par la Voltaire Foundation (Oxford), avec le soutien de l'Istituto Italiano per gli Studi Filosofici (Naples), de 1998 à 2008, et depuis 2010 par ENS Éditions (Lyon) et Classiques Garnier (Paris), a été conçue en 1987-1988 par une équipe internationale de spécialistes réunis dans une société savante créée à cette fin, la Société Montesquieu. Ses directeurs successifs, entourés d'un comité de direction et d'un conseil scientifique, ont été Jean Ehrard, jusqu'en 2000, le même et Catherine Volpilhac-Auger de 2000 à 2005, enfin, depuis 2005, Pierre Rétat et Catherine Volpilhac-Auger.

Cette publication offre l'édition critique et intégrale de tous les ouvrages, fragments et documents de travail connus à ce jour, et bénéficie notamment de l'apport des dations (1994 et 2009, Jacqueline de Chabannes et Fondation Jacqueline de Chabannes) qui ont permis le dépôt à la bibliothèque municipale de Bordeaux des fonds conservés à La Brède.

Elle comportera vingt-deux volumes, dont treize sont parus :

1. « Introductions générales », par J. Ehrard et G. Benrekassa. *Lettres persanes* (2004). Texte établi par E. Mass, en collaboration avec C.P. Courtney, P. Stewart et C. Volpilhac-Auger ; introduction et commentaires sous la direction de P. Stewart et C. Volpilhac-Auger.

2. *Considérations sur les causes de la grandeur des Romains et de leur décadence. Réflexions sur la monarchie universelle* (2000). Texte des *Considérations* établi et présenté par F. Weil et C.P. Courtney ; introduction et commentaires de P. Andrivet et C. Volpilhac-Auger. Texte des *Réflexions* établi et présenté par F. Weil ; introduction et commentaires de C. Larrère et F. Weil.

3-4. *De l'esprit des lois* (manuscrits, 2008). Textes établis, présentés et annotés par C. Volpilhac-Auger.

7. *Défense de l'Esprit des lois* (2009, Lyon et Paris), sous la direction de P. Rétat et C. Volpilhac-Auger.

8-9. *Œuvres et écrits divers I* (2003) et *II* (2006), sous la direction de P. Rétat.

10. *Mes voyages* (2012), sous la direction de J. Ehrard.

11-12. *Collectio juris* (2005). Textes établis, présentés et annotés par I. Cox et A. Lewis.

13. *Spicilège* (2002). Édition par R. Minuti et annotée par S. Rotta.

16. *Notes de lecture I. Geographica* (2007), sous la direction de C. Volpilhac-Auger.

18. *Correspondance I* (1998). Édition par L. Desgraves et E. Mass, en collaboration avec C.P. Courtney, J. Ehrard et A. Postigliola.

Une présentation du projet par Catherine Volpilhac-Auger (« Onze mille pages. Les *Œuvres complètes* de Montesquieu à Oxford : projet, réalisations, perspectives [février 2005] », *Astérion*, n° 4, 2006) peut être consultée sur le site : <http:// asterion.revues.org>.

## Autres outils de travail

– Le *Dictionnaire électronique Montesquieu* (*DEM*), dirigé par Catherine Larrère et Catherine Volpilhac-Auger, publié par l'ENS-LSH (Lyon) et le site de l'UMR CNRS 5037 (CERPHI), passe en revue les notions fondamentales traitées par Montesquieu, ainsi que les lectures et interprétations qui en ont été données au XVIIIe et au XIXe siècle. Chaque ouvrage ou opuscule de Montesquieu fait l'objet d'un article particulier : <http://dictionnaire-montesquieu.ens-lyon.fr>.

– L'ensemble des articles de la *Revue Montesquieu* (huit numéros, 1997-2006) est disponible en libre accès sur le site de la Société Montesquieu et de l'UMR CNRS 5037 <http:// montesquieu.ens-lyon.fr>. On trouvera sur ce site toutes les informations relatives aux travaux de recherche récents qui concernent Montesquieu.

– Pour une bibliographie exhaustive, on se reportera au répertoire présenté par Louis Desgraves, *Répertoire des ouvrages et des articles sur Montesquieu*, Genève, Droz, 1998. La *Revue*

# BIBLIOGRAPHIE

*Montesquieu* donne depuis 1998 une bibliographie actualisé
des dernières parutions ; depuis 2002, le site Montesquieu
fournit une bibliographie annuelle (<http://montesquieu.ens-
lyon.fr>, rubrique : « Bibliographie »).

## *Quelques commentaires sur* L'Esprit des lois

ALTHUSSER (Louis), *Montesquieu. La politique et l'histoire*
(1959), PUF, 1974.

ARON (Raymond), *Les Étapes de la pensée sociologique* (1967),
Gallimard, 1976.

BARRERA (Guillaume), *Les Lois du monde. Enquête sur le dessein politique de Montesquieu*, Gallimard, 2009.

BENREKASSA (Georges), *Montesquieu, la liberté et l'histoire*,
LGF, 1987.

BINOCHE (Bertrand), *Introduction à De l'esprit des lois de Montesquieu*, PUF, 1998.

CASABIANCA (Denis DE), *L'Esprit des lois. Montesquieu*,
Ellipses, 2003.

CASABIANCA (Denis DE), *Montesquieu. De l'étude des sciences
à l'esprit des lois*, Honoré Champion, 2008.

EHRARD (Jean), *L'Esprit des mots. Montesquieu en lui-même et
parmi les siens*, Genève, Droz, 1998.

EISENMANN (Charles), « *L'Esprit des lois* et la séparation des
pouvoirs » (1933), *Cahiers de philosophie politique de l'université de Reims*, n° 2-3 (1984-1985), Bruxelles, Ousia, 1985,
p. 3-34.

GOLDSCHMIDT (Victor), « Introduction » à Montesquieu, *De
l'esprit des lois*, GF-Flammarion, 1979.

GROSRICHARD (Alain), *Structure du sérail. La fiction du despotisme asiatique dans l'Occident classique*, Seuil, 1979.

HOQUET (Thierry) et SPECTOR (Céline), *Lectures de l'Esprit des
lois*, Pessac, PUB, 2004.

LARRÈRE (Catherine), *Actualité de Montesquieu*, Presses de
Sciences Po, 1999.

MANIN (Bernard), « Montesquieu et la politique moderne »,
*Cahiers de philosophie politique de l'université de Reims*, n° 2-
3 (1984-1985), Bruxelles, Ousia, 1985, p. 157-229. Repris
dans *Lectures de l'Esprit des lois* (2004), p. 171-231.

SHACKLETON (Robert), *Montesquieu. Biographie critique*
(1961), trad. fr. J. Loiseau, Grenoble, PUG, 1977.

(Céline), *Montesquieu. Pouvoirs, richesses et sociétés*, , 2004.

TOR (Céline), *Montesquieu. Liberté, droit et histoire*, Michalon, 2010.

OLPILHAC-AUGER (Catherine), *Montesquieu*, Presses de l'université de Paris-Sorbonne, « Mémoire de la critique », 2003.

# TABLE

# DE L'ESPRIT DES LOIS

## I

### LE PROJET DE *L'ESPRIT DES LOIS*

## II

### UNE RÉFLEXION POLITIQUE

TABLE                                                                      391

## III

### UNE ENQUÊTE SUR LES SOCIÉTÉS HUMAINES

TABLE 393

## IV

### LA LIBERTÉ

V

## LA JUSTICE

TABLE                                                         395

Mise en page par Meta-systems
59100 Roubaix

N° d'édition : L.01EHPN000532.C003
Dépôt légal : mars 2013
Imprimé en Espagne par Novoprint (Barcelone)